Kronik

BİR ÖMÜR NASIL YAŞANIR?
Hayatta Doğru Seçimler İçin Öneriler

—

İLBER ORTAYLI

KRONIK KİTAP: 94

YAYIN YÖNETMENİ
Adem Koçal

SÖYLEŞİ
Yenal Bilgici

EDİTÖR
Can Uyar

DÜZELTİ
Tuğçe İnceoğlu

KAPAK TASARIMI
Kutan Ural

MİZANPAJ
Nurel Naycı

1. Baskı, Şubat 2019, İstanbul
8. Baskı, Temmuz 2019, İstanbul

ISBN
978-975-2430-99-0

KRONİK KİTAP
Balçık Sk. Nº6, Gümüşsuyu
İstanbul - 34327 - Türkiye
Telefon: (0212) 243 13 23
Faks: (0212) 243 13 28
kronik@kronikkitap.com

Kültür Bakanlığı Yayıncılık
Sertifika No: 34569

www.kronikkitap.com
 kronikkitap

BASKI VE CİLT
Optimum Basım
Tevfikbey Mah. Dr. Ali Demir Cad. No: 51/1
34295 K. Çekmece / İstanbul
Telefon: (0212) 463 71 25
Matbaa Sertifika No: 41707

İLBER ORTAYLI

BİR ÖMÜR

Hayatta Doğru

NASIL

Seçimler İçin

YAŞANIR?

Öneriler

SÖYLEŞİ
YENAL BİLGİCİ

Kronik

İLBER ORTAYLI

1947 yılında doğdu. İlk ve orta öğrenimini İstanbul ve Ankara'da tamamladı. 1965'te Ankara Atatürk Lisesi'nden mezun oldu. Ankara Üniversitesi Siyasal Bilgiler Fakültesi (1969) ile Ankara Üniversitesi Dil ve Tarih-Coğrafya Fakültesi Tarih Bölümü'nü bitirdi. Viyana Üniversitesi'nde Slavistik ve Orientalistik okudu. Chicago Üniversitesi'nde yüksek lisans çalışmasını Prof. Dr. Halil İnalcık ile yaptı. "Tanzimat Sonrası Mahalli İdareler" ile doktora derecesi, 1979'da "Osmanlı İmparatorluğu'nda Alman Nüfuzu" çalışmasıyla da doçent unvanı aldı. 1983'te istifa etti. Viyana, Cambridge, Kudüs, Oxford, Berlin ve Moskova üniversitelerinde misafir öğretim üyeliğiyle birlikte seminerler ve konferanslar verdi. Yerli ve yabancı bilimsel dergilerde Osmanlı tarihinin 16.-19. yüzyıl ve Rusya tarihiyle ilgili makaleler yayımladı. 1989'da Ankara Üniversitesi Siyasal Bilgiler Fakültesi İdare Tarihi bilim dalı başkanı olarak göreve başladı. Ortaylı, 2005-2012 yılları arasında Topkapı Sarayı Müzesi Başkanlığı görevini sürdürmüştür. 2002-2014 yılları arasında Galatasaray Üniversitesi Hukuk Fakültesi'nde Hukuk Tarihi dersleri veren Ortaylı, hâlen bu üniversitede misafir öğretim üyesi olarak ders vermeye devam etmektedir. Almanca, İngilizce, Fransızca, Rusça ve Fars dillerini bilen Ortaylı, Uluslararası Osmanlı Etüdleri ve Avrupa İranoloji Cemiyeti üyesi, Rusya Federasyonu Bilimler Akademisi Şarkiyat Şubesi onursal profesörü ve Bosna Hersek, Makedonya ve Karadağ Bilim ve Sanat akademileri üyesidir.

Yayınevimizdeki diğer kitapları:
Osmanlı Devleti'nde Kadı
İlber Ortaylı Seyahatnamesi
Cumhuriyet'in İlk Yüzyılı
Türklerin Altın Çağı
İmparatorluğun En Uzun Yüzyılı
Osmanlı İmparatorluğu'nda Alman Nüfuzu
Osmanlı Toplumunda Aile
Türkiye'nin Yakın Tarihi
Gazi Mustafa Kemal Atatürk
Defterimden Portreler
Ottoman Studies

YENAL BİLGİCİ

Gazeteci. 1979 doğumlu. Siyaset bilimi eğitimi aldı. 2000'de gazeteciliğe başladı. *Nokta, Aktüel, Newsweek, GQ Türkiye, Habertürk* ve *Hürriyet*'te çalıştı. Tarih, siyaset, toplum ve kültür üzerine yazıyor, röportajlar yapıyor. Hâlen çeşitli gazete ve dergilerde yazıyor.

İÇİNDEKİLER

ÖNSÖZ

İnsanların bir kısmı maalesef doğuştan zayıf olur ve hastalıklarla boğuşur, bir kısmı ise sıhhatlidir fakat zekâsını çalıştırmak imkânı bulamamıştır. Böylelerin bir kısmı mutlu olur. Hayatı fazla kurcalamadan masallarda ve mesellerde Hans denen safdil mutluluğuyla geçinirler. Bir kısmı ise verilen terbiyeye göre fazla ilginç olmadan hayatlarına devam ederler. Gençken güzel olanların yaşlılığa doğru fizikî değişimle ellerindeki güzelliği kaybettikleri bilinir. Bazı insanlar da vardır ki hayat yolunda ilerledikçe ilginç, saygın ve hatta güzel olmaya başlarlar. Yaşadıklarına karşı duyguları ve mantıklarıyla durdukları ve muhakemelerini çalıştırdıkları için, dünyanın sorunları ve dengesizliğiyle ilgilendikleri ve dert edindikleri için yüzlerinin çizgileri değişir. Haddeden geçen bir zarafet ve olgunluk onların portresini oluşturur.

Herkes kendi talihinin mimarıdır; "faber est suae quisque fortunae." Bu yapı ve uyumu hayatınızın canlı renklerinde ve faydalı yaşamaya çalıştığınız için bunun neticesinin yarattığı olgunluğu yüz hatlarınızda taşır ve etrafa verirsiniz.

Hayat, derbederlik ve tembellik için çok uzun; fakat hırsla, yağma ve haydutluk yapmaya değmeyecek kadar kısadır. Hayat duygularla çalışılacak ve resmedilecek bir kompozisyon, aynı zamanda mantıklı yazılacak bir rapor gibidir. Bu

7

rapora yeniden üretim, yani gelecek nesilleri ortaya koymak için önem veririz.

Tatsız bir çağdayız; bir yerde eski uygarlık çözülüyor, gevşiyor, çürüyor. Üstelik geleceğin de onun yerini dolduracağını söylemek zor... Bu, insanlık tarihinin bir tekrarı gibi görünse de artık dünyamızın kısa zamanda büyük fizikî problemlerle karşılaşacağı söyleniyor. Kuşkusuz felaketi önlemek için her zamankinden daha sorumlu, daha mütevazı, daha ölçülü davranmak zorundayız.

Bu zaruret hiçbir şekilde hayatın neşeli, mutlu ve yeterince yaratıcı olmasına mâni bir durum değil; ama tek yapacağımız öğrenmek, dikkat etmek ve yöntemli yaşamaktır. Burada muhtelif kompartımanlarda bulunduğumuz toplumun imkânlarını tartıştık ve neler yapacağımıza dair bazı imalarda bulunduk. Özellikle genç okuyucularımla böyle bir sohbeti gerekli gördüm. Yüzünüz her zaman yaşadıklarınızın aynasıdır. Olgun ve bilge bir çehre edinmeniz dileğiyle…

Kitabın basımında ve düzenlenmesinde yardımcı olan Kronik Kitap çalışanlarına teşekkürü bir borç bilirim.

İlber Ortaylı
Ocak 2019

SUNUŞ

Herkes tavsiyeye ihtiyaç duyar. Güngörmüş, ne söylediğini bilen, dünyadan haberdar birinden gelen tavsiyeye ise iki kere ihtiyaç duyar. Hele de her bir insan ömrünün son derece hızlı yaşandığı, tüketildiği, verimsiz kullanıldığı böyle bir devirde...

Elinizde tuttuğunuz bu kitap; İlber Ortaylı'nın engin yaşam bilgisi ve görgüsünden süzülmüş, pratik tavsiyeler içeriyor. Bunlar; gençlere, yaşlılara, öğrencilere, meslek sahiplerine, yolun başındakilere, emeklilere; kısacası ömrünü verimli kullanmak, tadını çıkara çıkara güzel bir yaşam sürmek isteyen herkese yönelik tavsiyeler...

Bu tavsiyeleri verecek kişi; yaşadıklarından öğrenmeyi bilen, bu bilgiyi etrafına rahatça aktaran ama en önemlisi bunu yaparken nabza göre şerbet vermeden, açık yüreklilikle, ne gerekiyorsa onu söyleyen İlber Ortaylı'dan başkası olamazdı.

Dün gibi hatırlıyorum... İlber Hoca, onunla yaptığım bir röportaj sırasında, İtalya hakkında bir soruya cevap verirken durmuş; bir süre düşünmüş ve gülümseyerek şunları söylemişti: "Biliyor musun, insan en güzel trende düşünür... Bir konu kafanı kurcalıyorsa; yazmak, anlatmak istediğin şeyleri kafanda sıralamak istiyorsan, hatta yeniden kurmak istiyorsan, bir tren yolculuğuna çıkmalısın. Ben bunu İtalya'da trenle seyahat ederken anlamıştım. Biliyorum, şimdi bir trene atlamayı düşüneceksin ama iş güç diye bunu erteleyeceksin; sonra da unutup gideceksin. Kafanda tuttuğun her neyse, o da buhar olacak. İyisi mi, al sen o bileti!"

*

Hürriyet gazetesinde çalıştığım dönemde İlber Hoca'yla epey röportaj yaptım. Yine *Hürriyet*'teki haftalık yazılarının editörlüğünü üstlendiğim için onunla geçirdiğim vakit daha da arttı. Yıllar içinde epey sohbet ettik. Bu sohbetlerden bana kalan çok şey var. En başta da hayatım boyunca istifade etmeye devam edeceğim tavsiyeler…

Size bir sır vereyim. Yakın çevresinin iyi bildiği ve çokça yararlandığı üzere, İlber Hoca, kişinin hem vaktini doğru kullanmasına hem de hayatın tadını çıkarmasına yönelik pratik önerilerde bulunmayı sever. Bunları da kendi hayatından örnekler vererek anlatır. Nasıl verimli çalışılacağını, düşünüleceğini; zaman ve kaynak israfından nasıl kurtulunacağını isabetle, biraz da alametifarikası olan sivri diliyle tarif eder.

Hoca'nın bir olmazsa olmazı daha vardır. O, bir hayatın sadece verimli yaşanmasına bakmaz; onu güzel kılmayı da önemser. Okunacak kitapları, gezilecek şehirleri, seyredilecek filmleri, beraber yiyip içilecek dostları iyi seçmek gerektiğini düşünür. Bu konuları soranlara nokta atışı tavsiyelerde bulunur. Bazen bu tavsiyeleri verdiği grubu genişlettiği de olur. Hatırlarsınız; yeni evlenecek çiftlere, mobilyaya çok para harcamamalarını, o parayla (ve o güzel yaşta) dünyayı gezmelerini salık vermişti. Onun bu tavsiyesini yerine getiren çok çift oldu.

Kendim de epey istifade ettiğim bu güzel ve verimli yaşam önerilerini bir kitap hâline getirmek istediğimde, aylarca sürecek yepyeni bir sohbet başladı. İlber Hoca her bir maddenin üzerinde titizlikle durdu. Bir insan kendini nasıl yetiştirmeli? Kimlerle arkadaş olmalı? Nasıl bir eğitim almalı, nasıl meslek seçmeli? Çocukları ne tür bir eğitim modeline sevk etmeli? Hangi müzeleri görmek, hangi meydanlarda oturmak, hangi sokaklarda dolaşmak için dünyanın bir ucuna gitmeli? Hangi kitabı okumalı, filmi seyretmeli, müziği dinlemeli? Yaşanılan şehirden nasıl istifade etmeli?

Hepsinden önemlisi; hemen ilk bölümde göreceğiniz üzere, bir insan, hayatın her bir dönemini neleri tecrübe ederek yaşamalı; çocukluktan yaşlılığa, ömrünü nelere dikkat ederek geçirmeli?

İlber Ortaylı, benzersiz tecrübesi ve gözlem gücüyle tüm bu sorulara cevap veriyor, pencereler açıyor, yollar gösteriyor, değer katıyor. Her bir okurun onun tavsiyelerinden azami ölçüde faydalanacağına eminim. Kendi adıma, bu kitapta anlatılanları lise, üniversite yıllarımda okumuş olmayı isterdim. Umalım ki Ortaylı'nın hep görmek istediği kültürlü, üretken, verimli insanların yetişmesine bu kitap da bir katkıda bulunsun.

Bu önerilerin her biri için; bu uzun, güzel sohbet için ama en çok da sabrı için İlber Hoca'ya burada bir defa daha teşekkür ederim.

Bir de unutmadan söyleyeyim; o tren biletini almıştım…

Yenal Bilgici
Şubat 2019

BİRİNCİ BÖLÜM

BİR ÖMÜR NASIL YAŞANIR?

Hayatımız temel olarak dörde ayrılır: 12-25 arası, 25-40 arası, 40-55 arası ve 55 sonrası. İyi bir yaşam için, her bir dönemde tamamlamamız gereken bazı işler, edinmemiz gereken bazı alışkanlıklar vardır. Bunlar verimli, güzel bir ömür sürmenin anahtarlarıdır.

Nasıl geçiyor 70'li yaşlar? Geriye bakıp bir muhasebe yaptığınız zaman, hayatın size neler kattığını söylersiniz?

Hayat telaşından kaç yaşınıza geldiğinizi fark etmiyorsunuz. Ama yaşlılığın iyi bir şey olduğunu da söyleyemem. Neden iyi olsun ki! Biliyorsunuz ben, 21 Mayıs 1947'de doğdum. Dolayısıyla bu sene 71 yaşımı dolduruyorum. Elbette yaşadıklarımdan çıkardığım dersler var. Herkesin de bu derslerden faydalanabileceğini düşünüyorum.

Bir kere insanın kendisini ruhen huzurlu tutması, bunun için de lüzumsuz ihtiraslara kapılmaktan vazgeçmesi lazım. Bunu kendi hayatınızda siz nasıl gerçekleştirirsiniz, onu bilemem. Önemli olan şu: Yaşınız ilerledikçe önünüzdeki hayatın kısaldığını anlıyorsunuz. O hâlde sizleri, çoluk çocuğunuzu, yaşadığınız toplumu doğrudan alakadar eden mevzuların dışında şahsi hırslardan kendinizi sıyırmanız gerekiyor. Çok açık ki bu gibi sıkıntılara ve gerginliğe vücut dayanmıyor.

Sağlığınıza mümkün mertebe dikkat edeceksiniz. Ben etmiyorum maalesef ama şüphesiz benim de bu hususta dikkatli olmam lazım. Gerçi dikkat etmediğimi söylesem de bu konuda günden güne kendimle de savaşmıyor değilim; sağlıklı bir yaşam sürmek için uğraşıyorum. Konumuza dönersek... Mesela bu vakte kadar sigara içtiyseniz lütfen artık bırakın. İçki içiyorsanız lütfen çok azaltın. Yağlı yemeklerden vazgeçin. Öyle zeytinyağı, hayvani yağ ayrımı yok; yağlı yemeklerin tümünü kastediyorum. Zeytinyağında da ölçülü olun; daima ölçülü yemeniz, sofradan aç kalkmanız gerekiyor. Çünkü kilo en tehlikeli şey... Kolay kolay da veremiyorsunuz.

Bir de lütfen sakinleştirici okumalar yapmaya başlayın. Benim yaşlarım buna en uygun çağdır. Bir dönem, bizim gibi insanlar çok roman okumadı. Doğrusu ben de 20'li yaşların sonundan itibaren edebî metinleri okumayı azalttım. Çünkü meslek icabı başka şeyler okuyup yazıyordum. Şimdi edebiyata, özellikle klasiklere geri dönüyorum. Hikâye, roman okumak insanı çok dinlendiriyor; çok da hafızasını açıyor. Sakın unutmayın, en önemli şey hafızadır.

Siz son derece etkili bir şekilde çalışan, hayatı da dolu dolu yaşayan birisiniz. Bu uzun söyleşimiz tamamen bu hayattan süzdüğünüz tavsiyeler üzerine olacak ama öncelikle kestirmeden giderek sorayım. Herkes hayatını en doğru, en verimli şekilde yaşamaya çalışıyor; sizce nasıl yaşamak gerekir? Zamanı nasıl değerlendirmeliyiz?

Öncelikle hayatı tanımak lazım. Kuşkusuz insanın hayatında çeşitli dönemler vardır. Hayatımız temel olarak dörde ayrılır: 12-25 yaşları arası, 25-40 arası, 40-55 arası ve nihayet şimdi benim de bir süredir yaşadığım dönem, yani 55 sonrası. Bunlar gençlik, yaşlılıkla ilgili aralıklar değil. Bu aralıklar; bir insanın yetişmesi, olgunlaşması, eser vermesiyle ilgilidir.

Şimdi baştan sona doğru bir gidelim. 12-25 yaşları arası öncelikle temel atma dönemidir. Hayatınızı esasen bu dönemde kurarsınız. 25-40 arasında hayata karışır, söz söylemeye başlarsınız. 40-55 arası olgunluktur, otorite olma dönemidir. 55 ve sonrası ise bir dinlenme, demlenme zamanıdır. Bu yaşlarda çok bir şey yapmazsın; yeni şeyler ortaya koymaz, genelde tekrar edersiniz. Bu dönemini sürenler arasında, seyrek de olsa taze eserler verene rastlanır. İşte her birimiz bu süreçlerden geçeriz, çünkü biz bu dönemlerde yaptıklarımızla şekilleniriz.

Biraz önce tarif ettiğiniz dönemlerin ilkinden başlarsak... 12-25 yaşları arasında neler yapılabilir? Herhâlde okula gidilir, üniversite bitirilir; akademide kalmak isteyen okula devam eder, istemeyen doğrudan hayata atılır. Başka bir şey yapmaya zaman var mı?

Tabii ki var ama bu biraz da kişinin kendisine, onun nasıl bir insan olduğuna, kim olmak istediğine bağlıdır. 12-25 yaşları arası aslında her şeydir. Ben burada elbette biraz da eski dünyaya bakarak ideal olanı söylüyorum. Ama bu söylediklerim; kararlı, aklı başında kişiler için bugünün dünyasında da pekâlâ geçerli olabilir. Keza geçerli olduğu çok örnek biliyor, görüyorum.

Aslında insanın gelişmesi, taze hafızanın da hücrelerinin de artık ölmeye başladığı bu yaşa kadar devam eder. Onun için zihin, hafıza ve beden sağlığının en yerinde olduğu bu dönemde hem okuyup öğrenmek hem spor yapmak hem de fırsatları kollamak ve etrafı gözlemek lazım. Bu işler bu yaşlarda mümkündür. Çünkü yaş ilerledikçe hafızanız zayıflar; öğrenirsiniz ama daha çabuk unutursunuz, hareket yeteneğiniz fark etmeseniz de yavaş

> İyi bir yaşam için, sigara içiyorsanız bırakın, içki içiyorsanız çok azaltın. Yağlı yemeklerden tümden vazgeçin. Bir de muhakkak okuyun, hikâye ve romanın dinlendiren ve hafızayı açan gücünü ihmal etmeyin. En önemli şey hafızadır.

yavaş azalır. Sonra da evlenmek, çocuk yapmak gibi bir safhaya; maddi manevi mirasınızı devretme dönemine girersiniz. Demek ki insan, öncelikle ömrünün hangi döneminde ne yapması gerektiğini çok iyi bilmelidir.

Önce geçmişe bakalım. Batı ve Doğu medeniyetleri birçok insanın 12 ile 25 yaşları arasında yaptığı işler, verdiği eserler neticesinde oluşmuştur. Ne demek bu? Klasik dünyanın bütün önde gelenleri, İslam medeniyetinin bütün taşıyıcıları, Rönesans'ın bütün büyük adamları kendilerini 12-25 yaşları arasında var etmiştir. Hatta bu isimlerin bir kısmı daha o yaşlarında büyük eserler de verebilmiştir. Neden? Çünkü o zamanlarda hiç kimse 25 yaşından büyük bir insanın bakımını üstlenmiyordu. Söz konusu çağda öyle, "Biraz daha okuyayım, neler yapabilirim biraz daha bakınayım," demek mümkün değildi.

Esasında bu şimdi de pek mümkün sayılmaz. Her insanın yapması gereken işler var. Kendini göstereceksin, mesleğinde kaliteni ispat edeceksin, eser vereceksin... Veya kendini ispat edemeyecek, eriyip gideceksin.

15-25 yaşları arasında kendini ispat etmiş büyük isimlere bir bakalım. Mesela Gottfried Leibniz 19 yaşında doktora vermiştir. Biliyorsunuz, Leibniz hukuk tarihi okumuştur, hukukçudur; hem de bir matematikçidir, diferansiyel ve integral hesaplarıyla uğraşır. Felsefesi şüphesiz ki büyük kurguya sahip bir felsefedir. En çok eser veren müzisyen Mozart, 35'inde hayata veda etti. Yine Schubert gibi bir deha da o yaşlara doğru yaşamını yitirdi. Daha 30'unu yeni geçmişti. Rus yazarlara gelelim. Puşkin dramatik şekilde düelloda düldüğünde 40 bile değildi, 38'di. Yine düelloda ölen Lermontov 27'sindeydi. Böyle daha bir dünya insan sayarsın.

Özellikle genç yaşta ölenlerden bahsediyorum ki, bazı insanların en büyük eserlerini ne kadar erken verdiği anlaşılsın.

Nitekim bu insanların hayatlarını incelediğinizde daha 25'ine gelmeden kendilerini yetiştirdiklerini görürsünüz. Onlardan uzun yaşayanların da kendilerini geliştirmek için 40'larına kadar uğraştıklarını sanmayın. Daha çok yaşayanlar bile, kendini yetiştirme işini ömürlerinin ilk döneminde bitirmiştir. Okuyacaklarını okumuş, alacaklarını almışlardır. Akabinde de eser vermeye geçmişlerdir.

Ben eskiden beri hep bu örneklere bakarım. Kim, kaç yaşında ne yapmış? Bir örnek daha vereyim. Fransız Mısırbilimci Jean-François Champollion'dan bahsedelim. Bu ünlü alim, her şeyi 16 yaşına gelene kadar, daha çocukken zaten tamamlamış. 30'unda hiyeroglifi çözmüş. Bu dünyadan da 42 yaşında gitmiş. Yani yaptığı son iş de hiyeroglifi, bilinmeyenleri çözmek olmuş. O zamana kadar da ne Aramcayı, ne Yunancayı, ne İbrancayı ve ne de Latinceyi bırakmış.

Champollion'dan bahsedince, akla hemen bir kişi daha geliyor. Fransız yazar ve tarihçi Prosper Mérimée de böyledir. Bu adam da 15'ine gelmeden İngilizce, Latince, Yunanca öğrenmişti; bu dillerden çeviriler yapıyordu. Slav dillerini ve Kelt dillerini de cebine koymuştu. 25 olmadan tarih ve hukuk eğitimini tamamlamış, romanlarını yazmıştı. Sonrasında zaten Fransa'nın büyük adamı, filolojik dehası, tarihçisi, arkeoloğu, yazarı olarak anıldı.

İşte böyle insanların yaşadığı bir dünyaya bakınca ne yazık ki bugünün insanlarının biraz yavan kaldığını görüyorsunuz. Artık en iddialı toplumlardan bile, ki halihazırda Almanlardır bunlar, bu tarz insanlar az çıkıyor.

"25 yaşından sonra eğitim olmaz, artık eser vermeye geçmek gerekir," diyorsunuz da dünyanın her yerinde yüksek lisans, doktora derken, öğrenciler 30'lu yaşlarına geliyor; hatta bu yaşları dahi geçiyorlar. Günümüzde

eğitim fazla mı uzun? Öte yandan, hem uzun hem de yetersiz mi?

Evet, eğitim çok uzun... Daha kötüsü, bu uzun eğitim hiçbir işe yaramıyor. Eğitimimizle övünüyoruz ama övündüğümüzle de kalıyoruz. "Artık bir ortaokul çocuğu bile Aristo'nun bildiklerini biliyor," diyorlar. Yok canım! O çocuk Aristo'nun bildiğinin çeyreğini bilmediği gibi, onun yaptığını da yapamıyor. Bu eğitim tam aksine, insanların yaratıcı taraflarını öldürüyor. Üstelik herkes bir yaratıcılık lafı tutturmuş gidiyor. Neymiş, çocukların yaratıcılığını teşvik ediyormuşuz! Kimse kusura bakmasın ama ben çocukların üzerinde böyle bir etki göremedim. Beri yandan sorsan, mangalda kül bırakılmıyor.

Bakın; bugün 16 yaşında bir insan, Türkiye'de de dünyada da çocuktur, ham ahlattır. Bir şeyler yapmak zorunda kalıyorsa, yani çalışıyorsa, ortada ya bir suistimal ya da bahtsızlık mevcuttur. Kendi seçimiyle kendini ortaya koyan, bunun da tadını çıkaran kimse yoktur. Demek ki ortada Gottfried Leibniz gibi biri yoktur. Mozart demiyorum, çünkü Mozart da babası tarafından çok istismar edilirdi. Mozart'ı çocukken habire gezdiriyor, sağda solda çaldırıyorlardı; "Dersine çalış," diye ona dayak atıyorlardı. Öyle insanlar bugün de var ve yöntemlerini hiç tasvip etmiyorum. Mozart dediğiniz deha da, bir yerde sadece oynamak isteyen zavallı bir çocuktu. Çocukken gönlünce oynayamamıştır, o yüzden de hep çocuk kalmıştır. Küçük yaşta çıraklığa gidenler zaten hep çocuk kalır. Koca adamlar, hatta dâhiler arasında bu nedenle çocuk ruhlu olanlar çoktur. İşte Mozart da 35'inde, çocuk demesek de bugün için epey genç sayılacak bir yaşta öldü.

Şunu da unutmayın; İstanbul Yenikapı'da geçenlerde bulunan iskeletlerin yaş ortalamaları da 35'ti. Bunlar milattan sonra 5 ve 6'ncı yüzyılların liman halkıdır. Kalıntılara ulaşınca, hepsinin kemiklerinin kırık dökük olduğu anlaşıldı. Çoğu tedavi görmüş. Liman mıntıkası tabii, demek ki bu insanlar hamallık yapıyordu. Kim bilir ne rutubetli, ne berbat evlerde oturuyorlardı. Neticede bir tedaviden geçmişler. Gerçi siz 15 asır önceden bahsettiğime bakmayın, o dönemin ortopedisi bugünkünden beceriklidir. Ama o zamanki insan ömrü de bellidir. Sadece bu hamalların değil; onları yönetenlerin, o zamanın yazarının, çizerinin, mimarının da yaş ortalaması 35 civarıdır. Yani adamların hayatının bittiği yaşta, bizim çocuklar hâlen bir şey öğrenmeye çalışıyor; hayata atılmıyorlar. Çok açık ki yanlış ve verimsiz bir çizgideyiz.

Peki sizin bu ilk döneminiz, 12-25 yaşları arasındaki hayatınız nasıl geçti? Dilediğiniz kadar verimli miydi?

Bana kalırsa, ben her şeye rağmen bu dönemi iyi değerlendirdim. Çünkü Ankara'daydım. Başkentte ihtiyaç duyduğum her şey vardı. Kültürel faaliyetleri çok rahat takip ediyordum, kitap okuyabiliyordum, sanatla ilgilenebiliyordum. Alman Kütüphanesi; Fransız, İngiliz, İtalyan kültür merkezleri iyiydi. Dil Tarih'te annemin dersine gidiyordum.[1] Tiyatro canlıydı, ilgileniyordum. Lisan öğrenme imkânı çoktu. Zaten Ankara'da başka türlü sıkılırsın, dil öğrenmeyip ne yapacaksın? Bunlarla da kalmadım. Arkeologya kurslarına gittim. Lise çağlarından başlayarak mihmandar olarak yetiştim. Onu da sırası gelince konuşalım. Velhasıl mektebimi okudum, üstüne bir doktora yaptım. Arada Avusturya'ya, bir de Chicago'ya gittim. Böyle böyle 25 yaşıma geldim.

Hep okuyup durdunuz mu? Eğlenceye vakit bulabildiniz mi?

Her şeye herkes kadar vakit buldum diyelim. Hep okudum mu sorusuna gelirsek; çok açık ki, az önce de bahsettiğim gibi,

---

1   Şefika Ortaylı, Ankara Üniversitesi'nde Rusça dersleri veriyordu.

> Bugünkü aklım olsa hem Doğu'yu hem Batı'yı öğreten bir üniversitede okur, sonra da İtalya ve İran'da uzunca araştırmalar yapardım.

benim hayatımda 12-25 yaşları arası verimli geçti. Bu çok önemlidir. Çünkü her bakımdan boy atıyorsun. 25'imden sonra da üniversitedeydim. Hayatım okullarda devam etti. Peki bugünkü aklım olsa ne yapardım biliyor musun? ABD'de veya Avrupa'da okuyarak vakit kaybetmezdim. Ortadoğu'da, İsrail'de okurdum; çünkü bu ülkenin üniversiteleri hem çok iyi hem de Batı ve Doğu'yu bir arada öğretiyor. Bir de İtalya'da uzunca yaşardım. Ama böyle bir şey olmadı. Bunun tam aksi bir programla, Türkiye'de kaldım.

İtalya'da da bir İlber Ortaylı olur muydunuz?

Muhtemelen olamazdım. Belki daha iyi bir hayat sürerdim, yahut da Roma'da Termini civarında sürünenlerden biri hâline gelirdim. Zaman ve mekânın alternatif seçme ve vücuda gelme imkânları ölçülemez. Kanaatimce, kendi hâlinde biri olarak yaşar giderdim. Bir hocalık yapardım. Bu da bana yeterdi. Bir defa o muhiti çok severdim, onunla ilgili çalışırdım. Türkiye'ye gelip giderdim; belki hem Türkiye hem de İtalya'yı kapsayan, ikisi arasında gidip gelebileceğim bir şeyler yapardım. Ama eminim ki çok tanınan biri olmazdım ancak iyi bir uzman olurdum. Ona da bir itirazım yok. Zaten tanınıp ne yapacaksın?

Ama o zamanlar maalesef Avrupa ülkelerinde yaşamak istemedim. Oraların havasını suyunu sevemedim. Hava su derken, Akdeniz'den bahsetmiyorum. Çünkü İtalya'nın havası suyu güzeldir. Ben Kuzey Avrupa'dan bahsediyorum. Onların mantalitesi bana yaramıyordu. Hâlbuki Roma, Venedik, Bologna gibi yerlerde çalışabilirdim. Bir yer daha söyleyeyim; o zamanlar Tahran'da da insan çok şey öğrenirdi, buna eminim. Ama İtalya'da olmayan nesne iştir. İran'ın da yapısı uzun yaşamaya imkân vermiyor.

Gazeteci Nilgün Uysal'ın sizinle yaptığı, 16 yıl evvel yayımlanan nehir söyleşi Zaman Kaybolmaz'da,[2] *"Hâlen yapamadığım çok şey var," demişsiniz. Bu İtalya meselesi de yapamadıklarınızdan biri mi? Pişman olduğunuz başka bir karar var mı?*

En önemli pişmanlığım yanlış yerlerde bulunmak, eğitimim için yeterince isabetli tercihler yapmamaktı. Evet, İtalya da pişmanlıklarımdan biridir. Ayrıca şimdiki aklım olsa, ABD'de tahsil için vakit geçirmezdim; az önce de söyledim, gidip Ortadoğu'da okurdum. Bugünkü gençlere de öneriyorum. Hem Batı hem de Doğu tarihi çalışmaları için mesela İsrail çok müsait üniversitelere sahiptir. Hâlen birçok farklı kültürü içinde barındırıyor. Eski Alman üniversite modelini orada buluyorsunuz. Amerikan üniversite modelinin işlerliğini, ABD'nin dışında bir de orada görüyorsunuz. Üniversitelerin kütüphaneleri iyi, sağlık tesisleri iyi, spor tesisleri iyi... Bir de İsrail'de size katkıda bulunabilecek çok değişik hocalar var. Bu hocaların kültürel ilişkileri de çok farklı... Ayrıca bu sayede sizin de öğrenci muhitiyle ilişkileriniz farklı oluyor. Eh, İsrail bir de hakikaten Ortadoğu'nun tam ortasında bulunuyor. Washington'da, Londra'da iş olsun diye yapılan şeyler, orada yaşamak için elzem...

Ben açıkçası böyle ortamları çok seviyorum, çok da renkli buluyorum. Bu tip yerlerde birtakım şeyler ukalalık olsun diye yapılmıyor. Ukalalığa harcanacak emek yok, can yok. Bu bakımdan oraları tutuyorum. Hem İsrail'de Arapça ve İbrancayı da çok iyi öğrenirsiniz. Başka dilleri de gayet güzel öğrenirsiniz ki onları saymıyorum bile. Tabii ben burayı benim gibi sosyal bilimlerle uğraşanlar için öneriyorum. Fen bilimleri ilgilileri için bir akıl veremem ama o alanlarda da üniversitelerinin iyi

---

2   Nilgün Uysal, *Zaman Kaybolmaz - İlber Ortaylı Kitabı*, Türkiye İş Bankası Kültür Yayınları.

olduğunu duyuyorum. Bu konuların üzerinde çok düşünmek lazım.

Bugünkü aklım olsa başka seçimler yapacağımı söylemiştim. Esasen bütün mesele yaptığımız seçimlerle ilgilidir. Türkiye'de yaşayan insanlar; bazı konularda, özellikle de eğitimde, maalesef yanlış seçimler yapıyor. Açıkça söyleyeyim, yanlış imajlara kapılıp gidiyorsunuz. Gereği yok, çünkü sonrası pişmanlık...

Pişmanlıklarınızı saydınız ama ben sizi yine de şanslı görüyorum. Nereye gitseniz, alanının en iyi isimleriyle çalıştınız; onlardan eğitim aldınız. Modern tabirle, network'ünüz çok iyiymiş.

Bak bu konuda tesadüfe inanmıyorum. Ben insanları arar bulurum. İyi hocalardan eğitim almak için bizzat çok uğraşmışımdır. Neticede kimse gelip beni keşfetmedi. Zaten kimsenin bunu yapacak hâli de yoktu. Az önce, "İtalya'ya gitseydim," dedim ya... Gitseydim eğer, orada da iyi hocaları arar bulurdum; eğitimimi onlardan alır, sonra da orada kalırdım. Gerçi buradaki hayatıma benzemezdi ama şu anki hayatım çok mu iyi, onu da bilmiyorum (Gülüyor).

Ben epey keyif aldığınızı düşünüyorum.

Alıyorum. Türkiye'den keyif almamak mümkün değil.

Bir sonraki döneme gelirsek... 25 ile 40 yaşları arasında ne yapmak gerekir?

25-40 arası tam bir restorasyon çağıdır. Hayatınızda, ilk gençliğinizde, yani yine 25 yaşınıza kadar diyelim; bazı şeyleri büyük bir başarıyla yaparsınız. Çünkü o dönem ciddi bir hafıza kuvvetiniz, epey bir vücut enerjiniz vardır. Gayret, gençlikte çok iyi kullanılır. O zamanlarda işler daha çabuk bitiyor.

İşte bu dönemde yapmadığınız, ihmal ettiğiniz şeyleri de 25-40 arasında yapabilirsiniz. Bu son bir fırsattır. Ne öğrenmeye çalışırsanız çalışın, daha yavaş öğrenirsiniz ama bir yandan da daha keyif alarak ilerlersiniz. Bu yaşlarda öğrenmenin bir handikapı da vardır, bir şeyler aklınızda kalsa da öğrendiklerinizi daha çabuk unutursunuz. Yani 40'ından sonra saz çalmak hakikaten kıyamette çalmaktır. Demek ki eksiğinizi gediğinizi bu yaşa dek kapatmak gerekir. Bu çok önemli... Bu yüzden 25-40 arasını kesinlikle sağlıklı, dengeli ve disiplinli yaşamanızı öneriyorum.

> Kimsenin sizi bulmasını beklemeyin; nitelikli insanları siz arayın! Ben insanları arar bulurum. İyi hocalardan eğitim almak için bizzat çok uğraşmışımdır. Neticede kimse gelip beni keşfetmedi. Kimsenin gelecek hâli de yoktu!

Sizi uyarayım; bu yaşlar bir yandan da birtakım kötü alışkanlıkların fena hâlde ters teptiği yaşlardır. Aşırı alkol, sigara, kötü beslenme sizi çok yıpratır. Sonra acısını çok hissedersiniz. Bunlardan uzak durarak; hiç değilse birinden ikisinden uzak durarak çok okumanızı, gezmenizi, yeniden öğrenmenizi, dil dahil eksiklerinizi tamamlamanızı öneriyorum. Bu konuları hallederek, bu dönemde öğrenmeniz gerekenleri öğrenerek, bir yandan da 12-25 yaşları arasından getirdiklerinizi kullanarak eserler vereceksiniz.

Yine tarihten gidelim. Eski çağlarda, 25 ilâ 40 yaşları arasındaki insanlar artık büyük adam olmuşlardır. Devlet hayatına da girmişlerdir, eserler de vermişlerdir, komutanlık da yapmışlardır. O zamanlarda 40'ından sonra yaşamak zaten istisnaiydi, ömürler kısaydı. Bugün ortalama insan ömrü uzadı ama insanların verimli olduğu dönemler yine de değişmedi. Bu yüzden, insanın, hangi alanda çalışıyorsa çalışsın, eserlerini 25-40 yaşları arasında vermeye gayret etmesi gerekir. Sonra geç olabilir. Şu açıdan geç olabileceğini düşünüyorum, az önce de belirttiğim gibi vücudunuzu da hafızanızı da eskisi gibi kullanamayabilirsiniz.

Gelelim 40-55 arasına. Bu dönem insanın nasıl bir çağıdır? Bu yaşlara varınca neler yapmamız gerekiyor? Ben de bu yaşın artık kıyısına gelmiş biri olarak, bunu özellikle soruyorum.

Evet, gelelim. Hakikaten bu çok önemli bir dönem... İşte şimdi hafızanın gerilemeye başladığı ama bir hikmetin, bir terennümün ve tasavvurun geliştiği bir çağdan; 40'lı yaşlardan bahsediyoruz. O vakte kadar insan bildikleriyle bu yaşlarda yapabildiği gibi derin ve ölçülü analiz yapamıyor. Bu kadar güzel mısralar döktüremiyor. Bu kadar güzel üsluplu yazılar ortaya koyamıyor. Yani birikiminiz iyiyse artık bir olgunluk ve terennüm çağı başlıyor.

Demek ki insan 40'ından sonra daha bilge oluyor. *Sagesse*[3] veya İngilizcede *wisdom*[4] dedikleri tavır geliyor. Hâkimane bir davranışa giriyorsunuz. Bildiğiniz ölçüde çok güzel mukayeselerde ve değerlendirmelerde bulunuyorsunuz. Bunları elbette eski birikiminizle, yani 40'ına kadar getirdiklerinizle yapıyorsunuz. Şüphesiz bu birikimi güzel bir şekilde değerlendirebilirseniz, 40'tan sonrası verimlilik açısından hakikaten nefis bir şekilde geçer. Keza olgunluk bakımından da öyle. Mesela bir insanı 40'ından sonra daha iyi sevebilirsiniz, hatta daha iyi bir âşık olursunuz. Hiçbir zaman genç bir insandaki aşk ihtilaçlarını

> 40'lı yaşlar insana bir olgunluk, sakinlik, derinlik getirir. Birini 40'ından sonra daha iyi sevebilirsiniz, hatta daha iyi bir âşık olursunuz.

3 Fransızcada bilgelik.
4 İngilizcede hikmet, irfan, akıl.

yaşamazsınız. Dostlarınızla ilişkileriniz de daha bilgece ve özverili olur. Bu yüzden 40'ın üstünde devam ettirdiğiniz dostluklar veya hemen 40'ın kenarında kurduklarınız kalıcıdır. 40'tan sonrakilerin ise çoğu geçici olabilir ve daha geç dostluklar da söner gider.

Ne demişler; "Eğer gençler bilse, ihtiyarlar yapabilse." Bu sözün anlamı da işte bu bağlamda ortaya çıkıyor. Demek ki belli bir şeyi yapabilecek olanların, onu artık yapamayan ama şüphesiz çok bilenlerden öğrenmesi gereken konular vardır. Bu sayede ortaya güzel eserler çıkar. Yani yaşlı öğretmenlerden ve yaşlı insanlardan, ileri yaş grubundan pek çok şeyi dinlemeniz, öğrenmeniz gerekiyor. Aslında gençlerde de bu yönde tabii bir eğilim vardır. İleri yaşla temas kurmak isterler. Nitekim her zaman kendi akranlarınızla buluşursanız, çok şey kazanamazsınız. Tecrübelileri de dinlemeniz gerekir.

Siz 40 ilâ 55 arasını nasıl geçirdiniz peki?

Ben verimli geçirdiğimi düşünüyorum. Bu yaşlar, artık topluma karşı bir döküm yapmaya başladığınız yaşlardır. Toplumsal sorumluluğunuzu her anlamıyla yerine getirdiğiniz bir dönemdir. Bu çağını yaşayan bir insanın, söz konusu sorumluluğu bilip ona göre davranması gerekir. Şimdi burada sözüm sana. Madem bu çağın kıyısındasın, gereğini yapmalısın. Bu dönemde yazdıkların çizdiklerin daha başka olacak, bunu fark edeceksin. Başka türlü, daha verimli bir çağ başlıyor. Otorite oluyorsun.

O hâlde bir daha tekrarlayalım ve özetlemiş olalım. Veriminizi esasen 30'larınızda göstermelisiniz. Makine işlemeli, yoğun bir şekilde çalışmalısınız. Öyle ki bıkmadan usanmadan çalışmalı ve biriktirmelisiniz. 40'larınıza çalışarak ve eser vererek gelmelisiniz. Neticede o verim, 40'larınızda da devam ediyor ama artık tecrübeyle birleşiyor. İşte otoriteniz de ortaya bu şekilde çıkıyor. Derinleşiyorsunuz, dinleniyorsunuz. Sonra da üstatlık, ustalık çağı başlıyor.

Anladığım kadarıyla, 55'ten sonrasını genel olarak "ustalık dönemi" diye değerlendiriyorsunuz. Doğru mu?

Evet ama bir yandan da oraya düzgün bir yöntemle ulaştıysanız öyle kalmayı sürdürmeniz gereken bir çağdan bahsediyorum. Evvela, en azından 70'ine kadar eserler vermeye devam etmeniz gerekir. Şüphesiz ustalığınızı kullanmalı, derinliğinizi göstermelisiniz. Bunları yapacaksınız ama karşınızda bir de düşman bulacaksınız. Esas onunla savaşmanız gerekecek. O düşman, hafızadır. Bunun lamı cimi yok, yaşınız ilerledikçe hafızanız geriler. Ben dipnotları bile icabında ezberinde tutan biriydim. Hafızam iyidir. Ama farklı bir çağa girdiğimi gözlüyorum. Artık öğreniyorum ve unutuyorum.

Bir yaşa gelince bilgiler hızla soluyor. Bilgileri hızla emebiliyorsunuz ama onlar da aynı hızla soluyor. Onun için gençlere hep söylüyorum, burada da söyledim; tekrar da edelim: 25 yaşına kadar öğrendikleriniz esastır. O yaşlara dek ne okuduysanız, ne dinlediyseniz, ne gördüyseniz, geri kalan hayatınızda temel olarak onları kullanacaksınız. Demek ki çok dikkatli olmanız lazım. O yaşları verimli geçirmelisiniz. Neticede tabiat bunu emrediyor, hücreler bir yaştan sonra ölmeye başlıyor. 50'lerde bu süreç hızlanıyor. Yani o yaşlarda, istisnai bir durumda değilseniz, hafızanızın şu anki kadar keskin olmayacağını bilin. 70'lerde bu kayıp iyice artıyor. Bence insanın 70'inden sonra artık kendini tekrarlama devirleri başlamıştır. Bu yüzden

> Esas olan 25'ine kadar öğrendiklerinizdir. O yaşa dek okuduğunuz kitaplar, seyrettiğiniz filmler, gördükleriniz hayatınız boyunca sizinle kalır. Belli yaşlardan sonra öğrendiklerinizi aynı hızla unutuyorsunuz.

kısa kesmeli, asla "ben" dememelidir. Her zaman arkadan gelenler vardır ve onlar daha iyi çıkabilir, bunu unutmamak gerekir.

Bu konuda çok kötümser düşünen insanlar tanıdım. "70'inden sonra insan tavsar," diye düşünürlerdi. Bu argümanı en şiddetli savunanlardan biri de Mübeccel Kıray Hoca'ydı. "Bir insana 70'inden sonra sadece yazmayı değil, konuşmayı da yasak etmeli," derdi. Bunak demeye getiriyordu yani! (Gülüyor).

Mesela Batı'daki üniversitelerde yaşlanan profesörleri düpedüz *emeritus* yapıyorlar.[5] Eskiden 70 yaşında yaparlardı, şimdi bunu 65'e indirdiler. Bu statü bizde de var. Ama dışarıda beş yılda bitiyor, bizde gidebildiği kadar gidiyor. Fakat bir şeye dikkat ettim, vakıf üniversitelerinde de hocaları 75'ten sonra görevden uzaklaştırmaya bakıyorlar. Sağlık şartları, gençlerin alttan yetişmesi derken, durum oraya gidiyor. Bu iş Amerika'da, Avrupa'daki gibi değildir; daha gevşektir. İleri yaşlara daha çok tolerans tanınır.

Özetlemek gerekirse bu yaşlarda genellikle ortaya taze eser konulamaz, yapılanlar tekrardan ibarettir. Bizim mesleği düşünelim. Bernard Lewis yüz yaşını geçmişti ama bilgileri, eskiden edindiklerini güzelce değerli belgelerle sunardı. Nitekim Oryantalistler[6] dünyasının her zaman için orijinal bir kalemidir.

Tabii söylediklerimi kesinlikle, "Yaş ilerledikçe iş bitiyor," diye anlamayın. Tarihe bakarsanız, birçok şeyi 90'ından sonra başaranları da görürsünüz. Mesela Venedikli ressam Tiziano, en güzel eserlerini 90'ından sonra vermiştir. Mimar Sinan mesela, 90'ından sonra neler neler yaptı ve 95-96 yaşlarındayken

---

5   Emekli edilen ve çalışmaya devam eden profesörlere verilen unvan.

6   Şarkiyatçılar; Yakın ve Uzakdoğu toplum ve kültürleri, dilleri ve halklarının incelendiği Batı kökenli ve Batı merkezli çalışma alanlarında söz sahibi akademisyenler, yazarlar ve sanatçılar.

öldü. Fazla uzağa gitmeyelim, bence Halil İnalcık Hoca'nın en kalıcı eserleri 90'ından sonra yayımladıklarıdır. O dönemde kaleme aldığı, *Türk Tekstil Tarihi* adlı bir eseri var ki bu kadar nitelikli bir çalışma az bulunur.[7] Yine edebiyat tarihi alanında iki kalıcı eser vermiştir. Cambridge serisinden çıkan *Türk Ekonomi Tarihi*'ni[8] aynı şekilde 90'larında değilse de bundan az evvel yazmıştır. Hoş makaleler toplamıştır. Yani bu yaşlar önemlidir. Ama Halil Hoca, Mimar Sinan, Tiziano Vecellio gibi isimler istisnaidir.

Aklıma bir de Maxime Rodinson geliyor ya da Claude Cahen... Bunlar da ileri yaşlarda hâlâ taze işler üretebiliyordu. Cahen 30'lu-40'lı yaşlarında bir sürü şey yazmış. Ama *Pre-Ottoman Turkey*[9] (Osmanlılardan Önce Anadolu)[10] gibi bir eseri de 50'sinden sonra kaleme almış. Ancak böyle örnekler çok az...

Yine de tavsiye ederim ki bu söylediklerimden cesaretle, "İşimi o yaşta da hallederim," demeye kalkışmayın. Keza ben kendim de kalkışmıyorum. Meşhur tarihçi Leopold von Ranke, 80'inden sonra da önemli eserler veriyordu. Ama ben ona özenemem! Ne yapacaksam 80'ime kadar bitirmeliyim. Kimsenin de o yaşlarda böyle başarılı eserler verebileceğinin bir garantisi yok. İşte bu yüzden okumayı, yeni eser vermeyi belli bir yaşta bitirmeniz lazım. Maalesef, "İleriki yaşlarda hallederim veya çalışmalarımı aynı şiddetle sürdürürüm," sözünün karşılığını bulamayabilirsiniz.

---

7   Halil İnalcık, *Türk Tekstil Tarihi*, Türkiye İş Bankası Kültür Yayınları, 2008.

8   Halil İnalcık, *An Economic and Social History of the Ottoman Empire - Vol.I*, Cambridge University Press, 1994 (*Osmanlı İmparatorluğu'nun Ekonomik ve Sosyal Tarihi -1*, Çev. Halil Berktay, İş Bankası Kültür Yayınları).

9   Claude Cahen, *Pre-Ottoman Turkey: A General Survey of the Material and Spiritual Culture and History*, Sidgwick and Jackson, 1968.

10 Claude Cahen, *Osmanlılardan Önce Anadolu*, Çev. Erol Üyepazarcı, Tarih Vakfı Yurt Yayınları, 2014.

Hayattaki her kararı kendiniz mi verdiniz hocam? Önemli konularda kimseye danışır mısınız? Bir de şunu öğrenmek isterim: Bugüne dek aldığınız en önemli tavsiye nedir ve bunu kimden aldınız?

Yakından tanımayanlar bilmez, ben çok kararsız bir insanımdır. Güvendiğim insanlara en özel, en mahrem konuları bile sorarım. Bir yol ayrımına geldiğimde, ikili bir seçim karşısında kaldığımda mutlaka 40 kişiye sorarım. O mu, bu mu? Tabii bu kadar tavsiye içinde münasebetsiz olanlar da epey çıkıyor. Bunca yıldan, bunca tavsiyeden çıkardığım kanaat şudur: Özel hayatınızla ilgili kimseyi dinlemeyeceksiniz! Anneniz babanız dahil. Zaten böyle ağır konularda onlarda reaksiyon da olur. Dinlemeyeceksiniz. Elbette, "Her şeye, her söze kulağınızı tıkayın," da demiyorum. Ben sadece, "Kendi yolunuzu kendiniz çizmeye çalışın," diye tavsiye ediyorum. Nitekim ben yolumu kendim çizdim, buna gayret ettim. Yine de kulaklarımı her zaman açık tuttum, doğrusu çok işime yarayan tavsiyeler de aldım.

> Bunca yıldan, bunca tavsiyeden çıkardığım kanaat şudur: Özel hayatınızla ilgili kimseyi dinlemeyeceksiniz! Anneniz babanız dahil.

Örneğin aldığım en önemli tavsiyelerden biri okul konusundaydı. Bu kişiye müteşekkirim. Kendisi, yakın tarihte kaybettiğimiz Bozkurt Güvenç'tir. O sırada bir seçim yapmak durumundaydım. Bozkurt Bey, Hacettepe Üniversitesi'nin kuruluş döneminde genel sekreterliği yürütüyordu; her görev onun üstündeydi. Bense, "Oraya mı, buraya mı gitsem?" diye bocalıyordum. Neticede talebe sayısı az diye Hacettepe'deki sosyal bilim branşlarından birine girmek istedim. Bozkurt Bey bana Hacettepe yerine Mülkiye'ye girmemi tavsiye etti. Üstelik bunu Hacettepe'de kendi fakültesinin kurucu sekreteri olarak söyledi. Bu bir dürüstlük örneğidir. Benim için çok önemliydi. Kendisi benim başka türlü şeyler düşündüğümü, başka türlü bir eğitime ihtiyacım olduğunu görüp bu tavsiyeyi vermiştir. Bozkurt Bey bu konuyu elbette unutup gitmişti ama ben unutmadım ve sonraları kendisine hatırlattım.

Bir röportajımızda Bozkurt Bey'e ben de bu yönde bir soru sormuştum. O da Süleyman Demirel'in çok iyi tavsiyeler verdiğini söylemişti.

Doğrusu ben de Süleyman Bey'den iyi bir tavsiye aldım. İşime yaramıştır, hayrını görmüşümdür. Demirel'den aldığım ve uyguladığım bu tavsiye de hayatımdaki ikinci önemli tavsiyedir. Bir dönem, şimdi kimin teklif ettiğine girmeyeyim, bana milletvekilliği teklif etmişlerdi. O sırada Demirel ile bir Bakü ziyaretinde bir araya geldik. Onun cumhurbaşkanlığı görevi henüz sona ermişti. Kendisine bu teklliften bahsettim. "Kabul etmeyin. Sizin gibi insanlar bu milletin vicdanıdır, siyasetle işiniz yok," dedi. Bakın, yılların siyasetçisi Demirel'den bahsediyorum. Böyle bir tavsiye verebiliyor. Ben o sıra yine, "Öyle mi yapayım, böyle mi yapayım?" diye bocalıyor; işin içinden çıkamıyordum. Demirel bu tavsiyeyi verince, "Tamam," dedim, "ne yapmayacağım belli oldu." Sonrasında da bu tip teklifleri hiç kabul etmedim.

Tavsiyeleri işe değil, kişiye bakan insanlardan almalısınız. Bu tipte insanlar sizin kim olduğunuza, nasıl bir birikimle geldiğinize, neye ihtiyaç duyduğunuza bakar. Yoksa ezbere tavsiye vermek çok kolaydır.

Çok açık ki bu iki tavsiye hayatımda çok etkili oldu. Biri beni Mülkiye'ye yolladı, diğeri de akademik hayatta kalmamı sağladı. Bana kalırsa ikisi de işe yaramıştır.

Bunların neden böyle isabetli tavsiyeler olduğunu kendime

sormuşumdur. Bir cevap buldum. Bana bu tavsiyelerde bulunan iki kişi, Bozkurt Güvenç ve Süleyman Demirel, fikri sabitten uzak; işe değil, adama bakan insanlardı. Size de önerim budur: Tavsiyeleri işte böyle insanlardan alacaksınız. Böyle insanları bulmaya, bulunca dinlemeye çalışacaksınız. Bu tipte insanlar sizin kim olduğunuza, nasıl bir birikimle geldiğinize, neye ihtiyaç duyduğunuza bakar. Yoksa ezbere tavsiye vermek çok kolaydır. Gel bu okula, gir Meclis'e... Bunları herkes söyler. Esas olan Bozkurt Güvenç ve Süleyman Demirel'in yaptığıdır. Çünkü bizim millette, "Sen bu işi yapma," diyen çok bulunmaz.

Sizden de çok tavsiye istediklerini biliyorum. En başta da öğrencileriniz. İnsanlara akıl verir misiniz?

Evet, bana da akıl soran çok oluyor. Ama prensiplerim var. Örneğin, kesinlikle doktor tavsiye etmem. Biliyor musun, kolay kolay evlilik de tavsiye etmem. Üstelik bu konularda Türk milletinin patavatsızlığına da çok şaşırırım. Adam doktor değil, ısrarla doktor tavsiye ediyor. Öyle şey olmaz. Biri size doktor soruyorsa; bildiğiniz, sizi tedavi eden birini, kendi tecrübenizi şüphesiz anlatabilirsiniz. Ben de kendi tecrübemi aktarırım. Ama, "Hayır, o doktora değil; bu doktora gideceksin. Sakın şuna gitme," diyenler de var. Yahu bu konuda ne biliyorsun, uzmanlığın nedir? İşte bir de, "Şu kızla evlen!"; "O oğlanla evlenme!" meseleleri var. Buna girersen ipin ucu kaçar. Senin yanlışın, mevcut doğruları da ortadan kaldırır.

Evlilik tavsiyesi bir yana, nikâh şahidi olmanızın sizden sık rica edildiğini biliyorum.

İstiyorlar ama esasen benim gibi boşanmış adamdan nikâh şahidi olmaz. Soranları çoğunlukla reddediyorum ama bazen yine de kıramıyorum. Evet, genellikle bunu benden talebelerim istiyor. Benden şahit olmayacağını söyledim ama bizim nikâhlar fena da gitmedi. İçlerinde mutlu evlilikler var. Elbette istisnalar, ilginç örnekler de var. Biri okul arkadaşımızdı, evliliği epey sürmüştü. "Maşallah bize," derken, 60'ında ayrıldılar. Tabii ki bu yanlış bir karar sayılmaz. Hayatta en önemli şeylerden biri de insanın kendisi için en doğru kararı alabilmesidir, ortada bir sıkıntı varsa sürdürmeyeceksin. Çocuk olsa da yine bazı durumlarda aynı şeyi düşünürüm. Zaten bakıyorum, bir sınıfımdaki öğrencilerin yarısından çoğunun anne babası boşanmış; çocuklar hep parçalanmış ailelerin çocukları. Dahası bu bize özgü bir durum değil, boşanma oranı her yerde artıyor. Hele ABD'de... Orada zaten milleti boşanma avukatları soyuyor. Aslında boşanma oranını da böyle böyle bir miktar düşürüyorlar. Çünkü millet avukata verecek para bulamıyor.

Bana bir tavsiye vermenizi rica etsem hocam?

Gazetecisin; bu yüzden sana tavsiyem de mesleğine göre: İki yüz sene sonrasına bir şey bırakmak istiyorsan kitap yazacaksın. Gazete yazısı bir kitap kadar kalıcı olmayabilir. Çünkü 50 sene sonra gazetelere ne olacağı bile belli değil.

İKİNCİ BÖLÜM

KİMDEN, NE ÖĞRENİLİR?

Farklı insanları arayıp bulun, dünyanız değişsin.

Kimlerle arkadaşlık ettiğinizin çok mühim olduğunu, kişiye "değer katan" insanlarla bir arada bulunmak gerektiğini söylüyorsunuz. Bu kişilerle bir araya gelince ne oluyor hocam? Nedir bu "değer katmak" meselesi?

Beyninize yeni bir kapı açacak, size bir değer katacak insanla bir araya geldiğinizde bir şey öğrenirsiniz; bir şey düşünürsünüz; yeni bir yere bakmaya başlarsınız. Düşünceniz yeni bir boyut kazanır, yaşamınıza farklı bir bakış açısı eklenir. O boyut bazen yanlış da olabilir, ziyanı yok; bu yanlış, zaman içinde tashih edilir. Dahası, o yanlış bile ortalıkta boş boş gezmekten daha iyidir. Dilinizi, intibaınızı, tecrübe ve görgünüzü geliştiren; dünyaya bakışınızı değiştiren insanlar önemlidir. Onlarla bir araya gelmeye gayret ediniz; sonra oradan başka yere geçersiniz, sabit kalmanız şart değildir.

Ben o konuda kendimi şanslı görürüm. Dünyanın her yerinde iyi insanlara rastlamışımdır. Daha önce söylediğim gibi bunda kendi yapımın da tesiri vardır. Olduğum yerde beklememişimdir, arayıp bulmuşumdur. Bu hareketlilikte başkaları da beni bulmuştur. Örneğin, Viyana'da bulunduğum sırada üzerimde etki bırakan kişiler arasında bazı hocalarımı hep sayarım ama akademi dışında da önemli dostlar edinmişimdir. Bu insanlar bana çok şey öğretmiştir ama pek bilinmezler.

> Yeni ve farklı ilişkiler kurmaya çalışın. Özellikle okulun dışında; emek isteyen, girişkenlik gerektiren ilişkiler kurduğunuzda, ummadığınız farklı dünyalara girersiniz. Görgünüz artar, bilginiz genişler, bakışınız derinleşir.

Benden 40 küsur yaş büyüklerdi ve beni çok etkilemişlerdi. Dünyadan epey uzun zaman önce göçtüler.

Biri Rudolf Karlburger isimli bir mühendisti. Karlburger, Dachau Toplama Kampı'na sevk edilmiş bir Yahudi aydındı. Bir diğeri, Friedl Mertinz, imparatorluktan kalma bir ailenin iyi yetişmiş bir kızıydı. Bu insanlardan çok şey öğreniyorsunuz. Bir defa diliniz gelişiyor. Karlburger örneğin, tarihi, teknolojiyi çok iyi bilen bir adamdı; Bayan Mertinz ve onunla beraber müzeleri gezdik. Bu konulardaki bakış açım da olgunlaştı. Aşina olmadığım, alakadar bulunmadığım bir sahaya girdim; bilgilerimin yönü değişti.

Peki Viyana'ya gitmeden önce, daha da genç ve tecrübesizken kimlerden ne öğrendiniz?

İlk aklıma gelen birkaç kişi var. Bunlardan biri arkeolog Mübin Beken'dir. Mübin Bey'le ben daha lise öğrencisiyken, Turizm Bakanlığı'ndaki mihmandarlık kursunda tanıştım. Sonra eşi Nalan Hanım'ı da tanıdım. Evlerine sık gidip gelirdim. Bugünkü gençlerin bizlere yardım ettiği gibi, ben de onlara yardım ederdim. Tüm arkeolojik terimleri, konuları, kavramları bu vesileyle öğrendim. Mübin Bey alanının en iyisi miydi, onu ben söyleyemem ama o dönem benim için çok önemli bir süreçti ve Mübin Beken de doğru zamanda doğru insandı.

O günlerde daha 18'imde bile değildim. Zihnim açıldı, adeta yepyeni bir dünyaya girdim. Beken'in açtığı 'Side' sergisine de yardım ettim, karşılığında çok şey öğrendim. Sonrasında bu konu üzerinde çok düşündüm ama arkeologluğu serbest olamayacağım bir meslek olarak görüp vazgeçtim. Yine de arkeoloji meselelerini, gelişmeleri, kazıları hep takip ettim. Bir kazı yerine gittiğimde, orayı bu bilgilerle gezdim. Hiç şüphesiz o kazılarda ne gördüğümü hep idrak etmişimdir. Zaten arkeolojide bu iş böyledir; ancak merak edersen, soru sorarsan zevk alırsın. Öyle boş boş bakmakla olmaz. Biraz bilgiliyseniz, sizi gezdiren arkeolog da zevk alır. Herhâlde beni gezdirenler keyif almıştır.

Başka kişilerden de bahsedelim. Mülkiye'deki ilk yıllarımda, demek ki 1960'ların ortalarında, sonradan çok iyi arkadaş olacağımız Zeliha'nın (Berksoy) anne babası Semiha Berksoy ve Ercüment Siyavuşoğlu'nun evine sık giderdim. Orada beni geliştiren çok uygun bir ortam bulmuştum. Bu evde geniş ve farklı bir dünya vardı. Semiha Hanım ile müzik konuşurduk, Nazım Hikmet konuşurduk, opera konuşurduk. Ercüment Bey'le ise bambaşka konulara girerdik; mesela bana İstanbul'un 1920-30'lu yıllarını anlatırdı. 1920'lerin hayatını ben nereden bileceğim, yazılmadı ki. İşte Ercüment Bey bana o günleri anlatmıştır. Ben de doğrusu bu bilgileri iyi dinledim, hâlen aklımdadır. Güzel de anlatırdı. Ayrıca birçok insanı tanırdı; örneğin beni Benli Belkıs'la (Belkıs Söylemezoğlu) bile tanıştırdı. Benli Belkıs, İstanbul'un efsane simalarındandı. Onu tanımak epey mühim işti. Eski dönemin çok dilli, çok kültürlü bir insanıydı. Kendisiyle yarım saat sohbet etseniz bunu anlıyordunuz. Bu tip insanlar eskiden varmış, artık kadın erkek böylesi çıkmıyor.

Söylemeden olmaz, Ercüment Bey epey disiplinli metotlarıyla bana adamakıllı bir Fransızca da öğretmiştir. Bundan

> Bir dil sadece gramer kitaplarıyla öğrenilmez. Farklı kaynaklar kullanmayı da bileceksiniz. Örneğin Batı dillerini öğrenmek için *İncil* faydalıdır. O dili konuşan çocuklar için yazılmış tarih kitaplarıyla, birtakım hatıratlar da çok işe yarar.

biraz sonra rahmetli Sevil Yurdakul'un Ankara'da Fransız Kültür'deki bir sınıfına da devam ettim. Fransızcası mükemmel ve zeki bir dosttu; onu hep hatırlarız. Ama asıl dört aylık bir bursla gittiğim Paris'te Sorbonne III'teki bir kurstan çok fayda gördüm. Kurslara ara ara gidilebilir; bununla beraber esasen kendi okumalarınız önemlidir. Bunun için en basit ve kabul edilir bir metinden başlayacaksınız. Burada bir tavsiye verelim. Mesela önce bir çocuk *İncil*'i, sonra da standart *İncil;* bir dil, söz gelimi Fransızca öğrenme bakımından size yardımcı olabilir.

Nasıl yardımcı oluyor hocam?

Bir dilde *İncil*'i bilen, diğer dillerdekileri okurken, yapıyı ve ifade biçimini daha kolay anlar; çünkü *İncil* aslında basit üsluplu, yani öykülemeye (narratio), nakle dayanan bir kitaptır. Bunun yanında *İncil*, Batı resim sanatını ve musikisini anlamak için de bir rehberdir. Mesela çok rastlanan iki resim konusu, "İsa ve Samariyeli Kadın" ile "Meryem'e Müjde"dir. Bu konuları bilmek o resimlere nüfuz etmeyi kolaylaştırır. Musikiye konu olan pasajlar da vardır; bilhassa ayinlerde söylenen ilahiler… Bunları anlamadan evvel öykülemeye dayanan *İncil*'i okursak bu sanat eserlerinde sanatçının ne demek istediğini ve sanatının kudretini iyi anlarız. Ayrıca her Batı diline giren bazı deyimler vardır ki, bugün Türkçeye de taşınıyorlar. Peki bunların anlamı ne? Örneğin "Yahuda'nın Busesi" (Judas kiss) veya "Tanrı'nın hakkı Tanrı'ya, Sezar'ınkini Sezar'a" gibi çok bilinen ve kullanılan nice deyimler, deyişler dilde mevcuttur. Bunların anlamı nedir? Lügatsiz bazı şeyleri öğrenmek faydalıdır.

Fransızca örneğini verdik; devam edelim. Dil öğrenmek için başka kaynaklar da var. Dünya tarihlerinin Fransız okulları için yazılmış versiyonları ve nihayet Fransızların kendi tarih kitapları... Burada ince bir nokta bulunuyor. Fernand Braudel'in eserleri kadar General De Gaulle'ün hatıratı da önemlidir; çünkü bu asker kökenli devlet adamının Fransızcası çok güzeldir. Zaten kurmaylar genelde, dillerini hem zengin hem de çok açık bir şekilde kullanırlar.

Dikkat edersen üniversitedeki, lisedeki hocalarımdan bahsetmedim bile. Onlarla zaten okulda bir aradasın; ilgili, çalışkan bir öğrenciysen, alacağını zaten orada alırsın. İyi ve dürüst bir ilişki tesis edip fazlasını da yapabilirsin ama okulun dışında; emek isteyen, senin çabanı, girişkenliğini gerektiren ilişkiler kurduğunda artıların çoğalır. Ummadığın, farklı dünyalara girersin. Görgün artar, bilgin genişler, bakışın derinleşir.

Ben yine de üniversitedeki hocalarınızı da sorayım. Yaşamınıza, eğitim hayatınıza bakınca, efsane bir kadrodan ders aldığınızı görüyoruz. Halil İnalcık, Mübeccel Kıray, Nermin Abadan-Unat, Mümtaz Soysal, Seha Meray, Walter Leitseh, ABD Chicago'da Aleksandre Bennigsen, Avusturya'da Andreas Tietze ve daha birçok büyük isim... Kendinizi şanslı görür müsünüz?

Hem de çok şanslı görürüm! Halil Hoca, Şerif Mardin; diğer tarafta Mübeccel Hanım, Nermin Hanım; hepsi çok önemli isimlerdir. Ama bakın, daha önce de anlattım; buna sadece şans diyemezsiniz. Ben bu kişilerle bir araya gelmek için her zaman kendim de gayret etmişimdir. Zaten kendin gayret etmezsen ortada şans da olmaz. Örneğin sırf Mübeccel Hanım'ın ve İlhan Tekeli'nin dersleri için ODTÜ'de mimari master programına girdim. Daha çok evde de oturabilirdim, oturmadım. Evde çok otursaydım hiç kimseyi tanımazdım, daha az öğrenirdim. Gittim, onları tanıdım ve ilginç şeyler öğrendim. Zaman geçtikçe, ilişkiler derinleştikçe daha fazlasını da alıyorsun. Mesela bu öğrendiklerimin en önemlilerinden birini hemen söyleyeyim: Ben Mübeccel Hanım'da ve "İbo Abi" diye hitap ettiğimiz eşi Dr. İbrahim Kıray'da çok tutarlı bir yaşam gördüm; kendine hesap veren bir hayat tarzına şahit oldum. Bu beni etkilemiştir. Şüphesiz onlardan çok şey öğrendim.

Size bir şey daha anlatayım; ders almak için, böyle kişilerin illâ okuldan öğrencisi olmana da gerek yoktu. Mesela Behice Boran 1965-66'da Siyasal Bilgiler Fakültesi'nde (SBF) neredeyse her 15 günde bir seminer veriyordu, ben de gidip dinliyordum. Konuşurken siyasete az giriyordu, sosyoloji anlatıyordu; çünkü içinde o kaynıyordu. Behice Hanım enteresan bir kişilikti. ABD'de en iyi üniversitelerde iş bulacakken, çok iyi dergilerde yazıyorken, "Bu ülkede sosyal bilim olmaz," demiş; bırakmış gelmiş, Dil Tarih'te kürsüdeydi. Mesken sıkıntısı çekilen Ankara Maltepe'de, alt katta bir evciğe oturmuştu. Bazen böyle oluyor, ben de insanın kendi kapasitesi altında yer seçmesine şaşırıyorum. Ama ideal ve araştırma merakı...

İşte beni en fazla iki kişi, iki kadın gazeteci böyle şaşırtmıştır. Biri Nilüfer Yalçın'dır. Türkiye'de diplomasi muhabirliği, parlamento muhabirliği deyince evvela onu anacaksın. Yapmadığı yoktu ki zaten; röportaj, haber vs... Yalnız yaptıklarına gelmeden evvel, önemli bir nokta var: Nilüfer Hanım London School of Economics (LSE) mezunuydu. O zamanlar bu okuldan bir mezunu Londra'da bile zor bulurdun. LSE'nin havalı bir okul olduğu malûm, üstelik şimdiki gibi bir dolu öğrenci almıyordu. Orada okursan Harold Laski'yle, Karl Popper'la, daha bir dolu şöhretli hocayla her gün yüz yüze olurdun. İşte Nilüfer Yalçın oradan, o eğitimle gelip gazetecilik yapmıştır. Ama şunu da söyleyeyim, Türkiye'de gazetecilik maalesef iyi bir eğitimle girilecek bir meslek değildir.

Buna ancak kısmen katılırım ama sizin sebebinizi duymak isterim.

Çünkü Türkiye'de gazetecilik, çalışanlarına tahammül etmesi hakikaten zor koşullar sunuyor. Kanaatimce; başka ve çok daha iyi seçenekleri olanların, halihazırda başka alanlarda faydalı olabileceklerin, gazeteci olmasına gerek yok. Ama işte bunu söylesen de olmuyor, yanlış anlaşılıyor. Hem zaten insanın içinde varsa, hiçbir şey de onu durduramıyor.

Bahsedeceğim ikinci kişi olan Nimet Arzık, bu söylediğimin kanıtıdır. O da Nilüfer Yalçın gibiydi; yalnız fevkalade geniş bilgiliydi, çok iyi eğitim almıştı. Çok iyi Fransızca, Rusça ve Lehçe biliyordu. Peki bu kişi niye kürsüde profesör değil? Neden gazetecilik yapıyor? Gazeteciliği küçümsediğimden değil, Arzık'ın bilgisi esas üniversiteye müsait olduğu için böyle söylüyorum. Türkiye'nin o döneminde Ankara'da Dil Tarih'te Rus Filolojisi var, Fransız Filolojisi var... Onlardan birine girip hoca olabilirdi.

Buna şaşırıyorsun; niye gazeteci olmuş, anlamıyorsun. İşte o elbise öyledir; kimine bol, kimine dar gelir. Nimet Arzık'a dar gelmişti. Arzık; kendi kararları üzere yaşayan, kimsenin iteklemesiyle ilgilenmeyen biriydi ama kanımca kendi kapasitesinin altında çalışmak zorunda kaldı. Türkiye'de her ortam herkese yaşama şansı vermiyor, hatta öyle ki zaman zaman tahammül etmesi zor koşullar sunuyor. Gazetecilik de öyledir.

Nimet Hanım 70'ini göremeden öldü. Kendisiyle çok görüşürdük, birbirimize sık gelip giderdik. Bir gün bize geldi, birkaç gün sonra yine buluşmak için sözleştik ama maalesef o gün ani bir krizle vefat etti. Onu hep özleriz.

> Becerilerinize gerçekten uyan mesleği seçiniz. Kendi kapasitenizin altında çalışmayın; kendinize bol ya da dar gelen bir gömleği giymekten kaçının.

Hayatınıza değer katan insanlardan bahsederken hep birbirinizin evine gelip gitmekten bahsediyorsunuz. Birbirinin evine çok seyrek giden, genelde dışarıda buluşan bir kuşağın mensubu olarak çok dikkatimi çekiyor bu. Belli bir yaşı aşmış, tecrübe sahibi insanlarla yaptığım röportajlarda, çeşitli konularda eskiyle bugünü kıyaslamalarını rica ederim. Çıkan ortak noktalardan biri şu: Özellikle 1980'den önce ve özellikle Ankara'da insanlar arasında müthiş bir bağ var. Alelade dostluklar değil bunlar, evlerde sohbetler sabahlara dek sürüyor. Çoğunlukla da teklifsiz geliş gidişlerden bahsediyorum. Sanki her gece çat kapı birinde toplanılıyor. Şunun için soruyorum; o zamanlar insan ilişkileri biraz daha dolaysız, dostların birbirlerine bir şeyler katmaları da daha kolaymış gibi görünüyor. Yanılıyor muyum?

1960'lar ve 1970'ler gerçekten de böyleydi. Sonra bu ortam tavsadı. Çünkü insanlar o yıllardan sonra Ankara'dan kaçmaya başladı. Elbette 12 Mart 1971 Muhtırası'nın da bunda etkisi oldu ama esas sebebi hava kirliliğiydi azizim! İşte onun hiç düşünemeyeceğin kadar çok tesiri vardı. Bir de baktık ki, kaçan kaçana... Biliyorsun, Ankara'nın çoğunluğu zaten memurdur. Bir kısmı İstanbul'dan gelmiştir. Özellikle de sanat, kültür entelijansiyası İstanbul kökenliydi. Aklıma gelen ilk örnek, Ankara Sanat Tiyatrosu'dur. İsminde Ankara geçer ama İstanbullulardı.

Başkentteki kültür ortamı o zamanlar İstanbul'a göre epey canlıydı. Ankara; bu alanda her an bir şeylerin olduğu, yeniliklerin yaşandığı bir merkezdi. Örneğin devletin operası ve balesi sadece Ankara'daydı. Zaman geçti, bunlar İstanbul'da da kuruldu. Eh, bu kurumlar İstanbul'da da teşekkül edince kimseyi durduramazdın. O sanatçılar eskiden Ankara'nın demirbaşlarıydı, herkes üzerinde de etkileri vardı. Derken üniversitedekiler de kaçmaya başladı. Lakin ODTÜ ve Hacettepe'nin varlığı Ankara'yı yine de biraz kurtardı. Öncesinde az çok idare ediliyordu ama 1970'lerin sonlarına doğru artık erime başladı. 12 Eylül'den sonra da şehirde kimse kalmadı. Yahut çok az kişi kaldı.

Bu arada o bahsettiğin "çat kapı" hayat İstanbul'da zaten pek yoktu. Ankara'da yoğundu ama İstanbul'da sadece belli insanların arasındaydı. 70'lerin İstanbul'unda ancak o grupları tanıyorsan öyle yaşayabilirdin. İstanbul sabit grupların dünyasıdır. Mesela ben Sencer Divitçioğlu'na o konuda çok müteşekkirim. O arkadaşlarla hafta sonu bir yere giderdik, konuşurduk… Derken Mübeccel Hanım (Kıray) İstanbul'a geldi, onun etrafında toplandık. Yaşar'a (Kemal) da gidip gelirdik. Oğlu Raşit zaten arkadaşımdı. Tilda'dan evvel Raşit'le arkadaş olmuştum.

Burada ona bir parantez açalım. Tilda Hanım çok seçkin bir simaydı, dünya görüşü farklı bir yerde olmakla beraber aslında tam bir burjuvaydı. Türkiye'de Yahudi burjuvası tam anlamıyla var mı, her cemaatte olduğu kadar herhâlde. Ama Tilda Hanım örneğine bakarsan çok kuvvetli bir tabakanın olması gerekirdi. Kendisi aslında yaşamı ve tavrı itibariyle bu zümreyi temsil ediyordu ama başka dünyaya da intibak konusunda galibiyeti vardı. İlginçtir, vasiyeti üzerine cenazesi de Teşvikiye Camii'den kalkmıştır. Tilda Hanım, Jak Mandil Paşa'nın torunudur. Bir not düşeyim; Sertabib-i Hazreti Şehriyarî Jak Mandil Paşa'nın kurduğu bir cemiyet vardı (Türk Dili'ni yayma ve geliştirme gibi de bir iş yüklenmişlerdi). Bu cemiyeti arşivde tespit ettim ve Tel Aviv'de hakkında yayın yaptım.

> İllâ aynı hayat görüşünü paylaştığınız insanlarla dost olacaksınız diye bir kural yoktur. Ben her dostumun hayat görüşünü paylaşmam ama görüşlerinden faydalanırım. Dostlarım Yaşar ve Tilda Kemal'in hayat görüşünü de yüzde yüz kabul ediyor değildim. Böyle insanları bulmak zordur. Bulunca eğitim görmüş olursun.

Ne tür bir cemiyet bu?

Osmanlı Yahudilerine Türk dilini kullandırmak için kurulan bir cemiyettir. Dikkat ederseniz İspanyolcayı, Safarad kültürünü değil de, cemaatte Türk dilini yayma ve yerleştirme amacıyla kurulmuş. Konuya dönersek, Mandil Paşa yüksek dereceli bir saray memuruydu. Yani Tilda Hanım'ın dedesi böyle, gelelim ana babasına. Baba, Bank Ottoman'da müdür; annesi de ona göre bir hanım. O da Bank Ottoman'da çalışıyor; hem de o tarihlerde, yani 1920'lerde. Tilda Hanım işte böyle bir aileden geliyordu. Ayrıca çok güzeldi, zarifti. Sürekli okuyan, bilgili biriydi. Mutlaka tanınması gereken bir insandı.

Onunla ve Yaşar Kemal'le İstanbul'u epey dolaşmışsınız.

Ben o zamanlar, yani 1960'ların sonlarında İstanbul'un peşindeydim. İstanbul'a dair onu okuyordum, bunu okuyordum; derken arşivden bir şey buluyordum. İçimde de hoş bir duygu vardı. Bir gün, "Yahu şu mahalleleri bir gezeyim," dedim. Tilda'yla Yaşar da hemen bana katıldı. İyi arkadaşım olan oğulları Raşit de bizimleydi. Beraber iki üç gezi yaptık. Bir defa Balat'tan Kariye'ye uzandık. Beyoğlu'nun arka mahallerini, Tarlabaşı'nı dolaştık. Şimdi bakın, Tilda Gökçeli gibi biri bile oraları ancak yarı yarıya biliyor; Yaşar desen, yarı yarıya biliyor; Raşit bilmiyor. Fakat Tilda, bilmediği yeri gezerken dahi sana oraları kitabî bir dille anlatırdı. Çok değişik bir aydındı. İddia ediyorum, öyle bir aydın şu an ne Yahudi cemaatinde ne de geri kalan nüfusta vardır. "İnsana değer katan insanla beraber olun," derken işte bunu söylemek istiyorum. Mesela Tilda'yla Yaşar'ın birlikteliğini kastediyorum.

Her dostumun hayat görüşünü paylaşmam ama görüşlerinden faydalanırım. Tilda ve Yaşar Kemal'in de hayat görüşünü yüzde yüz kabul ediyor değildim. Bu görüşün bağdaştığım, bağdaşmadığım tarafları vardır. Ama mesela Tilda Hanım'dan bir ahlak ölçüsü alırdın, o çok önemlidir. Kendisi bunu size verebilirdi. Böyle insanları bulmak çok zordur. Bulunca eğitim görmüş olursun.

Tilda Hanım, Yaşar Kemal'in kendisine de çok değer katmıştır. Yaşar Kemal'in dünyaya açılması onun sayesindedir. Dedim ya, Tilda çok okurdu; bıkmadan üşenmeden de Yaşar'a anlatır, her şeyi onun için özetlerdi. Yaşar'ın insan ilişkilerini de o ayarlardı. Kitapların çevirilerini de o yapıyordu. Çünkü diğer çevirilerde problem çıkıyordu. Burada önemli bir nokta var; Tilda kelime kelime çevirmiyordu, revize ediyordu. Yaşar Kemal'in çevirileri bir noktadan sonra kaptırmış gidiyordu. Yörük çadırları, folklorik unsurlar vs... Bu kadar kalabalık bir sürü terim, dışarıdaki okura, yabancılara çok şey ifade etmiyor. Dahası hacim büyüyor, okunmayı güçleştiriyor. İşte Tilda mesela buralarda bir tedbire gidiyordu. Yaşar tabii sinirleniyor, "Mahvediyorsun beni," diyordu. Tilda ise sabırla anlatıyordu. Kolay iş değil; hem Yaşar Kemal'in redaksiyonu kolay iş olur mu? Ama Tilda ikna ediyordu onu, hep etmiştir. Yaşar Kemal bu açıdan çok şanslıydı.

Bir yandan şunu da söylemek lazım, Tilda'da büyük bir yazarın sekreteri olmak ideali de vardı. Yaşar tam ona göreydi. Bütün bu *temperament*'ıyla,[11] hâliyle tavrıyla... Bir kere adam fakir de olsa çok bonkördü! Tam Tilda'nın sevdiği gibiydi. Çünkü Tilda cimri adama tahammül edecek bir tip değildi, bir defa kendisi de bonkördü. Daha önemlisi, ki az önce söyledim, Tilda yabancı dillerden birçok şey okur ve Yaşar'a anlatırdı; Yaşar da dinler ve katılırdı. Bu da sık olacak bir şey değildir. Düşün ki Yaşar, Tilda'nın ulaşabildiği bilgiye ulaşamıyordu; Fransızca, İngilizce okuyamıyordu. Ama Tilda okuyup ona metinleri naklettiği zaman bir diyaloğa giriyorlardı.

Böyle şeyler çok önemlidir. Bu dünyada bir sürü kadın böyle zevc bulamaz, bir sürü erkek de böyle eş bulamaz. Mümkün

---

11 Mizaç.

değil. Bu, üniversal bir problemdir. O bakımdan, Yaşar ve Tilda birbirlerine çok uygundu. Ayrıca Tilda her sıkıntıya tahammül ederdi. Hakiki anlamda burjuva bir ailenin çocuğu, paşa torunu olmakla beraber, sıkıntıları dert eden bir insan değildi. Eh, belki onun gençken, içinde bulunduğu yüksek sosyeteye karşı anarşik bir tavrı da vardı. Ama nihayetinde, bütün dengesiyle bu memlekete intibak etmiştir. Neticede, 12 Mart sonrasında hapse bile girip çıktı. Azra Erhat'la Selimiye'de yattı. Bu ülkenin bir kısım aydınının kaderini paylaştı. Cemaatinin içine kapanma gibi bir durumu hiç olmadı. Bunlar Tilda'yı Türk aydınının içinde önemli bir yere koyar ama daha önemlisi kendisini, buraya renk katan insanlar içinde bir örnek olarak öne çıkartır.

Güler ve Can Yücel de çok yakın arkadaşlarınız olmuş. Onlarda ne gördünüz, ne buldunuz? Onlar ne kattı size?

Evet, Güler ve Can Yücel çok yakın dostlarımdı. Onlardan da çok şey öğrendim. Örneğin dengeyi ben onlarda gördüm. Biliyorsunuz, Can içkiyi severdi ama alkole rağmen bir dengesi vardı. Alkol tek başına yıkıcı olmaz. Yıkılması için insanın dengesinin de bozulması gerekir. Dengeliysen yıkılmazsın ama insan da dengesini tek başına kuramaz. Güler işte Can için bu dengeyi tamamlayan unsurdu. Dahası sadece alkolle ilgili bir şey değil bu, tüm yaşayışlarında bu denge bulunuyordu.

Çok açık ki ikisi arasında müthiş ve hiç bitmeyen bir sevgi vardı. Besbelli birlikte büyümüşlerdi, en baştan itibaren de birbirlerine tutunmuşlardı. Böylesi çok nadiren yaşanır. Herkesin

> İyi insanların özellikleri kuşaktan kuşağa geçiyor. Bunun için her şeyden evvel, bir ilişki içindeki insanların birbirini çok sevmesi lazım. Çok nadir rastlanan bazı ilişkilerde bu müthiş sevginin yanında zekânın varlığı da dikkat çeker. İşte Can ve Güler Yücel böyleydi.

tatması gereken bir duygudur ama bunu ben size umumi bir nasihat olarak veremem. Çünkü Can ile Güler'in birbirine olan bağlılığı, sevgisi hakikaten çok çok az rastlanan bir kıymettir. Yine de birtakım hususlara bakabiliriz. Bir defa, yaşadıkları

> Herkes memleketle barışık olmuyor, ama böyle bir durum varsa bırakacaksın! Çünkü yapamazsın. Hem kendine hem topluma zarar verirsin.

suni bir beraberlik değildi. Birbirlerine karşı sabır ve anlayış geliştirmişlerdi. Bunun yolu sadece birbirini çok sevmekten geçmez, zekâyla da ilgilidir. Yani Güler ve Can birbirlerini çok sevmekle kalmıyorlardı, ikisi de epey zeki tiplerdi. İlişkileri bu şekilde yürümüştür. Çok zengin değillerdi ama topluma işini gücünü yapan, sorumluluk sahibi üç müthiş çocuk da kazandırdılar. Biri tanınmış bir hidrobiyolog, bir diğeri memleketin önemli bir ressamı, öteki de beynelmilel işlerde koşan bir hekim... Hepsi çoluk çocuk sahibi insanlar... İşte bu iyi özellikler kuşaktan kuşağa geçiyor. Ben de buna çok önem veriyorum. Her şeyden evvel insanların birbirlerini çok sevmesi lazım. Sevginin olmadığı yerde hiçbir şey kurulamıyor. Zekâ da çok önemli elbette. Allah vergisidir ve çok mühimdir. Ben işte Can ve Güler ile yaşadığım, Güler ile hâlen devam eden söz konusu dostlukta bu özellikleri gördüm.

Bazen az görüşürdük, bazen çok görüşürdük ve ben onları çok severdim. Hatıraları benim için hiç değişmez. Bu insanlar sosyalisttirler, tabii ki enternasyonal değerleri vardır ama aynı zamanda da bu memleketin insanıdırlar. İşte bu çok önemlidir. Bugün, "Efendim biz çok insancılız, beynelmileliz," diyerek memleketi biraz hakir gören bir akım var. En çok kızdığım insan tipi budur. Memleketten soğuduğun an bırakacaksın. Bir şekilde buradaki çevreyle, insanla, memleketle barışık değilsen, ki barışık olmak zorunda da değilsin, lütfen bırak; çünkü yapamazsın. Bir kere bu kendi sağlığına zararlıdır. Bir şekilde burayla bir bağının olması gerekir. Çok önemlidir. Can ile Güler'in hayatları bu açıdan da örnektir.

Zaman Kaybolmaz *kitabı için verdiğiniz röportajda iyi arkadaşlarınız Raşit ve Taman Gökçeli'yi andıktan sonra arkadaşlık hakkında, benim de hemen benimsediğim ifadeler kullanmışsınız. Hoş bir tarif: "Güvenilir insanlardır. Ufak hesapları yoktur. İnsan onlarla arkadaşlık ettiğinde mahcup olmaz. Onlarla her yere girip çıkılabilir." Kimdir iyi arkadaş; biraz daha açabilir miyiz bunu?*

Raşit ve Taman Gökçeli çifti benim hayatta tanıdığım en iyi iki arkadaştır. Hakikaten güvenilir insanlardır. Bir defa iyi ailelerden gelirler. Şimdi dikkat edin, iyi aile tarifinin bir genişliği vardır. Evvela, iyi aile çocuğu olmak illâ paşa torunu olmak demek değildir ama bu iki arkadaşımda bu özellikler de bulunur. Raşit, işte az önce sözü de geçti; Yaşar ve Tilda'nın oğludur. Demek ki anne tarafından Jak Mandil Paşa'nın torunudur. Onun eşi Taman'ın ailesinde de Meşrutiyet dönemi Karesi mebuslarından biri vardı. Ancak dediğim gibi, yine de bu tür unvanlarla dolu aileden gelmek, iyi aile çocuğu olmak için yetmez. Söz konusu ailede bir görgü, bilgi olması da gerekir.

İşte Raşit ve Taman'da esasen ailelerinden gelen bu görgü ve bilgi vardır. Evvela entelektüel kişilerdir. Şımarık insanlar olarak yetiştirilmemişlerdir. Belki bazılarına öyle görünmüşlerdir ama şımarık değillerdir. Bir iş disiplinleri vardır. Demek ki bir işi yapmayı ve teslim etmeyi bilirler. Diğer insanlara karşı sağlam bir ahlakla davranırlar. Zaten güvenilir insan da ancak böyle olunur. Beri yandan, çok önemli bir şey daha; güvenilecek insanla güvenilmeyecek olanı birbirinden ayırmayı, ona göre davranmayı da bilirler. Bu arkadaşlarımda bu özellikleri görmüşümdür. Ayrıca çocuklarını yetiştirirken, hem onlara vakit ayırdıklarını hem de o çocuklardan fazla bir şey beklemediklerini, onların sırtlarına yük yüklemediklerini de söylemeliyim. Hâlbuki toplumumuzda bunun tam tersi yaygındır. Adam veya kadın; kendi olamadığı, başaramadığı ne varsa, bunları çocuğundan bekler. O şey her ne ise; çocuğun onu yapmasını, başarmasını bekler. Bizde bir çocuğu "çocuk" olarak

> Çocuğunuzu, sadece kendisi olduğu, çocuğunuz olduğu için sevin. Bizdeki büyük yanılgılardan biri, insanlarımızın kendi başaramadıkları şeyleri çocuklarından beklemesidir. Bunu yapmayın, çocuklarınıza kendi yükünüzü yüklemeyin.

sevmek diye bir şey yoktur. İşte arkadaşlarım Raşit ve Taman bana bu konularda öğretmen olmuşlardır. Böyle iyi ve tesirli bir bilgeliğe sahiptirler. Başka iyi arkadaşlarım da vardır ama bu ikisinin bana etkisi çok olmuştur.

Siz en çok hangi döneminizde rahat ve mutlu hissettiniz kendinizi?

En çok çocukluğumda mutluydum. Sonrası zordu, çünkü ben çok sıkılırım. Mülkiye'de mutlu bir zamanım oldu ama o da sonra beni sıkmıştır. Özellikle de doçent olduktan sonra epey bunaldım. Hatta bir ara meslekten bile bezdim, bezgin bir şekilde de ayrıldım. ODTÜ'ye işte o ara gittim. Altı aylığına gitmiştim; başta iyi geçiyordu, sonra o da sıktı. 2000 yılında Galatasaray Üniversitesi'ne geçtim. Galatasaray o sıralarda çok hoştu. Ben de epey mutlu olup, "Yanlış okuldaymışım demek ki," diye düşündüm. Orayı Mülkiye'yi benimsemediğim kadar benimsedim. Yeri de güzeldir, okul olarak da güzeldir. Ama işte maalesef o da yavaş yavaş değişiyor. Öyle bir mutluluk dönemi kalmadı. Şimdi isteğim, mutluluğu yaşlılıkta yakalamak... Allah nazardan saklasın, doğrusu iyi bir yaşlılık dönemine giriyorum.

Torununuz Deniz Ali'nin sizi çok mutlu ettiğini biliyorum. Onunla ilişkiniz de birçok dedeye göre daha samimi... Onu her gün muhakkak görüyorsunuz. Göremezseniz canınız sıkılıyor.

O maskarayı tabii ki sabah akşam göreceğim (Gülüyor). Başka çaresi yok. Şimdiki evimde sırf ona yakın olmak için oturuyorum. 70 yaşının muhasebesini sormuştun. O yaşı kutladığım doğum gününde esas iyi olan, o gün bir yandan da torun sevebilmekti. Dedelik çok iyi bir şeymiş. Heyecan veren, onun seninle kurduğu bağ değil sadece; küçük bir insanın büyüdüğünü, hayata bağlandığını görmek insanı heyecanlandırıyor. Sevgi vermek çok önemli... Sevgiyle büyüyen her insan iyi bir insan olur. Biliyor musun, artık kızıma bile daha farklı bir gözle bakıyorum. Çünkü o benim şımarttığım küçük kızım değil, bir anne artık. Onun da daha çok üstüne titriyorsun. Torun, insanı hayata bağlıyor; toprağa bağlıyor; geleceğe bağlıyor. Endişe boyutun artıyor. Ben çocuğumu da çok severim ama bu duygu farklıymış. Diyebilirim ki hayattan istediğimi aldım, bu bana yeter.

Zaman Kaybolmaz'da bir kuşağa ait kadınları tarif ederken, sadece "güzel" demekle yetinmemişsiniz. "Yüzlerindeki ifade de rafineydi," demişsiniz. Nedir bu rafinelik? Nasıl gelir insana?

Şüphesiz güzellerdi ama bahsettiğim güzeller hakikaten bir de rafineydi, alımlıydı. Nedir bu? Belli ki o insan hayatta düşünmüş, üzülmüş, sevilmiş, görmüş geçirmiş, güzel şeyler görerek heyecanlanmış, felaket görerek heyecanlanmış, endişeli durumlar görerek heyecanlanmış, okumuş, okuduğundan etkilenmiş... Bunlar hep insanın yüzüne yansır. Yaşanmışlıklar erkeğin de yüzüne vurur, kadının da. Bunları yapmayanın yüzünde hiçbir ifade bulunmaz. Öyle gelir, öyle gider.

Mesela bizde birtakım köylülere göre kasabalıların suratı daha manasızdır. Çünkü kasabalının hayatında hiçbir hadise yoktur. Kasabalı kendine hadise arar. Hatta yaşamak için hır çıkarmaya bakar veya hadise olmayacak şeyleri vodvile çevirir. Kasaba hayatı böyledir. Kasaba hayatındaki huzursuzluğun çoğu da işte buradan çıkar. Mesela Çehov'da çok görürsün bunu, Maksim Gorki'de görürsün. Bu büyük yazarların resmettiği kahramanlar altı üstü sayfiye yerindeki birtakım insanlardır ama dünyayı yerinden oynatırlar ve Gogol'un kaleminde kasabalarında hadiseler çıkartıp dururlar. Çünkü hayatlarında gerçek bir olay yoktur, her şey monotondur.

> Ne yaşadıysanız yüzünüze yansır. İnsanın yüzü bir kitap gibi okunabilir. İfadeniz bomboşsa da hiçbir şey yaşamadığınız fark edilir. Bundan kaçının, monotonluktan uzaklaşın. Yüzünüz ifadesiz kalmasın.

Köylü böyle değildir. Onun hadisesi boldur. Ayı vurur, ayı kovalar ya da ayı onu kovalar. Kötü geçen bir kışta bütün ürününü kaybeder; evinde yangın çıkar, yahut donar. Ama toprak oradadır, hayata devam eder. Koyunu kuzusu hepsi bir gecede gider. Ya da evine, köyüne kurt dadanır. Yaşantısında illâ bir hadise, bir trajedi vardır. Ya da aksine, başından güzel olaylar geçer. Bu, evrensel bir hadisedir ve bundan bizim köylümüz ve kasabalımız da kendi paylarına düşeni almıştır. Bunlar her insan için geçerlidir. Mesele hayattan ne kadar aldığına bakar. Ne yaşadıysanız yüzünüze yansır. İnsanın yüzü bir kitap gibi okunabilir. İfadeniz bomboşsa da hiçbir şey yaşamadığınız fark edilir. Bundan kurtulmak mümkündür; yaşayın, monotonluktan uzaklaşın, gezin, görün, keşfedin, başkalarıyla ilgilenin, okuyun, sevin. Bunları dolu dolu yapın ki izleri yüzünüze yansısın. Yüzünüz ifadesiz kalmasın.

Şimdiki kuşakları bu konuda nasıl buluyorsunuz? Ra-
finelikten uzaklar mı, yoksa biraz umut var mı?

Eskinin haddeden geçmiş olgunluk ve zarafeti tabii ki
onlarda yok. Neden biliyor musun? Evvela bir insanın okula
gittiğinde iyi tahsil göreceğini, iyi yetişeceğini düşünüyorsu-
nuz. Yetişmiyor; çünkü gittiği okul, iyi bir eğitim vermiyor.
Disiplin yok, o disiplinin getirdiği sıkıntı yok; dolayısıyla o sı-
kıntıyı aşmak için vereceği mücadele, yol-yöntem arama yok.
Bu yavaş yavaş tüm hayata yayılıyor. Eh, yüzüne de yansıyor
insanın, hâline tavrına da yansıyor.

Şimdiki çocukların mesela Türkçeleri yok; Fransızcaları,
İngilizceleri de yok. Peki neleri var? Boş bir şımarıklıkları var,
kendilerini disipline etme gereği duymamaları var. Böyle olunca
sorumluluk da almıyorlar. Sorumluluk alamayan insanlar boş
olur. Bir de hak talep ediyorlar. Sorumluluk duygun yoksa hak
talep edemezsin. Çünkü hakkın temelinde sorumluluk vardır.
Aksi de mümkün değildir. Hindistan'ın kurucusu Mahatma
Gandhi'nin anasına sormuşlar; "Nedir bu hak?" Okuması
yazması olmayan bir kadından bahsediyorum. "Her hak
sorumluluk getirir," demiş; "yoksa o hak değildir." Söylediğim
bu işte. Bak işte o kadının yüzünde hayat vardır.

Hocam bir de şimdi botoks bütün ifadeleri alıyor zaten.
Herkes birbiriyle eşitlendi bu konuda. Onu ne yapacağız?

Evet, o botoks çok fena bir şey… Ama o zaman da insanın
gözlerine bakacaksın. Söylediğin tipte insanın, yani yüzünün
hatları gizlenmiş insanın gözlerinde bir mana bulabilirsin. De-
mek ki bu işin botoksla alakası yok. Bakışlar çok önemlidir.
İnsanın derinliğini gözleri ele verir. Mesela ben Irini Papas ile
görüştüğümde, "Biz sizin gözünüzdeki ifadeyi Türkiye olarak
çok seviyoruz," dedim. "Gözlerimin ifadesi mi? Ruhtur o," diye
cevap verdi. İşte ben de bunu kastediyorum. Keza onun anlayı-
şında da rolünde de kariyerinde de ruhsal açılım önemliydi.

ÜÇÜNCÜ BÖLÜM

İNSAN KENDİ KENDİNİ NASIL YETİŞTİRİR?

Üstünüze vazife olmayan şeylerle de ilgilenin!

Bu bölüme kısa bir soruyla başlayalım hocam. Üzerinde biraz kafa karışıklığı olan, yıpranmış bir sözcüğü ele alalım. "Entelektüel" kimdir? Çok okuyan mıdır, çok gezen midir, çok bilen midir?

Entelektüel, üstüne vazife olmayan işlerle ilgilenen kişidir. Örneğin mesleği kimyacılıktır ama coğrafya veya tarihle de uğraşır, resim yapar. Bu iş öteden beri böyledir. Kendi dünyasının dışıyla ilgilenendir entelektüel. Eski Yunan münevveri dünyayla ilgilenmiştir ama eski Roma münevveri bu anlamda bir adım daha ötededir. Neden? Çünkü Romalı, evvela kendinin olmayan bir dili öğrenirdi. Yunan bunu öğrenmezdi. İyi bir Romalı ise Yunanca bilmeye mecburdu. Bu kadarla da kalmazdı; felsefeyle de uğraşırdı, şiir de okurdu, başka milletlerle ilgi de kurardı. Çok açık ki bugünkü aydın kişinin temelinde işte o Romalı vardır. Tacitus mesela, Yahudileri tanımazdı; hatta onların üstüne epey saçma sapan şeyler yazmıştır ama Germanya için müthiş bir rapor kaleme alan da odur. Çünkü Romalı aydınlar, entelektüeller, onun gibi dış dünyaya dönük insanlardır. Kendi dünyalarının dışındaki şeylerle uğraşmayı iyi bilirler.

> Kendinizi geliştirmek, yetiştirmek istiyorsanız, işinizle gücünüzle ilgili olmayan konularla da ilgileneceksiniz. Mühendis de olsanız örneğin, coğrafyayla tarihle uğraşacaksınız, müzikten anlayacaksınız, dans edeceksiniz. Milletin hâlini dert edineceksiniz.

Zaten mesele de budur. Entelektüel olmak için işinle, aşınla, mesleğinle ilgili konuların dışında kalan şeylere ilgi duyarsın; onlara da zaman ve para ayırırsın, farklı şeyler öğrenirsin. Bunlar illâ kitabî mevzular değildir. Müzik yaparsın mesela, ciddi anlamda resim yaparsın. Salsa öğrenirsin, vals yahut tangoya merak salarsın. Milletin hâline bakarsın. Onlar ne yapıyor, nelerle ilgileniyor; dertlerini görürsün. İşte entelektüel bu işlerle de uğraşan insandır.

Peki siz bir entelektüel olarak milletin hâline baktığınızda ne görüyorsunuz? Entelektüel seviye nerede? Gerçi cehalet üzerine zaman zaman söylediğiniz iğneli sözlerden ne düşündüğünüzü tahmin edebiliyorum.

Zeki, hem de çok zeki ve meraklı bir milletimiz var. Evet, arada bir iğneli sözler de söylüyorum ve bu ifadeler kabul görüyor. Çünkü merak öyle yönlendirilir. Bizim millet biraz çocukluktan geç çıkar, geç büyür. Ama çocuğun da zekâsı ve kabiliyeti önemlidir. Çoğu insan etrafa "cahil" dememin üzerinde durdu. Peki gençler bu lafa neden bir şey demiyor, bunu neden kabulleniyor? Kabullendiklerine göre o kadar da cahil değiller; cahil olsalardı, kabullenmezlerdi. Demek ki söylediğim bazı şeyleri kabul ediyor ve seviyorlar, bunları işitmek hoşlarına gidiyor. Dahası, bunları arada bir duymak istiyorlar. Gençlerin bazı noktalara dikkatini çekiyorum. Bu benim mesleğim; doğrusu onlar da yönelmek istiyor. Esas konu başka; bizde asıl dert, aydın etiketlilerin yarım ve çeyrek bilgili olmasıdır.

Entelektüel seviye başkadır. Bu seviye bütün dünyada geriledi. Bugünün işi değil; Birinci Cihan Harbi'nden sonra beşeriyette bir tereddi, yani gerileme başlamıştır. Tarih felsefecisi Oswald Spengler'in dediği gibi, "Beşeriyet kültürleri yaratır; o kültürler medeniyete dönüşür, o esnada bir duraklama yaşanır ve nihayet tereddi başlar." Bunu Batı yaşadı, kimse Doğu'nun da yaşamayacağını söyleyemez. Dünya zaten küresel, her şey birbiriyle bağlantılı... Artık büyük dehaların değil; becerikli tatbikatçıların, geliştirmecilerin devrindeyiz. Bugün kullandığımız bütün icatlar, eski prensiplerin uygulamasından ibaret... İnsanlar artık entelektüel olarak eskileri bulamıyor. Eski entelektüeller de zaten ortada yoklar.

Maalesef bu tip entelektüellerden bu memlekette de kalmadı. Yüzyılın ilk çeyreğindeki büyük kaybımız; Batı ve Doğu dünyasının kültürüne sahip, okumuş bir zümreydi. Bu gençlik uzun harplerde cephelerde eridi. Türk cemiyetinden kayboldular. Hâlen yerine koymak için uğraşıyoruz.

> Türklerin önde gelen birçok önderi ve aydını asker saflarından çıkmıştır. Bu, bir Rönesans entelektüeli olan Fatih Sultan Mehmet Han'dan beri böyledir. Atatürk de bir entelektüeldir; en başta aldığı kurmay eğitimi buna göredir.

Geçen yıl yayımlanan kitabınız **Atatürk'te,**[12] *onun entelektüel kişiliği üzerinde de durdunuz.*

Mustafa Kemal Atatürk'ün bir aydın olduğu hakikattir. Fikirlerini, kurmay subaylıktan gelen iyi bir eğitimin üstünde inşa etmiştir. Kim ne derse desin; Türklerin önde gelen önderleri, yöneticileri, yönetici vasfa sahip olan şahsiyetleri hep asker saflarından çıkmıştır. Bu, Fatih Sultan Mehmed Han'dan beri böyledir; o da bir Rönesans entelektüelidir. Mustafa Kemal

---

12   İlber Ortaylı, *Gazi Mustafa Kemal Atatürk*, Kronik Kitap, 2018.

Atatürk de kurmay eğitimden geçmiştir. Hakikaten o, birinci sınıf bir kurmaydı; hangi orduya koysan general olurdu.

Kurmay eğitim 19'uncu yüzyılda; orduların coğrafya, tarih, teknik ve beşerî ilimlerle iç içe geçerek sevk edilmesi gayesiyle teşekkül etmiştir. Bu sayede hem muharip hem de entelektüel ve uzman bir sınıf yetişmiştir. Bu eğitim, 19'uncu yüzyılın büyük olaylarından biridir ve Türkiye Cumhuriyeti, imparatorluğun bu sistemini ve sınıf eğitimini diğer Avrupa devletleri ile hemen aynı zamanda yerleştirmiştir.

Mustafa Kemal Bey; iyi yetişmiş, dil bilen, dışarıyı takip eden, modern bir kurmaydı. Diplomatik görevini Balkanlar'da yaptı. 16 ay Sofya'da kaldı. Mustafa Kemal Balkanlar'ı tanıyordu, onun çalkantısını yaşamıştı ama her şeyden evvel bir Selanikliydi. Bu, kendisinin hayatını incelemek açısından önemli bir detaydır.

Selanik, imparatorluğun en Batılı şehridir. Örneğin Cahit Uçuk'un *Bir İmparatorluk Çökerken*[13] adlı romanında şöyle bir sahne hatırlıyorum; Avrupalı kadının biri Selanik'in çarşısında peynirli sandviç yer, bira içer. Bu tür bir sahne, o zamanlar Beyrut'ta ya da İzmir'de görülebilir bir şey değildi. İşte Selanik'te tam da bu ayrıntılara uygun; kadınlı-erkekli, cemiyetli, sendikalı bir hayat yaşanıyordu. Genç Mustafa Kemal bunları görmüş, çağdaş bir subay olarak yetişmişti. Çok açık ki yaşadığı müddette saltanatı beğenmeyen bir subaydı, Fransız düşüncesinden öyle bir tefekkür almıştı. Konuştukları, görüştükleri bu fikirlere göre insanlardı; giyimi kuşamı, kadınlarla ilişkileri, cemiyet hayatındaki duruşu yine bu fikirlere uygundu. Bir kadınla flört etmeyi de biliyordu, flört etmeden arkadaş olmayı da.

Atatürk'ün entelektüel kimliğinin bir yansıması da müziğe yaklaşımıdır. Türk müziğini çok iyi biliyor ve seviyordu. Öte taraftan operadan çok zevk alıyordu ama sanırım operaya, zevk

---

13 Cahit Uçuk, *Bir İmparatorluk Çökerken*, Yapı Kredi Yayınları, 1995.

almaktan ziyade, "Bu müziği dinlemek ve bilmek vazifedir," görüşüyle yaklaşıyordu. Türk musikisini sevmesine seviyordu, her fırsatta da dinliyordu ama onun tekniklerini geri buluyordu; belki bu yüzden operaya daha düşkün görünüyordu. 1930'ların başında (1934) *Özsoy Operası*'nı bestelettirmesi,

> Atatürk çağdaş bir subaydı; öyle yetişmişti. Selanik'teki hayatı onu buna hazırlamıştı. Giyimi kuşamı, cemiyet hayatındaki duruşu ona göreydi. Bir kadınla flört etmeyi de flört etmeden arkadaş olmayı da bilirdi.

İran Şahı'nın ziyaretinde temsil verilmesini istemesi de bundandır. *Özsoy* bir başlangıçtır. Bozkırın ortasındaki Ankara'da bir müzikal atılıma girişilmiştir. Gelişim bununla da kalmamıştır. Atatürk bu vesileyle temayüz eden gençlerin önemli bir bölümünü, Avrupa'ya, özellikle de Berlin'e yollamıştır.

Kitabınızı okuduğumuzda, Atatürk'ün liderliğini sadece entelektüel kapasitesinin beslemediğini görüyoruz. Karizması var, ileri görüşlülüğü var, atılımcı ruha sahip olması var, gündelik hayattaki rol modelliği var. Bir yandan da hepsi bu entelektüel kişilikle ilişkili sanırım.

Elbette ilişkilidir ama eğitime ilgisinin altı özellikle çizilmeli. Şurası çok açık ki Atatürk cehalete düşmandı. Bu yüzden de eğitim onun için ön planda geliyordu. Neticede, Millî Mücadele'nin en zor günlerinde bir Eğitim Kongresi toplayan bir liderdir. Üstelik şartların daha çetin hâle gelmesine rağmen bu kongreyi iptal etmemiştir.

Az önce müzik talebelerini yurt dışına göndermesinden örnek verdik, devam edelim; Atatürk yurt dışına hemen her alanda talebe göndermiştir. "Hemen her alan" derken mübalağa etmiyorum. Sadece en acil görünen teknik dallar değil; arkeoloji, filoloji öğrencileri de yurt dışına gitti. Bizans tetkikleri için de öğrenciler gönderildi. Arkeoloji için gidenlerden Ekrem Akurgal, Türkiye'nin en önemli bilginleri arasına girmiştir; aynı grup içindeki Sedat Alp bugün Hititoloji'nin babalarından sayılıyor. Demek ki netice alınmış.

Yabancı dilleri de şüphesiz önemsiyordu. Kendisi de çok iyi derecede Fransızca ve yeterli derecede Almanca biliyordu. Rumca (Yunanca) ve Bulgarcaya aşinaydı. Bu dillerde konuşuyor veya mektup yazıyordu. Bu dillerden çeviriler de yapıyordu. Hayatı macerayla, savaş alanlarında geçen bir insandı ama arazide geçen bu ömürde yüzlerce kitap okumayı da ihmal etmemiştir. Cephede bile kitap okumuştur. Çünkü Atatürk gerçek bir kitap tutkunudur. "Büyük Adam" vasfının en önemli yapıtaşlarından biri işte bu özelliğidir. Daha da kapsamlı bilgiler ortaya çıkarmak için Çankaya Köşkü'nün kitaplığının biraz daha derinlemesine taranmasını öneririm.

Bazı kitapları başka bir ilgiyle okuduğunu biliyoruz. Bu okumaları sırasında düştüğü kenar notları ilginç ve önemlidir. Fransız düşünür J. J. Rousseau'nun *İnsanlar Arasındaki Eşitsizliğin Kaynağı*[14] adlı eserini, orijinal dilinden, derinlemesine okumuştur. Türk yazarlar arasından Reşat Nuri'yi sevdiğini de kaydedelim. Şiir de okurdu. Zaten onun kuşağının tümü şiir severdi; yalnız Atatürk, şiir okumakla beraber, nesri daha çok benimsiyordu.

Araştırmacı bir kişiliği olduğunu da muhakkak söylemeliyiz. Çünkü bilgi yetmez, merak da gerekir. Akıl ve bilimden yanaydı. Bu açıdan, kuşağının çoğu aydını gibi Fransız etkisi altında olduğunu da biliyoruz. Devrimci ve reformisttir; ülkesinin ihtiyaçlarına bu özellikleriyle cevap vermiş, sorunlara çözüm getirmiştir.

---

14 Jean Jacques Rousseau, *İnsanlar Arasındaki Eşitsizliğin Kaynağı*, Çev. Rasih Nuri İleri, Say Yayınları, 2016.

Atatürk'ü anlatırken insani özelliklerine de girmek gerekir. Kendisi bu açılardan da bilinmesi gereken bir liderdir. Yakınındaki insanların ifadeleri, bize onun gündelik hayattaki özellikleri hakkında fikir veriyor. Küstahlığa rastlayana kadar mütevazıydı; nazikti, görgülüydü. İbadetine bağlı biri değildi ama ibadet edenlere hürmeti vardı. Kız kardeşi, Çanakkale şehitlerinin ruhuna, her yıl dönümünde mutlaka Kur'an okuttuğunu anlatıyor. Kendisi de Kur'an okur, iyi okunmasını istermiş. Ramazan ayı ya da kandil geceleri gibi özel zamanlarda ihtimamlı olduğu, ibadet edenlere kolaylık sağladığı, Köşk'e içki ve saz ekibi sokmadığı biliniyor. Müsrif, aşırı tüketici değildi; hesaplıydı. Alkolle ilişkisi uç noktalara gitmezdi, kamu önünde sarhoş olduğu görülmemiştir. Yalnız kahve ve sigaraya aşırı düşkündü. Türk yemeklerini severdi, Batı mutfağıyla pek arası yoktu. Türkçeyi son derece güzel kullanırdı. Küfretmezdi; en fazla "inatçı katır" dediği anlatılır. İltifat etmeyi, bilhassa kadınlara güzel sözler söylemeyi severdi. Ama iğneli konuşmalarda da ustaydı.

Çok açık ki iyi bir hatiptir. Sözel yeteneklerinin yanı sıra, spora önem verirdi. Ata biner, yüzerdi; iyi de dans ederdi. Vücudunu doğru kullanmayı bilirdi; bunu, fotoğraflardaki duruşundan da anlıyoruz. O fotoğraflarda dikkatimizi çeken bir diğer husus da hem iyi giyindiği hem de giydiklerini iyi taşıdığıdır. Gençlik çağlarından beri üniforma giymeye alışmış askerler, sivil kıyafetleri taşımayı çok iyi beceremezler. Atatürk'ün böyle bir sorunu olmadığı, aksine bu konuda yetenekli olduğu açıktır.

Tüm bu özellikler bir yana, Atatürk'ü bir başka tarifle de anabiliriz. Kendisi kelimenin tam anlamıyla karizmatiktir. "Karizma" kavramı Türkçede yaygın kullanılıyor ama bazen de yanlış kullanılıyor. Karizma, orijini itibariyle Yunanca bir kelimedir; kilise literatüründen alınma, Weberyen bir tabirdir. "Yanılmaz" ve "güvenilir" anlamlarında kullanılır. Osmanlıcadaki

> Atatürk'teki "Rumeli inadı" diyebileceğimiz, "olmalı" dediği an "olabilir" seçeneğini de ortadan kaldıran irade bugün herkese lazımdır.

karşılığı "sahibkıran"dır. Neticede, tam da Atatürk gibi liderleri tarif etmek için bu kelimeye başvurulur. Bir liderin elbette güvenilir olması gerekir, yanılmaması beklenir. Atatürk bu beklentiye karşılık veriyordu. Kendisi liderlik vasfıyla doğmuştu. İleri görüşlü olduğundan ve "olmayacak" denilen şeylerin hayalini kurup gerçekleştirdiğinden ötürü de "karizmatik" diye tavsif edilebilir. Vatanı herkes kurtarmak istiyordu ama ancak Gazi gibi fevkalade atılımcı bir ruha ve dehaya sahip biri bunu başarabildi. Doğru hesap yapmak, kitleleri bu yönde etkilemek, hepsi farklı düşünen grupları bir araya getirip bir hedef etrafında örgütlemek kolay değildir. Atatürk bunu başardı.

Bu başarıdaki en önemli faktörlerden biri Gazi'nin güçlü bir iradesinin olmasıdır. Burada herkesin çıkarabileceği dersler, gündelik yaşamında uygulayabileceği yöntemler var. Adeta "Rumeli inadı" diyebileceğimiz bu vazgeçmez irade, bize bir düşünce biçimini işaret ediyor. Çok açık ki Atatürk "olmalı" dediği an, "olabilir" seçeneği ortadan kalkıyordu. Gerçekleştirmek istediği ne ise onu olduruyordu. Bu inat herkese lazımdır. Sanatçıya da bilim insanına da, yaratıcı işler peşinde koşanlara da atılım yapacak iş insanlarına da, siyasetçiye de askere de.

Entelektüellik bahsi geçtiğinde, Dışişleri Bakanlığı'ndaki bazı eski isimleri ayrı bir yere koyduğunuzu biliyorum. Neden?

Koyuyorum ama bu özellik artık maalesef Dışişleri Bakanlığı'nda kayboldu. Bu isimlerin başında Muharrem Nuri Birgi gelir. İkincisi Coşkun Kırca'dır. Üçüncüsü Osman Olcay'dır. Dördüncüsü de Zeki Kuneralp'tır. Entelektüel kimlikleri bir yana, bunların birbirleriyle dostlukları vardır. Belki aralarında gerilim de yaşanmıştır ama ben bunun farkında değilim. Elbette her diplomat çok entelektüel olacak diye bir şey söz konusu değildir. "Eskinin diplomatları çok entelektüeldi," de demiyorum ama müzakereleri iyi yürütebilirlerdi, çalışkanlardı, dile oldukça hâkimlerdi.

Belirtmeliyim; "devlet" benim gözümde beşeriyetin en mühim icadı, en mühim sanat eserimizdir. Abidevi bir yapıdır. Çok da önemli bir tinsel tarafı vardır, çünkü kültürün tam bir yansımasıdır. O yüzden devletin hakkını vermek gerekir. Bizde devletin hakkını verenler çoktu. Özellikle de Dışişleri'nde… Bunlar kasaba kültüründen gelen insanlar değildi. İyi tahsil almışlardı, dünyayı görmüşlerdi, dil biliyorlardı ve birkaç dilde okuyorlardı. "Devlet" dediğin zaman; aldıkları devlet terbiyesi, vâkıf oldukları devlet anlayışı, kavrayışları ve sergiledikleri davranışlar başka türlüydü. Daha esaslı ve oturaklıydı. İşte Dışişleri'nde öyle bir ekol vardı. Bu bir yetişme meselesidir.

Az önce saydığım isimler çok iyi diplomatlardır; her şeyden önce, karşılarındaki insanları çok etkilerler. Üstelik mesleklerini ifa ettikleri dönemde, dünyadaki birçok meslektaşlarına göre koşuya geriden başlamışlardır. Ama mesafeyi derhal kapatmış, bunu da etrafa teşhir etmişlerdi. Bu önemlidir, çünkü Batı Avrupa'da insanların Türkler hakkında önyargısı çoktur. Türklere karşı Doğu'da da Batı'da da cephe alırlar, üstelik bu cephe alanların çoğu coğrafya da bilmiyordur. Dışarıda da cahil çoktur. Bu cahillerin bir kısmı ne yazık ki okumuşların arasındadır. Ne fizikî coğrafyadan ne de beşerî coğrafyadan anlarlar. Yeterince tarih de bilmezler. Velhasıl, Türkler hakkında yanlış fikirleri vardır. Dolayısıyla bizim temsilcilerimiz esasen bu önyargılarla uğraşmak zorundadır. Hayatları bu uğraşla geçmiştir. Bunda başarı kazanmak için de donanımlı ve her daim hazır olmak gerekir. Hiç kolay bir iş değildir. Hiddet ve hakaretten çok, zekâ ile ısırmak gerekir.

Şimdi bakın, birtakım temsilciler bu önyargıyı değiştirememiş. Çünkü yeterince aktif değillermiş. Girişken ve renkli değillermiş. Belki iyi birer memurlardı ama sonuçta karşılarındaki insanların fikirlerini değiştirememişler. Hâlbuki az önce saydığım zevat bu işi başarmış, muhataplarının fikirlerini değiştirmiş. Bu çok önemlidir. Bir de bu isimlerin kusurları yoktu. Sarhoş değillerdi, kumarbaz değillerdi, insanı içeri sokacak cürümleri yoktu. Hepsi de devletin verdiği maaşla geçinmeyi bilen, mütevazı insanlardı. Örneğin Osman Olcay son derece mütevazı bir hayat yaşadı ve yine öyle mütevazı bir huzurevinde terk-i dünya eyledi. Maalesef son seneleri asri hastalık Alzheimer'la boğuşarak geçmiştir. Osman Olcay'ın arkadaşları, görüştüğü kişiler de kendisi gibiydi. Onlardan biri Seha Meray'dı. Çok değerli bir hocaydı. O da mütevazı yaşamış ve yazıktır ki bir bilgin için çok da genç ölmüştür. Osman Bey'le birlikte çalışmışlardı. Bu işbirliğinden Lozan Antlaşması üzerine tenkitli metin serileri[15] çıkmıştır.

> İnsan ancak önündeki modele bakarak kendini belirleyebilir. O model, başka dünyalar kurabilen biriyse sen de o dünyaya adım atabilirsin.

Seha Bey, hiç göstermezdi ama çok disiplinli bir adamdı. Tam bir İngiliz tipiydi. Yani ne kadar çalıştığını göstermez, anlamazsın ama öyledir; çok çalışmıştır. Seçtiği adamlar da kendine göreydi; çok ciddi ve onun gibi çabasını, uğraşını dışarı çok göstermeyen, mütevazı insanlardı.

Türkiye'nin memurları böyleydi. Türkiye'nin o dönemdeki seçkinleri; memuruyla, profesörüyle, dışişleri mensubuyla başka bir insan tipiydi. Onlara bakınca bambaşka bir dünyaya giriyordunuz. Hayat böyledir, ancak önündeki modele göre bir insan

---

15 Seha L. Meray, *Lozan Barış Konferansı/Tutanaklar-Belgeler*, Yapı Kredi Yayınları, 2001.

olursun. Önündeki modeller başka dünyalar kurabilen insanlar olunca, sen de o başka dünyaya adım atabiliyorsun.

Coşkun Kırca da böyle bir örnek sanırım.

Coşkun Kırca'yı anlatmak için babasından başlamak gerekir. Babası Mehmet Ali Kırca; İstanbul'un iyi derecede Fransızca bilen, hatta aynı derecede Almancaya da hâkim, önemli münevverlerindendi. Muhterem bir de Almanya'da doktora yapmıştı. Mehmet Ali Bey eğitimciydi, Taksim'de *Yeni Kolej* isimli okulu o kurmuştu. Fevkalade disiplinli bir adamdı. Okulu da kendi gibiydi. Bir sürü yarı disiplinli çocuğu da adam etmiştir. Keza o okulda çok iyi isimler yetişti. Örneğin içlerinden biri Yılmaz Öztuna'ydı. Yılmaz Bey zeki, tetebbua meraklı, musikiyi seven ve iyi bilen biriydi ama herhâlde okulun sıkıcı disipline gelecek bir genç değildi; o okul sayesinde talihi değişti.

Yeri gelmişken bahsedelim, konuştuğumuz başlıkla da ilgisi var; Öztuna'nın tarihçiliğini çok beğenirim. Bir defa bizim "akademik" tarihçilerimizin çoğu, sağcısı solcusu fark etmez, Avrupa tarihi bilmezler; grupsal mukayese yapamazlardı. Fakat bazı şeyleri bileceksin! Kim kiminle evlendi, veraset sistemleri nasıldı, kimler hangi anlaşmaları yaptılar; hepsini bilmek zorundasın. Heraldik (arma bilimi) bileceksin, feodaliteden anlayacaksın. Genel kitapları okumakla, tekrarlamakla olmaz. Weber'den bir, Marx'tan iki makale okuyunca, "Ben Avrupa'yı öğrendim," diyemezsiniz. Öğrenmediniz çünkü! Ama maalesef ideolojisi, durduğu yer fark etmez; akademi mensuplarımızın çoğunluğu böyledir. Çok açık ki bir kısmının zaten Avrupa tarihini okuyacak lisanları dahi yoktur. Cevdet Paşa kadar lisan biliyorlar mı, o da su götürür. Yani belli bir entelektüel düzeyde insan azdır. Bunlar işin okumakla, öğrenmekle ilgili kısmı; bir de yazması var. Yazmak çok zor bir iştir. Akademik tarihçiler; Mehmet Fuad Köprülü, Ömer Lüfti Barkan, (Halil) İnalcık Hoca, Semavi Eyice, Ekrem Akurgal güzel yazarlardı. Popüler tarihçi Öztuna örneğin güzel de yazıyordu, üslubunu beğenirdim. Türkiye'de bir boşluğu doldurmuştur.

Reşat Ekrem Koçu'nun tarih yazıcılığını da Öztuna'nınki gibi beğeniyorsunuz...

O başkadır. Bir defa ikisi aynı kefede değiller. Reşat Ekrem'in bir metodu vardı; hem onun zamanında tarih çok farklı anlaşılıyordu, yorumlanıyordu. Koçu, Braudel Okulu'nu, Annales Okulu'nu tanıdığı için, enteresan işler yapmış değildir; öngörüsü ve merakıyla küçük insanın hayatına yöneldiğinden enteresandır. _İstanbul Ansiklopedisi_'nde[16] matbaa işçisi, patronu, kayıkçı, iş adamı, sokak müvezzii (satıcısı) oldu. Elbette başka isimler de var. Örneğin Ömer Lütfi Barkan bir çığır açmış, gençleri etkilemiştir. Barkan'ın nesline göre daha genç olan Halil Bey'i (İnalcık), Mustafa Bey'i (Akdağ) de sayabiliriz. Onlar da Annales Okulu'nu, Braudel'i, Lefebvre'i tanırlardı.

Fakat Reşat Ekrem Koçu, bu saydığım isimlerle karşılaştırınca bambaşka bir yerde durur. Düpedüz "ismi geçmezlerin" tarihini yazmıştır. Türk toplumunun, şehir toplumunun görünmez tarihini kaleme almıştır. Kahvedeki adamın da ayaktakımının da, küçük esnafın da kriminal tiplerin de tarihine değinmiştir. Bakın, Türkiye'de tarihçiler işe genelde şöyle bakmıştır: "Efendim, Türk toplumu çok kapalıdır; kadınları evinde oturur, hayat durağandır." Sağcısı da solcusu da böyle düşünür. "Fuhuş yoktur," derler; "Hâşâ Müslümanlık vardır," derler; işte sağcının görüşü budur. Solcusu da, "Efendim öyle bir şey mümkün değil; bunlar zaten baskı altında, herkes evinde oturuyor," diye yazar. Onları dinlesen, kimse yaşamamıştır.

---

16 Reşat Ekrem Koçu tarafından 1944-1973 arasında yayımlanan ama tamamlanamayan şehir ansiklopedisi.

Aslına bakarsan, bilemiyoruz. Özellikle Lale Devri'nden önce nasıl yaşıyorlardı bunu çok iyi bilmek pek mümkün değil, çünkü yazılmadı. Ama baktığın zaman bu toplumda her şey mevcuttur. Olmaz olur mu? Kanuni Devri'nin edebiyattaki, güzel sanatlardaki inceliğini düşünsene. Bu incelik durup dururken mi meydana gelmiş? Mümkün değil. Osmanlı İmparatorluğu çok renkli bir imparatorluktu.

Dönelim Reşat Ekrem'e. Böylesine renkli bir ülkeyi, çok güzel bir dil kullanarak tarif etmiştir. Kendi adıma; ismi bilinmeyenlerin tarihini okudukça, onun sayesinde eski dünyanın başkalığına gittim. Bu bende bir nostalji de yaratmıştır, onu da söyleyeyim. Can Yücel bana ithaf ettiği bir dörtlüğünde makaraya almıştı beni: "Eskici diye çığırıyor adam sokaktan / Müşteki bir sesle / Neden tarihçi yetişmiyor diye / Şekva ettiğim bu beldede / Onun için eşkıya oldum ya ben."[17] Can Yücel bunları demekte haklı; ben onun bu şiiri yazdığı zamanlarda, gerçekten o raddede gidiyordum. Hayatın renksizliklerinden öyle bir yere savrulmuştum. Lazımdı ama nostaljinin fazlası akla zarardır. Zamanla biraz silkelenip sadede geldim.

Biraz umutsuz, sıkkın günlerinizdi sanırım.

Evet, 12 Mart'ı ben Ankara'da geçirmiştim. Fakat nasılını anlatayım. 12 Mart Olayı'nda Deniz Gezmiş'i yakalamak için ev ev dolaşıyorlar, adam topluyorlardı. Biz de talebeydik. Kimleri, nasıl topladıkları belli değildi. Çok acemice işlere rastlanıyordu. Dediğim gibi Ankara'daydım. Tüm o tatsız geceler ve günler geçmek bilmiyordu. Kimseyle de görüşmek istemiyordum, hayat beni bunaltmıştı.

İşte o dönemde ben Bizans tarihini okudum. Daha evvel de okumuştum ama Bizans tarihini ciddi olarak o günler ve gecelerde devirdim. Daha da enteresanı, Almanca da değil,

---

17 Can Yücel, *Güle Güle - Seslerin Sessizliği*, İş Bankası Kültür Yayınları, 2011.

İngilizcelerini okumaya başladım. Sonra bazı Rusça makaleleri buldum, onları okumaya başladım. Derken Roma Tarihi'ne giriştim. Yani 12 Mart bir anlamda yaradı bana. Türk Tarih Kurumu'nun dünya ile mübadele yapan geniş, renkli bir kütüphanesi vardı; ondan istifade ettim. Böyle şeyler yapa yapa kendimi ortamın dışına çektim. Ama neticede nostaljiye de bu şekilde kapılıyorsunuz. Dediğim gibi, tarihin belki de beni çekip götüren nostaljik bir tarafı vardı, onu da belirtmek lazım. Tarihçi nostaljiye tutkundur ama fazlası zarar.

Az önce akademisyenlerin bazı konulardaki yetersizliğinden bahsetmiştiniz. Sanırım bizde akademide bile, insan belli bir bilgiyle, belli bir araştırma alanıyla yetiniyor. Hatta Doğu-Batı arasında bir bileşime gidebilen de pek yok. Doğu'yu bilen Batı'yı bilmiyor, Batı'yı bilen Doğu'yu bilmiyor gibi... Ne dersiniz?

Tabii canım. Öyle bir seçim olamaz zaten. Kaldı ki bizde Doğu zaten bilinmiyor. Batı'nın bilindiğini sanıyoruz ama o da bilinmiyor. Genelde herkes efsanelerde yaşıyor. Peki böyle bir ortamda insanların bazıları nasıl tarih yazıyor? Hiç umulmadık vakalar var. Mesela Şerafettin Hoca (Turan) oturuyor, İtalya ile ilişkileri yazıyordu. Mustafa Akdağ sicil karıştırıyordu. Halil Bey zaten enteresan bir münevver tipiydi. Şark edebiyatını biliyordu, meselelere soğukkanlılıkla bakıyordu; Batı'yı, Batı dillerini biliyordu. Üstelik bunu yaşadığı tüm zorluklara rağmen başarıyordu.

Halil Bey'den bahsedelim biraz; o tam olarak bu memleketin mamulatı bir aydındır, üniversite reformunun ürünüdür. Ama yaşadığı dönemin de çilesini çekmiştir. Dışarı gidebilmek için İkinci Cihan Harbi'nin bitmesini beklemek zorunda kalmıştır. Düşün ki yurt dışına çıkabildiğinde yaşı 30'u geçiyordu.

Ama Türkiye'deki gençliğini de boş geçirmemişti. Avusturyalı tarihçi Paul Wittek, onunla yaptığımız bir sohbette, Halil Bey'in Almancasını bana övmüştü. Hakikaten kusursuz bir Almancası vardı. İşte İnalcık; o fevkalade Almancayı, İngilizceyi, Fransızcayı, Farsçayı hep Ankara'da öğrendi. Kaynak okumak için 50 yaşından sonra İtalyancasını güçlendirdi. Ukraynalı Türkolog Omeljan Pritsak da öyleydi. Rusya tarihi üzerine kaynakları çalışmak için ileri yaşlarında İsveççe öğrenmişti, Nors dili öğrenmişti. Bunlar başka bir insan tipiydi.

O hâlde geliyoruz dil meselesine. "Ben bir entelektüelim," demek için dil bilmek ön şart değil mi?

Dil çok önemli... İçinde bulunduğunuz çevreyi dilinizle yırtacaksınız, bu sayede değişik muhitlere gireceksiniz. Dil, insanı kafesinden çıkarıyor. Ayrıca bir tane dil bilmek yetmez. Bir dil biliyorsanız, ortalıkta dil bildiğinizi söyleyerek pek dolaşmayın. Bir dili herkes biliyor. Elbette öyle 9-10 değil ama en az 2-3 yabancı dil bileceksiniz ve bunların hakkını vereceksiniz. Şimdi herkes İngilizce biliyor ama yetmez, bu sayede pek çok kitaba erişirsiniz ama yeterli değil. En iyi kitaplar, kaynaklar her zaman onlar değildir.

> Dil, dünyanızı rahatlıkla değiştirir; sizi farklı, belki hayal bile etmediğiniz yerlere taşıyabilir. Demek ki içinde bulunduğunuz çevreyi, öğrendiğiniz dil sayesinde yırtacaksınız. Ama unutmayın, tek bir dil öğrenmek asla yetmez. En az iki-üç dil bilmelisiniz.

Tabii ki burada bir ayrım koymak gerekir. Bir mühendise, bir doktora, gelişimi için belki de tek bir dil yetebilir. Neticede onlar, o an uluslararası açıdan geçerli dil hangisiyse onunla iş görebilirler. Bir mühendisin illâ Almanca ya da Fransızca makale okuyabilmesi gerekmez, çünkü o malzeme şu an

İngilizcede mevcuttur. Kimse buluşunu, raporunu özgün diliyle yazmıyor. Ama bizim gibiler için durum çok farklı... Biz *from the times immemorial*'dan[18] çalışmak zorundayız. O yüzden bizlere İngilizce yetmez.

Gelgelelim hepsinin ötesinde başka bir mesele var. Sosyal bilimci, tarihçi, mühendis, doktor; hangi mesleğe sahip olursa olsun, insan kendi kültürü için de okur. İşte hedef; aydın rolünü üstlenmekse, üstüne vazife olmayan şeylerle de ilgilenmekse, mesleğinin dışındaki alanlara merak salmaksa, başka dünyalara adım atmaksa, tek bir dil hiçbir zaman yetmez.

Münevver diplomatlardan Zeki Kuneralp örneğini verdim. Kuneralp İspanyolca biliyordu. Ne zaman öğrenmişti bunu biliyor musun? İspanya'ya tayin edildiğinde... Oturup kendini zorlayarak, "Lazım olur," diyerek yepyeni bir dil öğrenmişti. Altı ay-bir sene aralığında o dilde konferans veriyordu. Fransızcası, Almancası zaten mükemmeldi. Bunlar işin dil kısmı, bu adamlar bir de hukuk biliyorlardı. Ben Muharrem Nuri'yi tanıyamadım maalesef ama tanıyanlar var; mesela aziz dostum, merhume Fatma Mansur Hocamız ona hayrandı. Biz Muharrem Nuri hakkında efsaneler duyardık. Duymaktan öte, bu insanların ne tür becerilere sahip olduğunu diğerlerini tanıyınca bizzat gördüm. Toplantılarda zekâları ve dil kullanma konusundaki ustalıklarıyla karşılarındakini susturuyorlardı. Muhatapları onlardan çekiniyorlardı.

Coşkun Kırca böyleydi mesela, Osman Olcay da böyleydi. Dünyaya farklı yerlerden bakıyorlardı. Kuneralp çok içine kapanıktı, insanların tümüyle iyi geçinmeye mütemayyildi. İnanılmaz derecede bilgisi olan bir adamdı ve onunla sohbet bir kazançtı. Bir zamanlar her İstanbul'a geldiğimde onu ziyaret ederdim. Ankara'dan trenle geliyordum. Sabahları

---

18 Türkçeye "ezelden beri, çok eski zamanlardan beri" diye çevrilebilecek bir ifade.

trenden inip, doğru onun Fenerbahçe'deki, Kalamış Koyu'na yakın evine gidiyor; öğlene kadar orada oturuyordum. Bu ziyaretler maalesef az sürebildi. Aynı şekilde Coşkun Kırca ile de geç tanıştım. Yoğun bir ilişkiydi ama o da nispeten kısa sürdü.

Bu Dışişleri ekibi ile nasıl tanıştınız, nasıl bir araya geldiniz?

Neticede ben Mülkiyeli'yim; Ankara'daydım, bir şekilde ucu onlara değiyordu. Dışişleri çevresi biraz içe dönüktür, kapalıdır. İsteseler de istemeseler de kendi çemberlerinden çıkamazlar ama elbette başkalarıyla da olabiliyorlar. Ben o çevreye de girip çıkıyordum. Hukuk'taki hocalarla da bir ara daha çok görüşüyordum. Yani hayatımın bir döneminde Roma hukukçularıyla daha çok konuştum, görüştüm. Onlar da hayatıma başka pencereler açtılar. O sıra Mülkiye'dekilere gidip gelmeyi kesmiştim. Zaten saysan, orada bir iki dostum ancak vardır; okulun çoğunu da çok tanımam.

> Aydın olmak için şu üç şey muhakkak gerekir: Yabancı dil, hukuk bilgisi, mukayese becerisi.

Burada araya girip bir toplamak isterim hocam. Anladığım kadarıyla, size göre iyi bir entelektüelin en az iki üç ama tercihen daha çok dil bilmesi şart. Bunun yanında hem Doğu'yu hem de Batı'yı iyi kavraması gerektiğini söylüyorsunuz. Bir de en baştaki tarifiniz uyarınca, "üstüne vazife olmayan şeyleri merak etmesi" gerekiyor. Bunun için en iyi yöntemi de, "girişken olmak, yeni insanlar tanımak, kişiyi yeni dünyalarla tanıştıracak insanları arayıp bulmak" diye gösteriyorsunuz. Doğru anlamış mıyım?

Evet, bugünkü dünyada bu böyle. Araştırmak için de böyle, düşünmek için de. Merakın olacak, gidişata bakacaksın, olaylara müdahil olmaya çalışacaksın. İçine girmesen bile ne olup bittiğini bilmen gerekir. Dünyanın nereye gittiğinin farkında olmalısın. Yani dünyayı takip edeceksin ama öyle laf ola beri gele değil, üç beş gazete kitap okuyarak da değil; tutkuyla, hakkını vererek takipte kalacaksın. Bu tür şeyleri iyi idrak edip hayatına yayarsan açılırsın. Hiçbir şey olmazsa bile, ki olmak zorunda da değil, bunlar yepyeni bir hayatı görmeni sağlar. O da bir kazançtır. Neticede kendi hayatının dışında hiçbir hayatı, hiçbir imkânı göremeden yaşayıp gidenler var.

Bir şey daha ekleyeyim. Bana göre Venedik, Napoli, İstanbul ve Kahire'yi yaşamamış insanların aydınlanması zordur. Çok derin, çok bilgili, çarpıcı olabilirler. Ama insan sıcaklıkları olmaz. Çünkü bu şehirler size yaşamı ve ölümü, görkemi ve sefaleti aynı anda sunuyor. Bunların yanında bir de İskenderiye sayılabilir. İmkânı olan bir insan niye gitmez oralara? Fırsatını bulunca soluğu ABD'de almasını biliyorlar. New York'ta, Londra'da, Paris'te geziyorlar da buralara gitmiyorlar.

Bakın, ayrımı güzel koymanız gerekir. Ben Amerika'ya gidip döndükten sonra Amerikan İngilizcesiyle konuşan bugünün sığ tiplerinden ya da eskinin Fransa'da birkaç zaman geçirmesinin ardından, çevresindekilere hava atan gülünç Frankofonlarından bahsetmiyorum. Derinliği görmeniz lazım sizin; çünkü insanlar arasında derinliğe sahip olanlar azdır, hep az olmuştur. Ayrıca dünya, bugün Amerika'dan ibaret değil; dün de Fransa'dan ibaret değildi. Eskiden çok ilginç bir Türk münevver takımı Rusça bilirdi. Genellikle Rusya İmparatorluğu'nun Türk münevverleriydi bunlar, istisnai idiler. Günümüz dünyasından başka bir örnek vereyim. Hindistan'da, Rusçadan simultane çevirinin yapıldığı bir konferanstaydım. Çevirmenin bir yerde dili sürçtü, çeviriyi oradaki adamlardan en az 30 kişi koro hâlinde düzeltti. Çok açık ki Hindistan, Britanya kültürünün de sınırlarını çatlatmıştır.

Ne dedik? Aydınlığın bir başka şartı da hukuk bilmektir. Coşkun Kırca örneğini verdim, kendisi orijini itibariyle hukukçuydu zaten. Çok iyi hukuk metni yazardı, uzmanlığı buydu. Galatasaray Üniversitesi'nin de en önemli kurucusu odur. Ama bugün bu tür bir birikimi insanlardan beklemek çok zor... Öğrencilerin ya da öğrenmeye soyunanların o hukuk bilgisini alması oldukça güç... Her okulda hukuka giriş dersleri var ama ne kadar iyi dersler bunlar tartışılır. Türkiye'deki Anglofon okulların en büyük eksiklerinden biri bu zaten. İyi hukuk öğretmiyorlar. Buna rağmen Dışişleri Bakanlığı bu okulların öğrencilerini bünyesine alıyor. Demek ki onların dili iyi bildiklerini düşünüyorlar, benim göremediğim başka özellikleri olsa gerek.

> Merakınız olacak, gidişata bakacaksınız, olaylara müdahil olmaya çalışacaksınız. İçine girmeseniz bile ne olup bittiğini bilmeniz gerekir. Dünyayı takip edeceksiniz ama öyle sadece üç beş gazete kitap okuyarak değil; tutkuyla, hakkını vererek...

Hep akademiden, devletten bahsettik. İş dünyasında kıstaslarınızı karşılayan entelektüel isimler var mı?

Selahaddin Beyazıt'ı sayabiliriz. İlgilidir, bilgilidir. Sonra bir armatör aileden gelen Pekin Baran sayılmalı, Süher Pekinel'le evlidir. O da kolay rastlanmayan bir örnektir. Eski eşi de çevirmenlerimizden Meyzi Guakil'di. Daha genç kuşaklardan Ömer Koç var elbette. Onun; kendisi gibi Robert Kolejliler arasında görülmeyecek, müthiş bir Fransızcası var. Yunanca, Latince biliyor ama esas önemlisi Osmanlıcaya hâkim... Edebiyatı biliyor; mektupları, evrakı iyi okuyor. Üst düzey bir entelektüel ilgisi var, belli de oluyor. Lakin yazmıyor ve çok yazmamış gibi...

Koç bu ilgi sayesinde Türkiye'de olmayan şeyler yaptı, bunların en başında Bizantinika konusu gelir. Bu alanda halası Sevgi Gönül'ü adeta teşvik etmiştir. Şimdi Beyoğlu'nda, Anadolu Medeniyetleri Araştırma Merkezi isimli bir enstitü var. Önemli bir yer ama kusurları da mevcut... Türkiye'de mevcut konuları ikide bir güncelleştirmeye çalışan, insanları bilinmesi gerekene değil de kendi bildiğine yönelten kişiler vardır. Bu bir Türk hastalığıdır. Siz sakın bu hastalığa kapılmayın. Bu hastalığa tutulanlar herkesi kendi sahasına yöneltmeye çalışır. Neden mi? Çünkü diğer alanları bilmiyordur. Koç, enstitüsünü, bunların etkisinden ve faaliyetinden kurtarırsa daha da iyi eder. Yeri gelmişken, iki kişiden daha bahsedelim. Suna ve İnan Kıraç'ın Antalya'daki vakfı ve müzeleri, ayrıca İstanbul'daki Pera Müzesi ve kütüphanesi topluma bir aydın hediyesidir.

Entelektüel iş insanlarına dönersek, bu saydığım isimlerden başkasını da pek görmedim. Bakarsan, herkes tablo topluyor ama ne kadar, nasıl bir koleksiyon oluşturabiliyorlar; söylemesi ve bilmesi zor...

DÖRDÜNCÜ BÖLÜM

NASIL ÇALIŞMAK GEREKİR?

Yalnız kalmayı öğrenirseniz, düşünmeyi de öğrenirsiniz.

Biz çalışkan bir millet miyiz hocam? Çalışmayı biliyor muyuz?

Türkiye çalışkan insanların yaşadığı bir ülkedir. Ama çok çalışmak maalesef bizde pek işe yaramaz, çünkü suistimal edilir. Çok açık ki evvela patronlar çalışma hayatımızı suistimal eder; onlar etmezse, biz kendimiz ederiz. Çünkü ciddi zaaflara sahibiz. Bir defa işleri yayma merakımız vardır. Türkler işi en başta çok güzel götürür ama sonra tamamlamaz; son noktayı koyamaz, işi teslim etmekte güçlük çeker. Böylesini genellikle küçük şirketlere verilen işlerde görürsünüz. Esnafımız da farklı değildir; işe güzel başlarlar ama uzatırlar ya da kötü yaparlar, susarlar, geçiştirirler.

Akademik hayatı sorarsan, bunun orada da farklı olduğunu söyleyemem. Akademide her türlü insan yan yanadır ve koordinasyon yoktur. Çalışan vardır, iş bitiremeyen vardır ve ömrünü öyle de tamamlar. Bu hâl her türlü meseleyi beraberinde getirir. Maalesef intihal de vardır, tembellik de. Ama kimin ne kadar çalışıp çalışmadığını söylemek zordur.

Demem o ki, akademisyenimizde de, esnafımızda da, ustamızda da, işçimizde de, velhasıl pek çoğumuzda iş ahlakı açısından sorun var; bu konuda iyi değiliz. Söz konusu ahlakı yerleştirmede başarısız olduk; yapamadık, bu sorunun üstesinden gelemedik. Bakın, hepimiz zaman zaman tembellik yapmışızdır ama bu bir defa olur, iki defa olur. Tekrarlarsa, sen zaten o işi yapmak istemiyorsun de-

> İşinizi doğru seçin. Daha en başından âşık olduğunuz bir işi yapmaya gayret edin. Bunu yapmazsanız, ne kadar çalışkan olsanız da hayattaki gayenizi kaybedersiniz; zihniniz uyuşur.

mektir. O işle bir alakan yokmuş belli ki, o işe saygın yokmuş. Önemli olan işi bitirmektir. İnsanlar işini seçebilmeli ve başından o işe âşık olmalı. Bizim ülkemizde insanların çoğu seçtiği işe tesadüfen gelmiştir. O nedenle çalışkan olan dahi zamanla nereye yürüdüğünü bilmez ve zihni uyuşur.

Aslında çok derin bir ayrımdır bu. İşini yapan ile yapmayanı bilmek, birbirinden ayırmak gerekir. Keza her ikisini de saptamak kolaydır. İşini vaktinde yapan insanları ilkokul sıralarında da, çalışma hayatında da rahatlıkla ayırt edersiniz. Bu şekilde kimin kim olduğunu bilirseniz hayatınız kolaylaşır, ona göre yaşarsınız. Rahat etmek için uyanık olmak gerekir. İşini yapmayanı bir kenara ayıracaksınız, onlarla alışverişe girmeyeceksiniz.

Dahası bu ayrımı yaptığınızda bile işiniz bitmeyebilir; çünkü işini yapanlar arasında da çok dikkat etmek gereken, tehlike arz eden bir ikinci grup vardır. Bu, çalışma hayatı açısından Türkiye'deki en kalabalık gruptur. Kimdir bunlar? İşini yapanlar ama vaktinde yapmayanlar.

Devam edelim. Bunları elediğinizde bile risk bitmez, çünkü bir başka gruba daha dikkat etmeniz gerekir: Bu da işini vaktinde ama kötü yapanlar, savsaklayanlar grubudur. Bunların sayısı da bizde ne yazık ki çoktur. Çünkü Türkiye'de çalışma hayatında standart bulunmaz. Hayatımızın bu en önemli alanı çoğunlukla bir standarda, bir kurala, düzene tabi değildir maalesef. Bunun acısını çok çekiyoruz. Yine de yolunuzun kesiştiği insanları iş yapma-yapmama prensibine göre ayırt etmeyi becerirseniz, hayatınız bir nebze kolaylaşır diyebilirim.

> Okuyup yazarak çalışanlara; sabahları çalışmalarını, bilhassa da notlar alarak çalışmalarını katiyetle öneririm. Sabahların özel havasından faydalanmak gerekir.

Siz nasıl çalışırsınız? Hep tatbik ettiğiniz bir metot var mı?

Ben gençlik yıllarımdan beri sabahları çalışmaya gayret ettim. Okuyacaksam, sabahları okudum; yazacaksam, sabahları yazdım. İnsan sabah okuduğu metinleri asla unutmaz. Bunun da basit bir sebebi var. Zihin boşken, vücut diriyken, kafa dinçken okumak; çalışmanın verimini kat kat artırır. Bu, kişiye göre değişen bir hâl değildir. Çok açık ki herkesin kendine göre bir hayatı, bir metodu vardır; yaşayışı ve becerisi de farklıdır ama diyebilirim ki sabahların bu havasından herkes istifade edebilir. O yüzden kişi okuyacaksa, yazacaksa özellikle sabahları çalışmasını; bilhassa da notlar alarak çalışmasını katiyetle öneririm. Ben geceleri okumayı 25 yaşından sonra geliştirdim, çok yaygın olarak da böyle çalışılırdı. Ama benim yaşlarıma geldiğinizde geceleri çalışmak artık verimli olmuyor, onu da bilin.

Üzerinde pek düşünmediğimiz bir konu var: Düşünmenin kendisi. Siz nasıl düşünürsünüz, bir yönteminiz var mı?

Bir yöntemim yok. Elbette ki seyahatte, kafanı boşaltmışken iyi düşünürsün; bir yerden bir yere giderken iyi düşünürsün;

yürürken, yemek yerken iyi düşünürsün. Tuvalette bile düşünürsün yahu! Ama iyi düşünmek için esasen yalnız kalmak gerekir. Bu temel şarttır, yalnız kalmayı bilmek gerekir. Yalnız kalmayı bilmeyen milletlerden fazla bir şey çıkmaz. Mesela iyi bir düşünür çıkmaz.

Maalesef biz Türklerin böyle bir kabiliyeti yok, bu yüzden de bizden iyi düşünür pek çıkmıyor. Aptal olduğumuz için mi? Estağfurullah. Ama şu var; Türk yalnız kalamaz, milletimizde böyle bir huy yoktur. Beraber ders çalışır, beraber yazı yazar, beraber gezmeye gider, beraber aylaklık eder. Türkler sinemaya bile tek gitmez; yalnız kalmayı bilmez, sevmez. Yalnız olmamanın getirdiği garantiye, yani tehlikeden uzak yaşamanın konforuna güvenir. Ama işte bu garanti de yaratıcılığı sakatlar, iş çıkarma kabiliyetini azaltır.

> İyi düşünmek için esasen yalnız kalmak gerekir. Maalesef Türklerin böyle bir kabiliyeti yoktur. Türkler, yalnız olmamanın getirdiği garantiye, yani tehlikeden uzak yaşamanın konforuna güvenir ama bu da yaratıcılığı öldürür.

Yalnız kalamayan insanın düşünce ve gözleme kabiliyeti yarım oluyor. Bu yüzden ben insanlara yalnız kalmayı öğrenmelerini öneriyorum. Yalnız kalmayı bilmek iyidir, önemlidir; Türkiye gibi bir yerde avantajdır. Zira evlilik müessesesi bile bizde yalnız kalmamak üzerine kurulmuştur. Halkımız evliliğin gerçek mahiyetini anlamaz. Evlenince, kumrular gibi dip dibe oturmaları gerektiğini zanneder. Öyle şey olur mu? Biraz da birbirinden ayrı duracaksın. Nefes alacak, aldıracaksın. Evlilik sürekli dip dibe duracak, yan yana yürüyecek bir şey değildir. Çok açık ki bunun da artık anlaşılması lazım. Tabii herkesin kendisini, yaşamının onda sekizinde aynı yerde bulması da evlilikle bağdaşmaz.

Bir defasında bana trende çok rahat düşünebildiğinizi söylemiştiniz.

İsabet etmişim, çünkü trende hakikaten verimli düşünürsün. Uçakta okurken de iyi düşünürsün. Düşünmesini bilirsen rüyada da düşünürsün. Nitekim birçok iyi fikir insana rüyada gelir, birçok problemi rüyada çözersin. Matematikçiler, satrançcılar bunu çok yaşar. Bu çok enteresan bir durumdur ama yaşanır. Bana da birçok fikrim rüyada gelmiştir, kafamdaki sorunların üstesinden rüyalarımda gelmişimdir.

> Düşünmesini bilirsen rüyada da düşünürsün. Birçok iyi fikir insana rüyada gelir, birçok problemi rüyada çözersin.

Şimdi rüyada gelenleri artık unutuyorum; çünkü ileri yaşlarda gördüğün rüya dağılıyor, akılda kalmıyor. Oysa gençken zihinde yer edebiliyor. O yüzden rüyalar konusunda biraz daha dikkatli olun. Rüya deyip geçmeyin, nitekim onların sürpriz bir şekilde işe yaradığı çok an vardır.

Soruna dönersek, meselenin özü düşünmeyi bilmektir; kafanı açık tutmak, daha çok da kafayı açık tutabileceğin anları aramaktır. İşte trende yanında manzara akıp giderken böyle bir rahatlığa kavuşabiliyorsun. Düşünmeyi bilmek biraz da budur. Ama tam da o anda telefonunu açıp bakarsan yandın, ortada ne düşünce kalır ne de başka bir şey.

Çoğumuz, akıllı telefonları sizin dediğiniz gibi düşünce bölen aletler olarak görmek bir yana; her derdimizi, problemimizi danışacağımız yardımcılarımız olarak değerlendiriyoruz. Hatırlayamadığımız her şeyi her an ona soruyoruz. Bunun sizce düşünce sürecine bir etkisi oluyor mu? Bir de sizi hep eski model, basit telefonunuzla görüyorum; hiç akıllı telefon kullanmadınız mı?

Bir defa bu akıllı telefon ve ona danışma süreci çok kötü, ortada düşünce falan bırakmıyor. Öte yandan birçok insan en ciddi soruların cevaplarını oradan bulmaya çalışıyor, kaldı ki buldukları cevaplar da çoğunlukla yanlış oluyor. Dijital dünyanın insanın işini kolaylaştırdığı, zihinlere yollar açtığı savı hep abartmadan ibaret... Ayrıca Wikipedia'nın Türkçesi de berbat... Evvela bu işler, bulunduğun memleketin kalitesine de bağlıdır. İnternette İngilizce kaynaklara bir bak, Türkçe kaynak sayısıyla karşılaştır; demek istediğimi anlarsın. Türkçe üretim internette de az... Dahası bu Türkçe kaynak azlığı, Türkçe İngilizceye nazaran küresel olarak daha az konuşuluyor diye değil; Türkçenin dünyada konuşulma oranına göre de kaynak az... İngilizce her kaynağın doğru bilgi verdiğini söylemek istemiyorum, yanlış anlamayın; ama yanlış bilgi veren Türkçe kaynak dahi az...

Beri yandan İngilizler kendileriyle baş başa kalma işini bizden daha iyi becerirler. Sonuçta şuna bakarsın: Telefonu elinden bırakmayı becerebilen kaç kişi var? İngiltere'de daha çoktur. Demek ki kesintisiz düşünebilen insan sayısı da orada daha çoktur. Unutma; İngiliz hâlen ister rafta olsun, ister elindeki cihaza yüklenmiş setler olsun, *Britannica Ansiklopedisi*'nin kendisine müracaat ediyor.

Akıllı telefon meselesine gelirsek; böyle bir cihaza ihtiyaç duymuyorum, o yüzden de kullanmıyorum. Bir yandan, makineler akıllansa da insanların akıllanmadığını, dahası pek çok görgü kuralını da unuttuğunu görüyorum. Bana her gün tanıdık tanımadık bir sürü kişi telefon ediyor, şu eski model telefonla konuşup duruyorum. Millet direkt giriyor lafa, anlatıyor da anlatıyor… Yahu anlatıyorsun tamam da, sen kimsin! Herhâlde akıllı telefonların ekranında arayan kişinin ismi yazdığı için adlarını söyleme gereği bile duymuyorlar. Benim ekranda zaten ismin yazmıyor, dahası seni tanımak zorunda mıyım? İşte maalesef bu şekilde en basit görgü kuralının bile yerleşmediğini görüyoruz. Hâlbuki bazı 40 yıllık arkadaşlarım, ki seslerini derhal tanırım, ben telefonu açar açmaz ismini söyler. Görgü budur.

Bir de bu telefonlarla herkes artık fotoğraf çekiyor ama ortada sanat yok. Fotoğrafla sanat olacağına gerçi pek inanmam, resmin yerini hiçbir şey tutmaz ama cep telefonuyla çekilen şeye de ne kadar fotoğraf denilebilir? Belki "yakalama" diyebiliriz. Çekiyorsun; bir delil, bir kayıt kalıyor. Bu sebeple "fotokayıt" diye de isimlendirilebilir. Ama bu fotokayıt da hiçbir zaman bir resim ya da bir fotoğraf olamaz. Dahası, o çekilen yüzlerce fotoğrafın yüzüne bakan yok; cihazların içinde kalıyorlar.

Hocam düşünceye tek engel telefon da değil. Çok fazla uyaran var. Sosyal medyayı geçseniz, şehir hayatının zorlukları var; kavga, gürültü, trafik var. Kaçmak mı lazım? Nasıl yapmalı? Sizi dinlerken aklıma, Herman Hesse'nin *Boncuk Oyunu*'nda[19] yarattığı atmosfer geldi. Herhalde düşüncenin, dış etkenlerin müdahalesine uğramayacağı yer orasıdır ama bu çağda öylesini nasıl bulacağız?

Evet, *Boncuk Oyunu*'nun ilhamı Rönesans'a kadar uzanır. Okunması gereken, çok enteresan bir romandır. Herman Hesse de ilginç bir adamdır. İki harp arası Alman edebiyatı bazen iyi şeyler verebiliyor.

Gelelim soruna. "Öyle düşünemezsin, böyle düşünemezsin," diye konuşup duruyoruz ama bugünlerde Ortaçağ'ın yeknesak ve içine kapalı hayat tarzı da mevcut değil. Manastırlarda yetişen alimler artık yok. Bu çok önemli; "Döviz çıktı mı, indi mi?" diye kafasına takan bir insanın, sağlıklı düşünce üretmesi güçtür. Ama bir şekilde de günlük telaştan kaçmak gerekiyor.

---

19 Hermann Hesse, *Das Glasperlenspiel*, Henry Holt and Company, 1943 (*Boncuk Oyunu*, Çev. Kamuran Şipal, YKY, 2012). Hesse, *Boncuk Oyunu*'nda; dış dünyadan yalıtılmış, matematik ve müzik temelli bir eğitim kurumu tasarlamıştır. Kitap böyle bir yerde serpilen düşüncenin ve kişinin imkânlarıyla açmazlarını tartışır.

Cesur olun. Kendinizi rahat hissettiğiniz alanın dışında bir pencere açın. O pencereyi açıp dışarıda farklı dünyalar görebilirseniz, bir eşiği de atlamış olursunuz.

Bu sorulardan kaçarak fikir üretmek, eser vermek gerekiyor. Sözün özü, becerebiliyorsanız bazen hiçbir şey yapmamalısınız. Biraz kapanıp okumalı, kendinizle baş başa kalmalısınız. Tecerrüd,[20] Fransızcasıyla *amnegation de soi même* önemli bir ameliye ve manevi terbiyedir.

Çalışma hayatında hepimiz rutini arıyoruz; rutine bağlı şekilde, konforlu alanlarımızda kalmayı seviyoruz. Siz bunun tersine davranan ender insanlardansınız. Cesur bir karar alarak işini bırakıp yeni bir dünyaya girebilenlerin iyi bir örneğisiniz. Nitekim 1980'lerin ortasında, üniversitedeki görevinizi birdenbire bırakıp yeni bir yaşama başladınız. Bugünlerde birçok insanın kafasında evirip çevirdiği ama çoğunun bir sonuca bağlayamadığı bir düşünce bu. Önerir misiniz?

Ben önermesine öneririm, hararetle de öneririm ama herkes bu kararı alamaz. Benim dönemimde akademiyi bırakıp, örneğin matbuata giren ve saçmalayanları da çok gördüm. Burada mesele, kendine, rahat hissettiğin alanın dışında bir pencere açabilmektir. Bu, cesaret ister. Bunu yapabilirsen, o pencereyi açıp dışarıda farklı dünyalar görebilirsen, bir eşiği de atlamış olursun. Ben bunu yaptım. Üstelik evliydim, çocuğum vardı. Yoksa çok daha rahat ve cesur hareket ederdim.

Korkmadınız mı peki?

Neden korkayım? Yapacak dünya kadar iş var. Kendini denersin, etrafa bir bakarsın; bu korkacak bir şey değil. Hem gün gelir yine ayrıldığın üniversiteye dönersin, ne olacak? Hayatta yapmadığın o kadar çok şey var ki... Ben böyle düşündüm; zerre kadar da korkmadım.

Dedim ya, memlekette garanticilik esastır; insanımız her şeyin garantisini arar. Ama belki bu da bir fırsattır, belli mi olur? Şehrinizi değiştirebilirsiniz, ülkenizi değiştirirsiniz. Korkmayın, iş de bulunur. Burada bulunmazsa, dışarıda bulunur; illâ ki bulunur. Ama dediğim gibi bunu herkes yapamaz. Bu biraz da insanın karakterine bağlıdır. O yüzden herkese öneremem. Sudan çıkmış balığa da dönebilirler.

Ben evli ve çocuklu olmasam hemen yurt dışına çıkardım, biraz başka bir ülkede yaşamayı denerdim. Örneğin İtalya'ya bir bakardım. Orada bulunmak iyi olurdu. Gerçi İtalya'da iş bulmak zordur ama çare çok, bu yüzden orayı denerdim evvela.

Peki şimdi? Bugün yurt dışında yaşamak ister misiniz?

Neden olmasın? İstiyorum zaten. Yunanistan bir seçenek... Orada iş bulunmaz, o yüzden ancak ben yaştakiler gidebilir. Önemli olan şudur; insan nasıl bir yaşamı sevdiğine karar verirse, doğru yeri seçip orada da kafasına göre yaşar. Örneğin ben Atina'da çok rahat yaşarım, Selanik'te daha da rahat yaşarım. Sıcak gelirse kuzeye, serine kaçarım. Canın çekerse Samos'a (Sisam Adası) da gidebilirsin. Yunanistan güzel bir memlekettir, afiyetle yemeğini de yersin. "Eskiden çok iyi değildi," diyorlar ama şimdi yaşamdan zevk alma bakımından çok çok iyi bir ülke oldu.

Tabii işi olmayan, hayat standartlarından şikâyet eden insanlar söz konusu olunca böyle konuşulmaz belki ama ben Yunanistan'ı, şu andaki hayat standartları açısından dahi bize göre daha dengeli görüyorum. İçtimai dengesi daha iyi, gelir dağılımı daha iyi; kaldı ki ülke hâlen bir ekonomik krizin içinde ya da yavaş yavaş krizden çıkıyorlar diyelim. Esas mesele ne biliyor musun? Hayat diye bir şey var ve Yunanlar onun farkında. Tadını çıkarmaya çalışıyorlar, doğrusu bunu nasıl yapacaklarını da biliyorlar. Tadını çıkarmak mutlaka meyhane demek değil; lisan kursu var, müze var, ilginç müzik var, konser-tiyatro var. Ayrıca bir güvenlik hissi de mevcut... Burada serserinin biri çıkıyor; "Bir şeyleri bilmem nereye gömdük, gömeriz vs.," diyor. Yetkili kimse de çıkıp bir şey demiyor.

Diyecek hâlleri yok belki. Bu yüzden insanlar korkup kaçıyor, daha doğrusu yetişmiş insanlarımız kaçıyor. Bakın, ben kaçıp gitmelerini söylemiyorum insanlara; sadece hayatlarında yeni pencere açmak isteyenlerin cesur olmaları gerektiğini söylüyorum. Dışarı gitsinler ama tabii ki geri de gelsinler. Öğrendikleriyle ülkemize dönsünler.

Siz gördüğünüz bazı yerlerde kalmak da istemişsiniz. Örneğin Rusya'da Yaroslav'ı gördüğünüzde, "İnsan buraya sürgüne gelebilir," demişsiniz. Hakikaten hiç düşündünüz mü bunu? Gerçek anlamda, "Acaba sürgüne gider miyim bir gün?" diye kendinize sordunuz mu?

Düşündüm tabii, onu düşünürüz biz (Gülüyor). Fizan'a[21] bak; Suriye'ye, Havran'a[22] bak; buralar zor yerler... Ama ben eskilerin gittiği yerlere gitmek istemem. Bazı eski sürgünler Midilli'de, Girit'te oturup kalmışlar ama dediğim gibi, ben istemem. Osmanlı sürgünleri yoğun oturulan yerlerde yaşamışlar. Rusya bizim memleket gibi değildir, bomboştur; orada büyük güzellikler ve şaşaa yoktur ama küçük kasabada dahi okuyan kafa dengi insan bulunur.

Her neyse, işte Yaroslav'ı kendime seçtim; beğendim (Gülüyor). Gidersem oraya gideyim. Daha ilk gördüğümde, "Yaroslav'a sürgüne gitsem hiç olmazsa kütüphaneci ile müzeciyi

---

21 Libya'nın güneybatısında bir bölge. Osmanlı İmparatorluğu'nun sınırları içinde olduğu dönemde, uzaklığı ve ıssızlığıyla bir sembol olmuştur. "Fizan'a kadar sürmek" deyimi de buradan doğmuştur.

22 Osmanlı İmparatorluğu döneminde, Suriye vilayetine bağlı sancak.

bulurum," demiştim; çünkü orada vakit geçirebilirim, bir tat alırım.

Şaka bir yana, ben yaşadığım her yerin tadını çıkarırım. Pekâlâ İngiltere'yi de seviyorum, İtalya'yı da. Bana Yunanistan da hoştur. Dilini bilmememe rağmen İspanya da hoştur. O İspanya; gözüme birçok yerden daha mistik, daha güzel görünür. Ama Rusya bana bazen ev gibi gelir, ahaliyle yakınlığımız var ne de olsa.

Hocam siz akademik hayatta da çok dolaşmışsınız. Bu da pek rastlanan bir durum değil.

Hem de çok dolaştım! Resmen dört üniversitede çalıştım. Gayriresmî ve davetli olarak, o dördün üzerine birkaç tane daha koy. ODTÜ'de bir ara talebelik yaptım ama Mülkiye'den sonra Viyana'ya gittim. O benim için iyi oldu. Mülkiye desen, o zaten uzun boylu baş ağrımdır. Tabii Bilkent var; nihayet Galatasaray var. Bir ara Dil Tarih'te ek görev yaptım, Ankara Hukuk'ta ek görev yaptım, ODTÜ'de ek görev yaptığım dönem oldu. Boğaziçi'ne bile yaz kurslarına gittim. Dışarıyı sorsan; Viyana, Moskova, Paris, Berlin, Princeton... Hatta misafir profesör olarak Kudüs İbrani Üniversitesi...

> Hareket etmekten korkmayın. Kendinizi geliştirmek istiyorsanız farklı yerlere bakacaksınız; farklı gruplara girip çıkacaksınız. Kendinizi farklı sınavlara tabi tutacaksınız.

Bu şekilde pek çok okul daha var. Benim bu konuda herkese göre daha çok fırsatım oldu. Bizde birçok akademisyen memur gibidir. Girer bir üniversiteye, oradan emekli olur. Zaten gidecek yeri de yoktur, orada kalır. Ama bu sıkıntılı bir hâldir; insanı baltalar, işi baltalar. Neticede değişik yerler tanımak, değişik gruplara girmek lazım. Dahası bu, sadece akademide değil; her işte geçerlidir. Tek bir yere girip kalmayacaksın, kendini geliştirmek istiyorsan farklı yerlere bakacaksın. Kendini bir sınava tabi tutacak, farklı yerlerde tanıtacaksın. Benim talebeliğim de öyle geçti. Mülkiye'de okudum; Dil Tarih okuyup bitirdim; Viyana'da, Chicago'da okudum. Yani hep değişik yerlerde bulundum, bir ara ODTÜ'de bile talebelik yaptım. ODTÜ, Amerikan tipi bir okuldur ama çok açıktır. Özgün bir yerdir.

Sonra öğrencilikte de dışarı çıktım. Viyana'da hiç sıkılmadım, çünkü lisan biliyordum. ABD'ye adım attığımdaysa, İngilizcem o kadar matah değildi ama sonuçta başka lisanlara hâkimdim. Zaten hocaların da çoğu yabancıydı. Beni iyi hocalar yetiştirmişti. Onun da etkisi vardır muhakkak ama kendin daha önemlisin. Senin kim olduğun, nasıl biri olduğun, kendini nasıl yetiştirdiğin çok daha mühimdir. İlgin, bilgin dikkat çekerse, kimse seni dışlamaz; çeşitli gruplara girersin.

> İyi hocanın insanın üzerinde etkisi çoktur ama esas önemli olan kişinin kendini nasıl yetiştirdiğidir. İlgisi, bilgisi dikkat çeken bir insan her grupta rahat eder.

Böyle olduğunda hayat daha eğlencelidir, bunu özellikle söylemek isterim. Öte yandan bir de berbat huyumuz vardır. Bizde böyle dolaşıp durmak pek sevilmez, üniversite gezmek diye bir âdete rastlanmaz. Oysa bu, Ortaçağ'da varmış; Avrupa'da hâlen var. Latincede, "Omnia mea mecum porta" diye bir tabir var; "Her şeyimi yanımda taşıyorum," anlamına gelir. Yanımda sadece beynimi taşırım, en fazla bir iki kitabım vardır; bir yerden bir yere sadece onlarla gidip geliyorum demektir. Açıkçası bu kadarı da yeter.

Bizde de, "Bir çulum var atarım, nerede olsa yatarım," denir.

Aynısı, evet; dervişin dediğidir bu. Avrupa'da gezilir; birkaç sömestr bir üniversitede gezilir, birkaç sömestr başka yere gidilir. Bizde ise kimse yerinden kıpırdamaz. Hâlbuki bir noktada miskinlik başlıyor, değişmek lazım. Kendi dünyanı yerinden kendin oynatacaksın. Önemlidir bu, yoksa miskinliğe esir olursun. İşte o da bittiğin andır.

Şimdi, "Geziyordum, dolaşıyordum," deyince bunları tesadüfen yaptığım sanılmasın. Hepsi bir plan dahilindedir. Mesela çok kimse, okumaya belli bir yerden başlayıp, sistematik olarak diğer eserleri okumaz; önceden bir rota çizip onu takip ederek gezmez. Tahsilini bile önceden pek düşünmez, şansa bırakır. Nereye okumaya giderse, orayla ilgilenir. En fazla, yakın çevresi onu bir yere götürürse, bir şey gösterirse onunla ilgilenir. Fakat görüp okuduğunu özetlemez, listelemez. Böyle yapan çok azdır diyelim.

> Bizde kimse yerinden kıpırdamaz. Hâlbuki değişmeyi, değiştirmeyi bileceksin. Konforundan vazgeçmeyi göze alacaksın. Kendi dünyanı yerinden kendin oynatacaksın. Bir insanın bittiği an, miskinliğe esir olduğu andır.

İnsan tahsil hayatını planlamaz mı? Maalesef bizde planlamıyor, çünkü kafasında böyle bir sorun yok; uzun vadede de yok, kısa vadede de. Hatta yazın gideceği tatili bile planlamıyor. Neyi, hangi sırayla görmemiz gerektiğini kestiremiyoruz; düşünemiyoruz. Örneğin, Balkanlar'da o kadar geçmişimiz var; kim, "Şöyle bir Balkanları dolaşayım," diyor? Ben Avusturya'ya gittikten sonra listeye Balkanlar'ı ekledim. Venedik'ten geçtim, Dubrovnik'ten başladım; Belgrad, Saraybosna dolaştım ve o kadar dolaştım ki artık tükendim. Lakin oraları görmek, öğrenmek lazımdı. Kendimi tüketmesem, o kadar zorlamasam, bu bölgeyi gençliğimde görüp bellemiş olmayacaktım.

İlk bölümde eğitim sisteminden bahsederken, "Bizdeki sistem yaratıcılığı öldürüyor," demiştiniz. Eski çağ insanlarını bizden ayıran noktalardan biri de onların el işlerinde epey becerikli olmaları. Bizim eğitim siste-mimiz bizi sadece mental olarak güçlendiriyor. Katılır mısınız?

Tabii, el becerilerini geçtim; el yazısı bile kalmadı bugün. Kimse eliyle yazı yazamıyor; klavyeyle, telefonla yazıyor. Yakında gözüyle yazacak. Eee, nasıl olacak bu işler? Böyle söylüyorum ama benim el yazım da değişiyor, giderek kötülüyor, yazmayı unutuyorum. Burası önemli, herkes dikkat etsin; alışkanlıklar değişince, çok şey değişir. Bizler bugün için, yazarak düşünmeye alışkın insanlarız. Hemen hepimiz gibi ben de yazarak düşünürüm. İşte bunlar değişiyor, yerine de bir şey koyamıyoruz.

Diğer el becerilerine dönersek… Kafan çalışıyorsa güzel ama ellerin de çalışıyorsa daha da güzel… Herkesin kafası ve eli aynı ölçüde çalışmaz, bunu da görmek lazım. Elini ve beynini çalıştıran çocukları ayrı ayrı öne çıkarmalıyız. Kimin nasıl çalıştığına dikkat etmemiz, önem vermemiz lazım. Bir toplum bu meseleleri gözeterek yaşar. Herkes hukukçu olacak diye bir kaide yoktur, ayrıca buna gerek de yoktur. Bizim muslukçu da yetiştirmemiz gerekir. Öyle ki bir muslukçu bazen bir hukukçudan fazla işe yarar.

> Herkes hukukçu olacak diye bir kaide yoktur. Bizim muslukçu da yetiştirmemiz gerekir. Bir muslukçu bazen bir hukukçudan fazla işe yarar.

El yazınız kötülüyor ama hafızanız hâlen çok kuvvetli… Bunun için bir şey yapıyor musunuz? Hafızayı kuvvetlendirmenin bir tekniği var mı?

Kuvvetli mi diyorsun? Bana kalırsa kötülüyor, bilemiyorum. Çocukken de hafızam iyiydi, çok çabuk okumaya başlamıştım. Hatasız ve hızlı okuyordum. İlkokulda bu tip konuları ölçecek yarışmalar yapılırdı. Ben hep öne çıkardım. Ama işte, zaman geçiyor; işler giderek vahimleşiyor. 40'ından sonra okuduğum bir sürü kitabı tamamen unuttuğum olmuştur. Bazen bir kitabı ikinci defa elime aldığımda, neredeyse yeni baştan okur gibi okuyorum.

Hafıza kuvvetlendirme meselesine gelince... Ben hiçbir zaman bir teknik kullanmadım ama lisan öğrenmek için elbette iyi bir hafıza gerekir. İllâ bir teknik soracak olursan, dedemin tekniğini benimsedim diyeyim. Nedir bu? Lisan çalışıyorsan alırsın bir sayfayı, bir defa okursun; sonra bir defa daha okursun, ardından bir defa daha okursun, sonra yine... Her şey ancak yeterince anlayarak okuduğunda çözülür. Ben hep bu yöntemi kullandım. Tabii bu yöntem Osmanlıca metinlerde daha çok geçerlidir. Koca kitabı ezberlemek gerekmez ama belli bazı cetveller vardır; oradaki okuma ve yazmayı ezberledin mi, tekrar ettin mi, oturur. Süheyl Beken metodu da (*Osmanlı Paleografyası* I)[23] böyledir.

Bu konulara aşina olmayanlar şöyle düşünebilir; önünüzde bir metin duruyor, metnin üzerinde bir sürü kelime var. Cümleler değil; kapı-sapı vs. gibi kalıp kelimeler... Kelimeler dizi dizi gidiyor, aşağıda cümleler başlıyor. Bilinen kelimeler, az bilinen kelimeler, atasözleri... O sayfayı baştan sona okursunuz; sonra bir defa, bir defa daha okursunuz... Bir daha sökerek okursunuz, başka sayfaya geçersiniz. Bu idmanı ne kadar yaparsanız kârdır. İki sayfa, üç sayfa, dört sayfa...

Bu yöntem hep işe yarar, bir sayfa okusanız bile işe yarar. Anlamla uğraşmayacaksınız, önce hece ve kelimelerle boğuşacaksınız. Ama dedim ya, burada Arap harfli Türkçeden bahsediyorum. Kelimelerden başlıyorsunuz; gide gide cümlelere, küçük hikâyelere ve vekâyiname parçalarına ulaşıyorsunuz ve kısa zamanda vekâyiname okumaya başlıyorsunuz. Ben

---

23 Süheyl Beken, *Osmanlı Paleografyası I*, Ankara Üniversitesi Yayınevi, Ankara 1972.

bu şekilde Osmanlı metinlerini hızlı söktüm. Sonra hocanın önünde, onun metinlerini okuma aşamasına geçtim. Halil İnalcık Hoca'nın emandasyonu yapılmış, tıpkı basım metinlerini böyle okudum. Ondan sonra yayımlanmamış metin okuma aşaması gelir, bu böyle devam eder.

Bana sorarsan, bu konuda en güzelini Viyana'da yapıyorlardı. Çok enteresan bir hoca olan Andreas Tietze'nin uygulamasından bahsediyorum. O, şuera mecmualarını okutuyordu bize. Yani 16-18'inci asırların biyografilerini ihtiva eden antolojileri, eski Osmanlı devrini biyografi mecmualarından okutuyordu. Mesela Gelibolulu Mustafa Ali'yi okutuyordu. Hatırlarsan, "Bazı şeyleri 25 yaşına dek yapman gerekir," demiştim. İşte benim bunları 22'ye varmadan öğrenmem gerekiyordu. Kendi alanım için buna mecburdum.

> Yabancı dil meselesini 25'inize gelmeden çözmeniz gerekir. Bu temel bir konudur; gecikirseniz geçmiş olsun. Elbette sonra da öğrenebilirsiniz ama aynı rahatlıkla ve kavrayışla değil.

Bunlar temel şeylerdir; bu temel şeylerde gecikiyorsan, geçmiş olsun. Hem yapacağın işi düzgün yapmakta gecikirsin hem de hakkıyla öğrenemezsin. Yine Osmanlıcadan örnek vereyim. 25 yaşından önce öğrenmedin diyelim. 30'larında, 40'larında elbette bir daha deneyebilirsin ama rahat öğrenemezsin. Okursun, bırakırsın; yine başlar, yine bırakırsın. Rusça da böyledir.

Bu yüzden 25'inize gelmeden bu işlerin icabına bakmalı, meseleyi çözmelisiniz. İllâ derse gideceksiniz, kurs göreceksiniz demiyorum. Kendi kendinize de öğreneceksiniz, bilenden yardım alacaksınız. Nitekim lisanları insanlardan öğrenirsiniz.

Mesela daha evvel söylemiştim; Zeliha Berksoy'un babası Ercüment Siyavuşoğlu Fransızcama çok yardımcı olmuştur.

Bir gün oturmuş konuşuyoruz; "Efendim, Fransızca olmadan bu iş olmaz!" diye kestirip attı. E nasıl olacak peki? "Otur, ben öğretirim," dedi. Bir otururuz, beş saat… Öğretti de. Metot soruyorsun ya; Ercüment Bey'in metodu çok basit ve yararlıydı: "Kafana lügati atarım," diye ihtar ederdi; öyle olunca lügate bakacaksın, onu elinin altından ayırmayacaksın, yoksa yanlış yaparsın. Ercüment Bey yanlış yaptığımda bana, "Eşeklerin eşeği" derdi. Bu iş zaten böyle tatbik edilir, eski usul böyledir. Daha da iyi bir yöntem görmedim.

Siz kaç dil biliyorsunuz hocam? Sayılar şehir efsanesi gibi dilden dile dolaşıyor.

Bir Avrupa üniversitesindeki tarih veya hukuk profesörü ne kadar biliyorsa o kadar biliyorum. Mükemmel, iyi derecede, efsanevi diye bir şey yok; buna gerek de yok. Çünkü önemli olan bu değildir. Çok bilmiyorum ama öğrendiğim dilleri de işte bu anlattığım usulle öğreniyorum. Çoğunu kendi kendime, bazen de yakınlarımın yardımıyla öğrendim. Önemle vurguladığım gibi mesele erkenden öğrenmektir, hele eski yazıyı ya da farklı alfabeli dilleri çok erken öğrenmek gerekir. Diğerlerinde biraz gecikseniz de olur.

Gerçi ben Almancaya 11 yaşında başlamıştım, 14'üme geldiğimde artık Almanca kitapları okuyordum. Alman kütüphanesinde oturup bol bol okurdum. Heinz Kristinus'un Goethe Enstitüsü'nde verdiği kurslara gitmiştim; bana Almancayı o benimsetti. İngilizceye, Fransızcaya nispeten geç başladım. O Fransızca ne güzel bir lisandır! Ercüment Bey bana bu lisanı öğretene kadar, güzel olduğunu biliyordum doğrusu, ama bu kadarını da tahmin etmiyordum. Daha güzeli yoktur diyemem, çünkü var. Latincenin kendisi daha güzeldir.

Kaç dil bildiğimi soruyorsun ya, bunun aslında hiçbir önemi yok. Bir dili konuşmanın, onu yaşamanın hazzı daha önemlidir.

Ben bu işten haz alıyorum. Bir dili bazen çok güzel kullanabiliyorum; esprilerine, güzel laflarına başvurabiliyorum. Bazen o kadar değil. Bu çok hoşuma gidiyor. Ben zaten dilin bir şiir olduğunu savunurum. Bir dili konuşmak *acting*'dir, yani teatral bir şeydir. İnsanoğlunun en büyük icadı dildir diyeceğim ama belki de dil insanoğlunun icadı değil, biz onun yönlendirdiği bir organizmayız.

Dil hakikaten çok enteresan bir şey... Bilinç bakımından dil ve insan arasındaki ilişki çok mühim... O yüzden eskiden beri dille ilgili konulara bayılıyorum. Nitekim bu konular hakkında okumak, felsefe okumaktan daha çok hoşuma giderdi. Hitabet tarzı, resmî hitabet tarzı, ince konuşmalar... Bunlara bayılırdım. Almanca diplomatika tarzı şeyler okurdum. Viyana'da "kurenth" denen yazıyı çözmek için uğraştım. Doçentlik tezim için Alman, Avusturya arşivlerinde çalışmam lazımdı. Alman arşivlerinde bulduğum böyle şeyleri (bazı hitap ve elkab,[24] yani *titulature*[25]) çok ezberlerdim. Eh herkesin bir huyu var, benimki de budur.

> İnsanoğlunun en büyük icadı dildir diyeceğim ama belki de dil insanoğlunun icadı değil, biz onun yönlendirdiği bir organizmayız.

Bildiğiniz diller içinde en sevdiğiniz hangisi? Fransızca mı? Arapça mı? Farsça mı?

Arapçayı sevmem. Çok katı mantık kurallarına dayanır. Güzel olan Farsidir. O işte insanı kendine âşık eder. Gurban olmuşem (Gülüyor). Ama en iyi bildiğim dil o değildir. En iyi Türkçeyi bilirim. Şaka yapmıyorum. Dil öğrenelim, evet ama dilimizi de unutmayalım. Ben Türkçeyle yatıp kalkıyorum. Kendi dilimden şaşmam, ona özen gösteririm. Herkesin de bu

---

24 Lakaplar.
25 Kralları, firavunları, monarkları hiyerarşiye göre isimlendirme metotları.

özeni göstermesi lazım. Telaffuzu berbat ederek diş arkasından konuşanlara tahammülüm yok. Böyleleri bir de medyada sunucu ve spiker dahi oluyor. Zavallı Türkçe! Ne güzelsin ve ne kadar şuursuz, cahil, cüretkâr evlatların var; seni berbat ediyorlar.

Bu arada, Farsçadan bahis açılmışken eklemeli; bu dili öğrenenlerin sayısı epey arttı. O kadar arttı ki, İranlıların bizde kurs düzenleyen resmî kurumları bu sayıya yetişemiyor. Şiir, tarih, edebiyat meraklısı bir gençlik geliyor. Yunanca öğrenenlerin sayısı da arttı. Onlar biraz daha pratik nedenlerle dil öğreniyorlar; modern Yunancaya meraklılar. Bizim alanda özellikle bu iki grup yükselişte. 10 sene sonra Amerikan ekolü ile geçinen, İngilizce bilerek, biraz da Osmanlıca kullanarak tarih yapmayan çalışanların itibarı kalmaz. Çünkü insanlar artık metin okumaya başladı. Tarih yazmak için metin okumak gerekir, gerisi fasaryadır. Şimdi bırak uzmanı, okurun bile kalitesi artıyor. Sadece bu iki dil değil; İtalyan arşivlerine giren gençler var, İspanyolcacıları da görüyorum. Yoklardı, artık varlar. Dahası bu bugün başlamış bir süreç değil, 80'lerin başından beri böyle bir eğilim var ama artık hızlandı; 10 seneye kalmaz sonuçlarını göreceğiz. Bu gençler, İngilizceyle geçinenleri sahadan atacaklar. Müthiş bir patlama yaşanacak. Bu tür meraklı gençlerin varlığı hakikaten hoşuma gidiyor.

BEŞİNCİ BÖLÜM

NASIL SEYAHAT EDİLİR, NERELERİ GÖRMEK GEREKİR?

Semerkand'ı, Floransa'yı, Buhara'yı, Roma'yı ve Kudüs'ü görmeden ölmeyin.

Hocam seyahat etmek; bugünün en yükselen, en rağbet edilen aktivitesi... Herkes gezmesine geziyor da, bir Evliya Çelebi gibi dünyayı dört dönmüş olan size soralım. Nasıl gezmeli?

Estağfurullah, Evliya Çelebi gibi gezmek artık kimseye nasip olmaz. Biz demiryolu, otoyolu ve havayolu nesliyiz. Evliya'nın kona-göçe yaşadıklarını, görüp tasvir ettiklerini biz aynı gözle göremeyiz. Gerçi Evliya zekiydi; gözü keskindi, kulağı delikti, mukayese edebildiği kayıtlar ve noktalar ile bu dünyayı anlattı. Bugünkü seyyah, gözü ve kulağı ne kadar keskin olsa da aynı şeyleri göremez; tespit edemez ve yaşayamaz. Onun için seyahatname literatürü çok mühimdir. Bu durum kendi hayatımızda da böyledir. 1964'te gördüğüm Mardin ile 1976'da gördüğüm aynı değildi, 1996'daki ise artık bambaşka bir şehirdi. O bakımdan dolaşacaksınız ve ilginç noktaları daha yoğun bir şekilde tespit etmeye, öğrenmeye çalışacaksınız. Aksi takdirde, Evliya Çelebi gibi bu dünyanın künhüne inmeniz nasip olmaz.

Peki bunu nasıl yapacağız?

Basittir; ilk olarak bir harita, seyahat rehberi alıp gideceğin yere önceden bakarsın. Tut ki evinde bakamadın, zaman bulamadın, hızla çıkıp gittin. Olabilir, gidebilirsin. Hatta belki kendine bir seyahat rehberi bile alamadın, o da olabilir. Havaalanında alırsın, bu imkânlar var. Bak, burası önemli; almasına alırsın ama onun da en pratiğini almalısın.

Mesela Almanların bir zamanlar çok küçümsenen, Polyglott isimli rehberi vardır. Popüler olduğu dönemde onunla, "Efendim, işçiler okur bunu," diye alay ediyorlardı; burun büküyorlardı. Bir gün İspanya'da sosyologlarla bir toplantıdaydık. Yanımdaki bayan meslektaşın önünde bir kitap durduğunu gördüm, ne olduğuna bakmak için önüme çekeyim dedim. Ne mümkün, saklıyor benden! Yine de çekip aldım. Baktım ki Polyglott'un Kuzey İspanya rehberi! Güldüm tabii; "Nasıl okursun böyle bir şey, hiç yakışmıyor?" diye makara yaptım. Kadın kem küm etti, kızarıp bozardı. "Üzülme şekerim," dedim; "bak, bende ne var!" Bunun üzerine aynı rehberin, aynı hacimde, bütün İspanya'yı kapsayan edisyonunu kendi çantamdan çıkardım. Güldük.

Şimdi küçümserler bu rehberi ama aldırma! 1950'lerin, 60'ların patlaması sırasında hazırlanan Polyglott oldukça güzel yazılmıştır. Yani Alman turizminin patladığı dönemde kaleme alınmıştır ki en güzel turizm de odur. Bahsettiğim Alman turizmi bir defa nitelikli bir faaliyettir, insanın gerçekten bir şeyler öğrendiği bir turizm türüdür. Çünkü Almanlar disiplinli gezer. Söz konusu yıllarda minicik otobüslere binerlerdi, bu otobüslerin arkasına karavan da takılı olurdu. Yolcular bu karavanların içine hücreye girer gibi girerlerdi. Bu araçların tuvaleti de vardı ama onları konforlu araçlarmış gibi düşünme. İşte o turistler, gezmek için öylesi bir rahatsızlığı dahi göze alırlardı. Orta sınıf, hatta alt-orta sınıf Almanlardan bahsediyorum.

Belki bu kadar ayrıntıyı nereden bildiğimi soracaksın. Biliyorum, çünkü onların rehberi bendim. Ne kadar bilgili olduklarını bizzat gördüm. Nereye gidilecekse orayla ilgili detayları okuyup gidiyorlardı, ayrıca rehber de tutuyorlardı. Düşün, öyle varlıklı olmamalarına rağmen bunu yapıyorlardı. Pasta da yiyorlardı, rehber de tutuyorlardı. Bazen pastadan kısıp birkaç kişi bir araya gelip rehber ücretini karşılıyorlardı. Nitelikli turizm için, gezip gördükleri yerleri doğru ve hakkıyla anlamak için mütevazı bütçelerinden para harcıyorlardı; zorluklara katlanıyorlardı.

> Bir şehri gezmek emek ister. Okuyacaksınız, harita bakacaksınız, notlar alacaksınız, fotoğraf çekeceksiniz ve defter tutacaksınız.

Rehberlerle dolaşmayı tavsiye eder misiniz?

Ben artık rehberle dolaşmıyorum ama bunu katiyetle tavsiye ediyorum. Bu arada bizde hiç fena rehberler olmadığını da söylemeliyim. Hatta bizde en namuslu meslek sınıfı turist rehberleridir. Aralarında yurt dışına çıkan, oralarda rehberlik yapanları da bulunuyor. Çok açık ki bilgili ve güvenilir insanlardır, kendilerini yetiştirmişlerdir. Bu yüzden, hele Türkiye'de, rehber tutulmasını öneririm. O insanları tanımalısınız. Ama bu maalesef bizde çok yapılmıyor. Olsun, illâ yapılacak şartı da yok.

Ancak rehberiniz yoksa, kendi başınızın çaresine bakmayı bilmelisiniz. Nasıl olacak bu? Evvela okuyacaksınız, gideceğiniz yerler hakkında önceden bol bol bilgi edineceksiniz. Hatta gittiğiniz sırada da fırsat bulup okuyacaksınız. Hem okuyacak hem de harita bakacaksınız; bu şekilde gezeceksiniz ve en önemlisi not tutacaksınız. Bir de çektiğiniz fotoğrafları saklayacaksınız. Bu, birinci ziyaret için geçerlidir. Yani bir yeri ilk ziyaret; harita, notlar ve fotoğraflarla dolu olmalıdır. Üstelik eğer burası çok dikkatinizi çeken bir yerse, bir daha gitmeye gayret etmelisiniz. Çünkü orada muhakkak kendinize göre yeni keşifleriniz olacaktır. Daha da dikkatinizi çekerse, orayı üçüncü defa ziyaret edeceksiniz. Ama bu artık uzun bir ziyaret olmalıdır. Oradaki canlı yaşamın ayırdına varmalısınız.

Mühim bir konu daha… Bir yere ilk defa gitseniz de, orayı beşinci defa ziyaret etseniz de yapmanız gereken bir şey var: Şehre karışmak. Her yere gideceksiniz, her yere. Pazara da sokaklara da uğrayacak, insanların arasına karışacaksınız. En önemlisi yürüyeceksiniz. Öyle, "Taksiden indim, otele gittim," yok; yürüyeceksiniz. Gerçi ileri yaşlarda bu biraz sorun oluyor ama böyle bir maniniz yoksa yürüyeceksiniz. İleri yaşlarda arabayla gezebilirsiniz, size kimse bir şey diyemez. Fakat gençseniz ve bir şehirde gönlünüzce yürümüyorsanız orayı gezdiğinizi de söyleyemezsiniz, bunu bilin. Yani gönül rahatlığıyla diyemezsiniz.

Müze ziyaretini, bir şehri ikinci, üçüncü ziyarete ayıranlar; ilk ziyarette sadece sokaklarda dolaşmayı tavsiye edenler de var.

Hayır, müzelere her zaman gidilir. Bunu ayarlamak kolaydır. Müze belli saatlerde açık, çarşı-pazar hep açık… Ona göre bir plan yapılır. İlk gidişe özgü olan hadise, yoğun program yapmaktır. Bir şehri ilk defa görüyorsanız dinlenmeyeceksiniz. Ben Floransa'ya ilk gidişimde Viyana'dan gelen katardan sabah indim, bavulu garda emanete bıraktım; otel arayacağım diye şehre çıktım. Oteli bulana kadar gece yarısı oldu. Sabah Viyana'dan inmişim, düşün. Bu arada Duomo'ya çıktım, kubbeye tırmandım. O sıralar kuyruk da yok, her yere baktım. Mesela Uffizi Galerisi'ne rahatlıkla girmiştim.

Gece bir otel buldum. Sabah erkenden kalktım, haydi bir daha! Böyle böyle orada bir hafta geçirdim. Gençtim tabii, bunları yapabildim ama bir şehrin tadı da ancak bu şekilde çıkar.

Floransa'nın hakkını başka nasıl vereceksiniz? Eh, gezerken yorulursunuz, doğrudur; ama yorulacaksınız ve bir fincan espresso ile dirileceksiniz, başka çareniz yok. Gezmek emek ister.

Floransa'nın ardından aynı şekilde Roma'yı da 20 gün gezdim. Benim Venedik dışında ilk ciddi İtalya seyahatim de budur. Daha evvel hep Venedik'te tıkanıp kalmıştım, bu bahsettiğim seyahatte Floransa ve Roma'yı da gördüm. O günlerin ardından rüyalarıma hep bu İtalya girmiştir. İtalyan diliyle ilgilenip kursa gitmem ise 1962'ye uzanır. Ankara'da *Centro di Studi Italiano*'nun kurslarına başlamıştım. Lise yıllarında okul programı dolayısıyla ara vermiştim. 1965'te gene başladım.

> Sokaklarında yürümeden, çarşısına karışmadan bir şehri anlamak mümkün değildir. Öyle, "Taksiden indim, otele gittim," yok; yürüyeceksiniz.

Bin yıllık tartışmayı sorayım: Çok gezen mi bilir, çok okuyan mı?

İkisinin de katkısı var. Ben ikisinden de fayda gördüm. Okudum, anladım; gezdim, tanıdım. İkisi de keşfe giden yolları açar. Ama herkesi kendimle kıyaslamam, çünkü ben biraz kendimi zorlarım. Yine de herkesin bu kurala uyması gerektiğini düşünürüm. Ne yazık ki bavul gibi gezen insanları çok görüyorum, hiçbir şeyden haberleri yok. Hâlbuki kitabını alır, orada oturup bir kafede okursan ayıp sayılmaz. Hatta en iyisi budur. Artık elbette yapamıyorum ama eskiden bunu iyi tatbik ederdim. 20 saat geziyorsam; iki saatinde oturur, kitabımı okurdum. Bu çok önemlidir.

Söz gelimi Madrid'e gidersen Madrid hakkında okuman gerekir, bir yandan da Madrid'i okuman gerekir. O şehri okuyacaksın, öğreneceksin. Her şeyi de sokaklara bakarak öğrenemezsin ya! Ben de gittiğim şehirlerle ilgili kitaplar okurum. Bir yandan da kendim not tutarım. Notlar vasıtasıyla bilgiler daha taze kalıyor. Bu konuda hafızanıza sakın ola güvenmeyin. Ben güvenmem!

Nasıl not alıyorsunuz?

Önce birtakım pratik not defterlerine, kâğıtlara hızlı notlar alırım. Sonra bu notları daha derli toplu olan defterime geçiririm. Bunu ben çok yaparım. Üstelik not tutmakla da kalmam; aldığım bileti, çektiğim fotoğrafları defterlere yapıştırırım. O seyahatimin özel bir defteri olur. Bu tür şeylerle uğraşmayı severim. Eskiden daha da fazla uğraşırdım. Şimdi biraz azalmakla beraber, bunları hâlen yapıyorum. Tabii günübirlik geziler hariç, öylesi biraz zor...

> Bir şehri en iyi not tutarak hatırlarsınız. Yoksa bilgiler de hatıralar da uçup gider. Benim metodum her seyahat için bir defter tutmaktır.

Deftere geçireceksem, bunlar kapsamlı geziler olmalı.

25 yaşında, doğduğum yere, Vorarlberg'ın[26] merkezi Bregenz kasabasına gitmiştim. İşte örneğin o seyahatin bir defteri vardır. Bregenz, Liechtenstein, Innsbruck, Salzburg; bunların hepsinin notları tutulmuştur, defterdedir. İkinci defa Venedik'e gittiğimde günlerce kalmıştım, o seyahatin de defteri vardır. Sonra Split, Rieka, Dubrovnik... Derken Sarajevo ve Belgrad... Hep defterlerdedir.

Siz yeni evlilere, "Mobilya alacağınıza dünyayı gezin," diye öneride bulunmuştunuz. Bu söylediğiniz çok ilgi gördü. Tavsiyenize uyan birçok genç olduğunu biliyorum. Sayıları muhakkak daha da artacaktır. Peki ne yapsın bu gençler? Dünyayı nasıl görsünler? Gezmeye nereden başlasınlar?

---

26 Avusturya'nın en batısındaki eyalet.

Tesadüfe hiç lüzum yok, nereyi merak ediyorsan oradan başlarsın. Bu konu tavsiyeye gelmez. Herkesin zevki kendine göredir. Ben de kendime göre gezerim. Ne yapmak istiyorsan, ona uygun bir yer seçersin. Müze mi görmek istiyorsun, alışveriş mi yapmak istiyorsun, iyi yemek mi istiyorsun; ona göre davranırsın. Dünyaya Moskova'dan da başlanır, Londra'dan da. Efendim, Balkanlar'dan da başlanır ama esas tuhaf olan nedir biliyor musun; çok varlıklı Türklerin gezmeye Amerika'dan başlayıp başka yere de gitmeme-

> Türkiye'den çıkınca ilk görülmesi gereken yer İran'dır. Bunun nedeni de çok basittir: İran'ı anlamadan Türkiye'yi anlayamazsınız.

leri. Anlamakta hakikaten zorlanıyorum. İşte bunlar merak meselesidir azizim. İnsanda merak ya vardır ya da yoktur.

Mesela bizde İran merakı daha yeni başladı. Oraların görülmesini tavsiye ediyorum ama gidenlerin çoğunun da pek bir şey anladığını sanmıyorum. Mısır da aynı şekilde. İnsanlar buralara tesadüfen gidiyor, fazla bir şey anlamadan da dönüyor. Zaten geri kalan adresler de belli...

Müsaadenizle sayayım adresleri de üzerine konuşalım. Ağırlıkla gidilen yerler Batı ülkeleri, özellikle ABD, İngiltere, Fransa, İtalya; son birkaç yıldır Yunanistan... Doğu'da biraz Tayland ve nihayet Maldivler... İsabetli tercihler mi?

Maldivler'de ıssız adada olduğunu düşünüyor herkes. Öyle mi bakalım? Bunlar esasen kalabalık yerler. Son yıllarda bir de Japonya merakı başladı. Güzel yer, temiz yer ama dilini bilmezsin, yolunu bilmezsin. Avrupa kalıpları içinde bir ülkedir, üstelik İkinci Harp'ten sonra Avrupa kadar da çökmedi. Japonlar, Avrupalılardan daha çalışkan ve kanaatkâr oldukları için ayağa da daha rahat kalktılar. Küçücük evlerinde oturup çalıştılar. Tamam, bu ülkeye yönelik merakı anlıyorum ama Japonya'ya gidene kadar görecek çok yer var.

Senin ilk soruna dönecek olursak, evvela şunu söylemeli: İnsanda merak varsa, Türkiye'den çıkınca ilk görülmesi gereken yer İran'dır. Bunun nedeni de çok basittir: İran'ı anlamadan Türkiye'yi anlayamazsınız. Üstelik şimdi fırsat da var, İran'a gitmek kolay; dolayısıyla Türkiye'yi anlamak da daha kolay...

İran'a gitmek eskiden büyük sorundu. Hele Şah döneminde gidemiyordun bile. Humeyni rejiminin bir iyi tarafı, vizeyi kaldırması oldu. Gerçi o zaman da gitmek isteyene, "İran'a mı gidecekmiş!" diye bir tuhaf davranıyorlardı. Ben de bundan payımı aldım. Epey tantanadan sonra ikinci gidişimde, sınırdaki polisler oraya gitmememi söyledi. Öyle aksi aksi de değil, uyarmak istiyorlardı. Zaten bizim talebelerdi. Bu ihtarın samimiyetinden dolayı, onlara sonsuz müteşekkirim ama yaşım da o zaman artık 40 olmuştu. "O dönem gitme, bu dönem gitme; sonra ne zaman gideceğim kardeşim?" dedim. Elim ayağım tutmaz olunca mı? Orası da Almanya, Fransa değil yani; problemli bir ülke... Ne zaman ne olacağı belli olmaz! Gerçi bu hadise 1986'da geçiyor. İran o sırada harbin içindeydi, Irak ile savaşa tutuşmuştu. Yine de gittim.

İran'ı gezmeye nereden başlamalı?

Tebriz veya İsfahan'dan başlayın. İlk görülmesi gereken hat budur; Tebriz-İsfahan hattı. İkinci hat ise Tahran'dan başlayan ve yine İsfahan'a kadar giden hattır. Bu hat üzerinde Kaşan ve Kum görülür. Bu hattın ötesindeyse muhteşem bir şehir olan Yezd bulunur. Eski İran'ı görmek isteyen, Şiraz'a da uzanabilir.

İsmini ilk andığım şehre, Tebriz'e dönelim. Unuttuğumuz dil, müzik ve etrafa bakma sanatı Tebriz'dedir. Ne demek şimdi bu? Oranın insanı hem bakmayı hem de dinlemeyi bilir demek. Unuttuğumuz Türkçenin kökü de oradadır, konuşurlar. Halkı münevver bir halktır.

Yalnız Tebriz, ilk görmek gereken yerlerde adını zikrettiğim İsfahan'dan farklı olarak, fazla yapılaşmıştır. Tabii İran içinde en yapılaşan şehir Tahran'dır ama orada da gezecek yer çoktur. İran'ın başkentinde öncelikle Arkeoloji Müzesi'ne gitmelidir (*Muze-ye Iran Bastan*); ardından da İslam Eserleri Müzesi ziyaret edilmelidir. Bu ikisi şart, çünkü bunlar üstün müzelerdir. Tahran'a gidiyorsanız, buraları görmeden dönmemelisiniz.

Kahire'yi de çok önemsediğinizi biliyorum.

Evet, önemserim. Kahire'yi görmek lazımdır. Gerçi o tren bile kaçtı ya! Şimdi görsen, hangi Kahire'yi göreceksin? Görülesi bir Kahire kaldı mı? Neresine girecek, neresini anlayacaksın? İşte bu yüzden gidenler de, epey gezseler dahi, oraları bir türlü anlayamıyorlar. Şehre hevesle iniyorlar ama gördükleri şehir ilk başta esrarengiz ve güzel görünmüyor. Karşılarında 1950'lerin ve 1960'ların Kahire'si yok. Aksine; bozulmuş, berbat olmuş bir Kahire var. Öyle bir şehri anlamak, ona nüfuz etmek zor... Oraya köprü, buraya tünel yapılmış; hakikaten kötü bir yer... Korkarım yakında İstanbul da böyle olacak.

Piramitlerin geldiği hâlden korkmak lazım. Şimdi gidip piramitlere bak bakalım, etrafında gökdelenler var; insan isyan ediyor. Oranın Laz müteahhitleri de işte o gökdelenleri yapmış. Piramitler çölün ortasında esrarengiz bir şeyken artık yanında gökdelenler dikiliyor. Şimdi sen bunun nesini görmek istersin! Tabii gökdelenler piramitlerin mimarisine yetişemiyor ama yine de boyutlarıyla eskinin işlerini geçip gidiyor. İlk defa gören, bu çelişkiye de şahit olunca, "Bu muymuş piramit

piramit dedikleri, nesi muhteşem?" diyor. Mısır bu yönüyle çok kötü bir ülke, hakikaten beynelmilel müdahalenin gerektiği bir yerdir.

Kahire'yi, Halep ve Şam ile kıyaslarlardı. Katiyen olacak iş değildir, İran şehirleriyle de kıyas kabul etmez. Suriye'deki savaş öncesi Halep ve Şam korunmuş şehirlerdi. Haydi orada savaş yaşandı, geçmişin izleri silindi ama başından savaş geçmemiş bugünkü Kahire'nin de geçmişle bir ilgisi yok. Böyle diyorum da, artık hem Doğu'da hem de Batı'da, şehrini koruyan millet maalesef ki çok az...

> Okumuş insanın görmesi gereken beş şehir: Petra, Antakya, Palmira, Efes ve İskenderiye... İstanbul bile bu şehirlerden sonra ortaya çıkmıştır.

Bu muhafaza konusuna gelince, Ürdün'deki Petra antik şehrini örnek veriyorsunuz. Neden?

Okumuş her Türk insanının Petra'yı görmesi gerekiyor. Oraya gitsinler ve mirası korumak nasıl olur görsünler. Bizde bir kesim Arapları küçümser ama bana kalırsa buna kimsenin hakkı yoktur. Çünkü Araplar miraslarını iyi koruyorlar. Ürdün ve Suriye'de, hatta Lübnan'da, şehirlerine iyi bakıyorlar. Bizde yaşadığımız şehir göz göre göre batarken, sağa sola peşkeş çekilirken, kimsenin sesi çıkmıyor.

"Halep bugün kalesi dışında yok," diyorlar ama düne kadarki Halep'ten yola çıkarak söyleyeyim: Korunmuş şehirler görmek isteyen, Arap şehirlerini dolaşsın. Arap ülkelerinde yeni şehirler hep dışarıda büyür, eskisine ilişmezler. Petra da onlardan biridir. Roma devrinin şehridir. Orada Arapça ve Aramca konuşulurdu, kayalara oyulmuş müthiş bir şehirdi, kervan yollarının üzerindeydi. Petra zengin bir Roma kentiydi ama daha zengini Suriye'deki Palmira'dır; onların ardından da Antakya gelir. İskenderiye de aynı Roma mirasından dolayı görülmelidir. Bu şehirlerin eşi menendi yoktur. Ve nihayet Efes'i de saymalıyız.

İşte kendini okumuş görenlerin ziyaret etmesi gereken şehirleri böylece sıralamış olayım: Petra, Antakya, Palmira, Efes ve İskenderiye. Yani Klasik Roma dönemindeki şehirler… Diğer şehirler, İstanbul dahil, sonradan inkişaf etmiştir. Batı'da bu kadar çok sayıda Klasik Roma döneminden kalma büyük şehir yoktur, oradaki şehirler daha az önemlidir.

Şehrini koruma konusuna dönelim. Az önce İsfahan'dan bahsettik. İyi bir örnektir; orada gökdelen yapıyorlardı, ahali bir ayaklandı, inşaatı yarıda kesip yaptıklarını yıktılar. Çünkü bu yeni yapılar şehrin profilini bozuyordu. Gerçi İsfahan'da, değil eski binaları, tepelerin bile profilini koruyorlar.

Ama dedim ya, böyle örnek azdır; bir elin parmaklarını geçmez. Genel eğilim aksi yöndedir. Bugün İtalyan şehirlerinde dahi rezil girişimler var. İspanyol şehirleri, kısmen Fransız şehirlerini de bu fiyasko olan örnekler arasında sayabilirsin. Mesela kısmen Paris'i de… Seine Nehri kıyısında neler yaptılar öyle! Veya Haller; kaldırdılar hiç iyi bir şey çıkmadı ortaya. Gürültüsü kopartılıp ayaklanılmasa Vosges Meydanı'nı da yerle bir edeceklerdi. Arsız ve tahripkâr zihniyet her yerde vardır. İş ki diren ve önle…

"Bir şehri gezerken onlara ciddi mesai ayırmalısınız," dediğiniz müzelere gelirsek… Bir şehre gittiğimizde görmek bir yana, uğruna seyahat etmeye değecek müzeler sizce hangileridir?

Bu konuda tabii ki İtalya ve Macaristan'dan başlanır, İspanya da kısmen böyledir. Çünkü her şey yerli yerinde güzeldir. Bu ülkelerin müzeleri Roma İmparatorluğu'nun önemli eserleriyle dolar taşar. Konuyla onlar kadar ilgili olmayan ülkelerin, sağdan soldan toparlayıp Viyana'daki, Londra'daki,

Batı'yı anlamak için en mühim şehirler Floransa ve yanı başındaki Siena'dır. Floransa Rönesans'la bütünleşmiştir; her taşında sanat vardır. Siena da küçüktür, anlamlıdır; İtalya şehir demokrasisinin mazideki örneğidir.

Berlin'deki müzelere tıkıştırdıkları eserler yine değerlidir ama o toplama müzelerde hiçbir şey güzel görünmez. Louvre'da bile görünmez. Roma İmparatorluğu'nu anlamak isteyen, İtalya ve İspanya'daki müzelere gitmeli. Antik Mısır için de Kahire Müzesi'ne gideceksiniz. Kahire Müzesi'ndeki Mısır eserleri, Londra'da British Museum veya Paris'teki Louvre'la mukayese edilir mi? Edilmez, her şey yerinde güzeldir.

Ama neyin ne olduğunu bilirseniz, Batı'daki müzeler de elbette önemlidir. Toparlayıp sayalım: Londra'da British Museum, Paris'te Louvre Müzesi, Vatikan Müzeleri, Roma'daki Capitol, Napoli'de Arkeoloji Müzesi, Madrid'de yine Arkeoloji Müzesi, St. Petersburg'da Hermitage Müzesi, Moskova'da Kremlin Sarayı, Puşkin Müzesi, Avusturya'da Kunsthistorisches Museum ve Ephesus Müzesi, Berlin'de Pergamon. Floransa dersen, şehirdeki tüm binalar ve sergileri ayırmadan söylemeliyiz. Çünkü Batı'yı anlamak için en mühim şehir Floransa'dır, orası Rönesans'la bütünleşmiştir. Her taşında sanat vardır. Sanatla bu kadar iç içe bir başka şehri gene Toskana bölgesinde bulursunuz; o da Siena'dır. Küçüktür, anlamlıdır, İtalya şehir demokrasisinin mazideki örneğidir.

Bunların dışında yerel müzeleri önemserim. Örneğin Münih'te Pinakothek… Sonra modern sanat açısından Londra'da Tate Gallery'yi saymalı; yine Londra'da Victoria&Albert Müzesi çok önemlidir. Madrid'deki Baron Thyssen-Bornemisza Müzesi, Kraliçe Sofia Müzesi'ni de analım. Saydığım tüm müzelerin önünde, her zaman kuyruklar uzar gider. Bazen içeri girebilmek için saatlerce beklemek gerekir, yine de onları görmeye değer. Öyle sergiler geliyor ki… Diyelim bir müzeye Hermitage'dan Çar'ın Paskalya yumurtalarını, yani Fabergé'nin yumurtalarını getirmiş olsunlar. İsviçre asıllı, büyük bir koleksiyondur. Geldiyse, o kuyrukta bekleyeceksin. Çünkü belki bir daha, ömrün boyu onu görme fırsatı bulamayabilirsin. İte kaka da ilerlesen, yağmurun altında da kalsan böyle bir koleksiyonu göreceksin.

Çin'deki müzeleri görmedim, anlatamam ama Japon Millî Müzesi ve porselen koleksiyonu nefistir. Sonra Hindistan'da Delhi Müzesi de mükemmel bir müzedir ama organizasyonu da sıfırdır; müze rehberi bile yoktur. İçindeki en güzel eserin renkli bir kartpostalı dahi yoktur. Şimdi Körfez ülkelerinde çok güzel koleksiyonlar toplanıyor, hem modern sanat hem de İslam eserleri topluyorlar ama sadece o müzeleri görmek için kalkıp o ülkelere de gidilir mi bilemeyeceğim. Koleksiyon toplamak için sadece para ve uzman istihdam etmek yetmiyor. Zaman en önemli faktördür. Bu bir anane işidir.

> Sırf çarşıları ve mescitleri görmek için bile İsfahan'a gidilir. Sokakları için Yezd'e gidilir. Floransa'nın, Siena'nın, Bologna'nın sokakları neyse, Yezd'inkiler de odur; hatta daha da orijinaldir.

Eh, bir de Kahire Müzesi var. Ne olursa olsun gidip görmek zorundasınız. Aynı şekilde Kudüs'teki İsrail Müzesi… Ne demiştik; sırf bunlar için kalkıp Mısır'a gidilir, İsrail'e gidilir.

Peki Louvre için kalkıp Paris'e gidilir mi?

Gidilir gidilmesine de, orada kalabalıktan bir şey görmek mümkün değil. Bu mesele nasıl hallolur bilemiyorum. Ama sırf Bastan Müzesi'ni görmek için Tahran'a gidilir. Sırf çarşıları, mescitleri, camileri görmek için bile İsfahan'a gidilir. Diğer eserler de cabası! Sokaklarını, binalarını, çarşısını görmek için Yezd'e gidilir. Floransa'nın, Siena'nın, Bologna'nın sokakları neyse, Yezd'in sokakları da o kadar çekicidir; hatta daha da orijinaldir.

Gelelim Rusya'ya. Elbette sırf müze görmeye, Hermitage'ı gezmeye St. Petersburg'a da gidilir. Ya da Kremlin için, Tretyakov Galerisi için, Puşkin Müzesi için Moskova'ya gidebilirsiniz. Ama esas Volga kıyısındaki Yaroslav'a gidilir. Sürpriz geldi değil mi? Tabii ya, Yaroslav'a gideceksiniz. Karşı kıyıda Ugliç'i göreceksiniz, tüm şehri dolaşacaksınız. Eski Rusya orasıdır. Yaroslav hâlen ciddi bir restorasyon görmedi ama şehrin kendisi bir müzedir. Eski Rusya'nın yeniye geçişini anlamak isteyen orayı görmelidir.

Gelelim Amerika'ya. Çok açık ki orada beni fazla alakadar eden müzeler yok. Ben Amerikan müzelerini Avrupa'dakilerden sonra sayarım. Çok güzel empresyonist koleksiyonlar vardır. Zaten koleksiyon toplama açısından onlar başta gelir. Paraları vardır, destekleri vardır, bağışçıları çoktur. Bunların içinde belki biraz New York'taki Metropolitan'la ilgilenebilirim ama orası da bir parça hırsızlık ve kaçakçılık mallarının toplandığı müzedir. Üstelik Metropolitan için kalkıp New York'a gitmem. Ama National Gallery için Washington'a, Harvard Kütüphanesi'ni görmek için de Cambridge M.A.'ye giderim.

> Dünyanın en güzel kütüphaneleri sırayla ABD, Britanya, İsrail ve Kıta Avrupa'sındadır. Yine de Avrupa'yı sıraya soktuğuma bakmayın; Avrupa bu konuda bitmek üzere!

En sevdiğiniz kütüphane orası mı?

Değil tabii ki. En sevdiğim, Washington şehrindeki Kongre Kütüphanesi'dir (Library of Congress). Kütüphane odur! Oradaki enformasyon hizmeti hiçbir yerde bulunmaz. Lenin Kitaplığı'nda Kongre Kütüphanesi'nden daha fazla eser olduğunu söylüyorlar. Olabilir ama iki taraftaki hizmet kalitesi eşit değildir. Kütüphane, enformasyon; kütüphaneci de yüzeysel ama geniş bilgili bir bilim yardımcısı demektir. Kongre Kütüphanesi'nde, mesela arka binadaki uzmana bir şey sorarsın; hemen gider, ne sorduysan bulur. Hemen bulamazsa da iki saat sonra bulur. Bir de peşinden koşar. Sen çıkıyorsundur, konuyu unutmuşsundur; o unutmaz. Londra'da British Library de böyle özenlidir, personeli iyi çalışır. Sen de orada iyi, rahat çalışırsın ama ne diyorum, Kongre Kütüphanesi bambaşka bir zenginliktir. Yine de British Library'de güzel zaman geçirdim; tekrar oraya gidip biraz bakınayım, çalışayım isterim. Bir de Public Record Office'e[27] gitsem bana iyi gelir.

Bu kütüphanelerde, arşivlerde bulunmak, çalışmak; o havayı solumak zevktir. Hepsinin usulünün farklı olduğunu da bilmek gerekir. Örneğin Kongre'de birçok kütüphaneden farklı olarak raf gezemezsin. Ne istiyorsan kartoteksle ısmarlarsın. İstediğin kitap hızla önüne gelir ama dışarı çıkartamazsın. Buna mukabil fotokopi, mikrofilm hizmetleri mükemmeldir. British Library'de istediklerin önüne ertesi gün gelir ama illâ ki gelir. Paris'in kütüphanesi Bibliothèque Nationale'de ise pek gelmez, boşuna bekleme!

Madem Paris dedik, Kıta Avrupa'sına geçelim. Zaten ne diyeceğimi tahmin ettin; ABD ile Britanya'ya kıyasla, Kıta Avrupa'sının kütüphaneleri zayıftır. Söz gelimi Avrupa'dakiler, Britanya'nınkilerle mukayese edilemez. Çok açık ki Britanya'dakiler de ABD ile mukayese edilemez. Demek ki sıralama belli: ABD, Britanya ve Kıta Avrupa'sı. Yine de sen Avrupa'yı sıraya soktuğuma bakma. Avrupa esasen bu konuda bitiktir. Oradaki kütüphaneleri, mesela İsrail ile de mukayese edemezsin. İsrail'deki üniversite kitaplıkları da umumi kitaplıklar da hem hizmet hem de kütüphane personeli bakımından Avrupa'nın önündedir.

---

27 Londra'daki Devlet Arşivleri.

Madem kütüphaneleri konuştuk, kitabevlerine de gelelim. Her seyahatinizden bavul bavul kitapla döndüğünüzü biliyorum. Hocam yurt dışına çıktığınızda hangi kitabevlerini geziyorsunuz?

Ben dışarıda eskici ararım, sahaf ararım. İstediğim türde bir yere girdiğimde de bazen kendimi kaybederim. Çok kitap alıyorum. Rusya ile ilgili toplarım; oryantal kitapları maalesef hep alıyorum, onları görünce kendimi tutamam. Mesela Budapeşte'deki kitapçılar bu konuda iyidir. Hâlbuki alıp taşımamak lazım, çünkü Türkiye'ye bir şekilde geliyor. Mesela İSAM[28] gibi bir kitaplık bir şekilde onları bulunduruyor. İSAM'ı çok beğeniyorum, müthiş bir kütüphanedir. Bağlarbaşı'ndadır; her zaman da orada çalışırım, hatta onun yakınında bir ev tutmayı da düşünüyorum. Yaşım ilerledi, başka türlü oraya gidip gelmek zor olacak (Gülüyor). Şimdi bakalım Cumhurbaşkanlığı Kitaplığı, İSAM gibi olacak mı? Onu da göreceğiz.

> Bir Türk, Avrupa'da en çok iki ülkede rahat eder: İtalya ve İspanya. Özellikle İspanya'nın insanı, rahatlığı ve cana yakınlığıyla bize kendimizi evde hissettirir.

Bunca seyahat ettiniz, dünyada en çok nereyi sevdiniz?

Batı'da İtalya'yı severim, şehirlerden de Roma'yı. Küçük şehir kategorisinde Siena'yı çok severim. Dinlenmek ve okumak içinse Venedik'in çok yakınındaki Padova'yı... Venedik'te yaşanmaz ama Padova sakindir. İtalya'nın şehirleri sıcaktır. İnsanı da kozmopolitizme açıktır, öyle Avrupalıların kalanına benzemez. Bir Türk, İtalya'da rahat eder. Bana sorarsan, bizler İspanya'da da rahat ederiz. İspanya'nın insanı yabancı lisan bilmez ama efendidir, cana yakındır. Sonra St. Petersburg'u çok severim; orayı

---

28 İslam Araştırmaları Merkezi.

iyi de bilirim, insanını tanırım. Bu konuda iddialıyımdır; bir Leningradlının (St. Petersburglu) yüzüne baksam, oralı olduğunu anlarım. Çünkü Leningradlılar rafine insanlardır, kendilerini hemen belli ederler. Irk olarak da daha farklıdırlar, onlar sarışın Ruslardır. Vareglerin soyundan gelirler.

Tabii Rusya, St. Petersburg'la bitmez. Ben küçük Volga şehirlerini, daha önce de söylemiştim, bilhassa Yaroslav'ı severim. Şüphesiz Moskova'nın o büyük curcunası ve kendine has yönleri de insanı çeker ama orada birkaç günlüğüne gezmek değil, devamlı yaşamak güzeldir. Gecelerine karışmak, aydın cemiyetini bilmek güzeldir. Yine de bu açıdan dahi St. Petersburg'u tercih ederim, çünkü orası bambaşkadır. Bu karşılaştırma bir parça, "Ankara mı, İstanbul mu?" sorusuna benzer ama Moskova açıkçası Ankara'yı biraz geçer! St. Petersburg ise İstanbul'un yanına yaklaşamaz ama en azından bakımlıdır ve korunmuştur. Halkı ise her şeye rağmen İstanbul'dan daha az karışıktır, düzenli ve daha kurallı bir toplumdur.

Doğu'da da Yezd, İsfahan, Semerkand, Buhara, Kahire… Çok fazla örnek var. Sırası gelince daha tafsilatlı konuşuruz. Buraları ne kadar gezsen bıkmazsın. Doğu'nun şehirlerinin şahsiyetli olanı var, biz ise şahsiyetli şehirleri süratle kaybediyoruz.

Sizi hayal kırıklığına uğratan şehirler oldu mu?

Olmaz mı? Mesela Varşova beni çok hayal kırıklığına uğratmıştır. Epey zarar görmüş ama tekrar yapılmış bir şehirdir. Çok açık ki Varşova'yı taş taş yeniden inşa etmişler, ancak yine de orayı benimseyemedim. Polonya'da Krakow'u tercih ederim. Hayal kırıklığı kabilinden Hollanda da beni etkilemez. Amsterdam mesela cicidir ama hepsi o kadar. Biliyor musun, Kırım da yavaş yavaş bana hayal kırıklığı hissettirmeye başlıyor. Çok güzeldir ama artık biraz kirlendi; fazla inşaat ve nüfus var, kozmopolitliği de kayboluyor. Kırımlı

Türkler de aralarında Rusça konuşmaya başlamış. Anadile süratle dönmeli...

Dünyada illâ görmek, görmeden ölmemek gereken şehirler size göre hangileri?

Böyle şehirler çok var ama evvela Semerkand ve Buhara'yı sayarım. Kudüs böyledir; sonra Roma, Floransa... Buraları ne kadar görseniz doyamazsınız. Kahire'nin keyfi bitmez. Sonra Şam... İnşallah kalmıştır o Şam! İsfahan'ın bu şehirler arasında özel bir yeri vardır. Londra da bu listenin içindedir, asrın başkentidir. Dünyanın merkezi New York değil, Londra'dır; bana kalırsa New York hiçbir zaman Londra'ya yetişememiştir. İngiltere'nin başkenti bana daha kozmopolit gelir, ne ararsanız vardır. Tabii Londra ancak paranız varsa iyidir. Fakir insan için zaten her yer sıkıntıdır. Sana sürpriz gelecek birkaç yer de sayayım: Etiyopya'nın, Somali'nin şehirleri ve Zanzibar da çok enteresandır. Fırsat bulan oraları muhakkak görsün.

> Görmeden ölmemek gereken çok şehir var: Semerkand, Buhara, Kudüs, İsfahan, Kahire, Şam, Roma, Floransa, Londra...

Görmediğiniz hangi ülkeler, şehirler kaldı? Bundan sonra nereyi görmek istersiniz?

Çok yer kalmadı. Çin'deki Uygur Türklerinin yaşadığı özerk bölgeyi görmeyi çok isterdim, göremedim; artık görebileceğimden de şüpheliyim. Güney Amerika'yı görmek isterim, daha gezmedim oraları. Artık yaşlandım sayılır; bu seyahatlere, öğrenmek adına değil, tadına varmak için heves ediyorum. Bugüne dek hep iş için gezdim diyebilirim, keyif için gezmeye yeni yeni başlıyorum. Herhangi bir restorana gider gibi, "Gelin bir İran yapalım, bir Mısır'a gidelim," diyerek hareket etmek istiyorum.

Bir de şu var: Ben hep yalnız gezerim, seyahatlerimi kendime göre düzenlerim. Artık bunu da bir kenara bırakabilirim. Güney Amerika'yı görmek istediğimi söyledim ya; şimdi dileğim o ülkeleri kızımla veya torunumla gezmek. Bunlardan başka Sibirya'yı görmek isterim. Moritanya'yı, Mali'yi merak ediyorum ama artık görebilecek miyiz belli değil. Biliyorsun; Timbuktu'daki özgün yazma eserler kütüphanesini, daha doğrusu kitaplarını aldılar. Türbeleri tahrip ettiler. Zavallı Mali halkı Suudilerin beslediği fundamentalist çetelerin ve eski sömürgecilerin paralı askerlerinin zulmü altında. O kadar yağmadan sonra geriye acaba ne kaldı?

> Çin'deki Uygur Türklerinin yaşadığı özerk bölgeyi görmeyi çok isterdim, göremedim; artık görebileceğimden de şüpheliyim.

Hocam sizin gençliğinizde dünyayı gezme konusunda biraz sıkıntılar söz konusuydu, imkânsızlıklar vardı. Bu meseleyi nasıl aştınız?

Benim zamanımda, "Önce Türkiye'yi tanıyın, sonra diğerlerini," derlerdi. Yani doğduğumuz yeri tanımamızı tavsiye ederlerdi. Gerçi benim doğduğum yer Avrupa'dadır ama o zamanlar oraları görmem, değerlendirmem mümkün değildi. Ben yine önce Türkiye'yi tanıdım; o da ağırlıkla Ankara, İstanbul, İzmir… Zaten ilk önce gezip göreceğin yerler buralardı.

Adamakıllı bir yurt dışı seyahati için önce kendimi, hooop, Ortadoğu'ya attım. Suriye'yi, Lübnan'ı dolaştım. Bu hat bizler için makbul bir hattı. Oralara grup gezileri çok yapılırdı. Elbette bireysel geziler de mümkündü, benimki de öyle oldu zaten. Önce grupla bir seyahate çıktım, sonra tek başıma dolaştım. Ardından Avusturya'ya gittim. Yani kendimi Orta Avrupa'ya attım. O Avrupa'da bir sıkıntım yoktu. İki dil biliyordum, bana yetiyordu. Avusturya'dan sonraki durağım İtalya için de yeterince İtalyancam vardı. Yol iz biliyordum, gezdiğim şehirler hakkında okuyordum. Yani illâ, "Şuradan başla, buradan başla," demenin bir yararı yok ama insanın seyahat edecekse yakın çevresinden başlaması genellikle iyidir. Türkiye'nin yakın çevresi de zaten hiç fena değildir. Hakikaten dünyanın merkezindeyiz. Tarih bakımından, uygarlık bakımından çok önemli bir yerde duruyoruz. Şüphesiz Türkiye ve Akdeniz havzası dünyanın doğup geliştiği bir yer...

Her şeyin merkezindeyiz; sırf yakın çevreyi dolaşsan, epey bir yer görmüş olacağını söylüyorum ama biz gençken o yakın çevreye dahi çok zor giriyorduk. Çoğu zaman giremiyorduk bile. İran'a gitme sıkıntısından zaten bahsetmiştim. Eh, kuzeye baksan, Demirperde ülkeleri vardı; oralara gitme imkânları çok kısıtlıydı. Haydi Doğu Avrupa'yı bir yana bırakalım, Rusya'ya gidemiyordun! Oraya gitmek çok zordu; resmî bir davet olacak, sana düşecek falan... Neredeyse imkânsız... Tarih Kurumu vs. davetlerinde büyük hocalardan bize sıra gelmezdi.

> Seyahatinize yakın çevrenizden başlayın. Türkiye, dünyanın merkezinde; demek ki şanslıyız. Asıl önemli olan iyi plan yapmaktır.

Neresi kaldı başka? Eh, Çin zaten gündemde yoktu da, Hindistan'a gitmek sorundu. Japonya'ya gidenler vardı ama Japonya'yı ne yapalım şimdi! Mısır hiç kolay sayılmazdı. Doğu Avrupa'dan da şöyle bir geçmeyi ise ancak şanslıysan başarabilirdin. Bunun yolu Avusturya'da uzun boylu oturmaktı, bu şekilde bazı ülkelere girmen sağlanabiliyordu. Demek ki Ankara'dan vize alıp Çekya'ya gidemiyordun, Viyana'dan Prag'a gitmen çok daha kolaydı.

Eh bir tek Batı Avrupa ile Suriye-Lübnan kalmış zaten?

Evet, biz böyle bir dünyada büyüdük; gençliğimiz bu şartlar altında geçti. Yine de bugün var olmayan bir imkândan bahsetmek isterim. Ben lisede talebeyken Türkiye, Avrupa Konseyi üyesiydi. Bu üyelik epey işimize yarıyordu. Biliyorsun, Batı'yla da bugünkü gibi vize problemi yoktu. Batı Avrupa'da rahatça dolaşıyorduk. Örneğin bir keresinde Viyana'dayken Noel'de sıkılacağımı anlamıştım, trene atlayıp İspanya'ya gittim. Rahat bir yolculuk sayılmazdı ama o sıkıntıyı çekmeyi göze alırsan yapamayacağın hiçbir şey de yoktu. Kaldı ki gençsen, çekersin. Şimdiki gençlere de söylüyorum, zahmetin böylesinden kaçmayın. Tren mi var, atlayın; yol mu var, gidin. O yaşlarda yeni yerleri görmenin zevki başkadır. Tecrübeyle görmek de güzeldir ama gençlik enerjisiyle dolaşmak bir başkadır.

> Şimdiki gençlere söylüyorum, zahmetten kaçmayın. Tren mi var, atlayın; yol mu var, gidin. O yaşlarda yeni yerleri görmenin zevki başkadır. Tecrübeyle görmek de güzeldir ama gençlik enerjisiyle dolaşmak bir başkadır.

Ne diyorduk; Viyana'dan trene atlayıp Madrid'e gitmiştim. Sonra baktım Mina Urgan da aynısını yapmış, hatıratında da yazmış. Üstelik Viyana-Madrid güzel de bir hattır, herkese öneririm. Önce Viyana'dan Fransa'ya inersiniz, Montpellier üzerinden Barcelona'ya ulaşırsınız, derken ver elini Madrid. Oradan aşağı yollanırsınız, günübirlik Toledo'yu gezersiniz. Sonra Valencia'ya geçersiniz. Ama dönüş yolunu trenle almayın. Vapurla Cenova'ya geçin, oradan da yeniden Viyana yoluna düşün. Bu seyahate çıkanların çok zevk alacağına eminim.

Yeri gelmişken, gençliğimdeki bu ilk İspanya seyahatinde, İspanyol milletinin hususiyetlerine dair öğrendiğim bir şeyden de bahsedeyim. Bu söyleyeceklerimi evvela tuhaf bulmuştum. Şöyle ki İspanyollar pek lisan bilmez ama buna karşılık ırkçılık veya *ksenophobia* (yabancı düşmanlığı) diye tarif edilebilecek bir tutumları da pek yoktur. Karşısındakinin kim olduğu bir İspanyol'u çok alakadar etmez. Bir Türk de rahat eder orada, bir İranlı da, bir Japon da.

Ben de İspanya'ya birkaç defa gittim; her gittiğimde evimdeymiş, kendi memleketimdeymiş gibi rahat hissetmiştim.

Edersin tabii; sokağa çıktığın zaman, ülkenin öyle bir havası vardır. İspanya bir ev gibidir. Ben bayılırım bu havaya. Ancak Barcelona'da bu havayı bulamazsın. Güzellik ve sıcaklık ayrı şeyler. Madrid'de ise âlâsını bulursun. İspanya'nın kalanında da var, Endülüs'te de var, Bask ülkesinde de var.

İşte o İspanya'da yaşamak bana tabii kısmet olmadı ama orada otursaydım kendimi ben de senin gibi evimde hissederdim, bu bir gerçek. Bakalım, ölmeden evvel gidip orada bir ay bulunmak istiyorum. Madrid'de otururum, etrafı da güzelce bir gezerim. Üç beş ay orada kalsam kursa gitmek lazım, yeterince İspanyolca öğrenirim. İnsana bulunduğu yerin lisanı lazımdır. Ama evvela o hava lazım, o havayı solumak lazım. Bilirsin, efsanevi bir Anadolu havası vardır; işte öyle bir havadan bahsediyorum. Bu hava, aslına bakarsan, Anadolu'nun kendisinde pek kalmamıştır ama mesela Sicilya'da mevcuttur. Bu hava, kırsalın kapalılığını, mistisizmini; onun yanında huzurunu ve de derinliğini ihtiva eder. Bir nevi bir yurt havasıdır.

"Orda bir köy var uzakta"[29] dizesinde olduğu gibi...

Hah, tam da o! İşte o senin köyün... Gitmesen de görmesen de, senin köyün, senin havan. Ama artık istesen de gidemezsin, göremezsin. Çünkü o köy bizde kalmamıştır. Bir zaman biz

---

29 Şair, oyun yazarı ve öğretmen Ahmet Kudsi Tecer'in (1901-1967) meşhur şiirinden bir dize.

çok fakirdik, köylerimiz perişandı. Şimdi görgüsüzce zenginleştik, her yer insanı itiyor. Tuhaftır, bu hava İran kırsalında da kalmadı; oralar da insanı itiyor. Yalnız İran'da köyden de çok tükenen bir yer varsa o da kasabalardır. İran köylerinin, nereden baksan yine de biraz otantikliği vardır. Ama bu hava kasabalarda bitmiş. Ruhsuz, küçük küçük şehirler ve evlerine kapanan insanlar…

İran kırsalındaki o mistik güzel ruhun, o efsanevi havanın yavaş yavaş eridiğini üzülerek görüyorum; dinî taassup örgütlendiği an bu kaçınılmaz bir sonuçtur. Sokağın aynı şekilde geleneksel cıvıltısını kaybettiğini görüyorum. Türkiye'de de gitti o; bizde bunun yanında, gece hayatının dışa açıklığındaki samimiyet ve düzgünlük de eridi. Yine İran'a dönersek, oralarda gece hayatında birkaç yıldır bir dirilme başladı. Büyük iki şehirde İran'ın "gece sokağı" yeniden canlandı, bunu da görüyorum. İşte geleceğin İran'ını İspanya ve İtalya ile kıyaslayabileceğim bir örnek de budur.

İspanya ve İtalya, bilhassa da İspanya, zaten gece yaşar ama onların farkı bu memleketlerdeki küçük şehirlerin bile bunu tatbik etmesidir. Bu gece hayatı Yunanistan'da bile vardır. Fransa'da yoktur mesela, çünkü bu işin denizle de ilgisi vardır. İspanya, İtalya ve Yunanistan'ın denizle ilişkisi malum… Hâlbuki Fransa; Akdeniz ve Atlantik'e kıyısı olmasına rağmen, bir deniz ülkesi değildir. Denizle yeterince ilişki kurmamıştır. Tuhaf değil mi? Akdeniz kıyılarından sonra hemen dağlar gelir, dağların arkasında da Frank-Germen medeniyeti başlar. Orada da bu havayı zaten bulamazsın.

> Efsanevi bir Anadolu havası vardır. Kırsalın kapalılığını, mistisizmini; onun yanında huzurunu ve de derinliğini ihtiva eder. Bir nevi yurt havasıdır. Bu hava, aslına bakarsanız, Anadolu'nun kendisinde pek kalmamıştır ama mesela Sicilya'da mevcuttur.

Özetle Yunanistan, İtalya, İspanya… Ben böyle ülkeleri seviyorum; bu yaşayışı, bu havayı seviyorum. Buralarda oturmak, yaşamak isterim; fırsat buldukça buraları gezmeyi arzu ederim. İnsanlara da buraları gezmelerini öneririm. Dahası İspanya'nın, İtalya'nın sadece büyük, bilindik şehirlerine değil; kırsalına, köylerine, kasabalarına da gitsinler. O yaşayışı görsünler. Hayattan tat almayı bilen, bundan gocunmayan insanları tanısınlar. Oralar düzgün, düzenli ve ciddidir. Laubalilik oralarda hâkim olsa İtalya ve İspanya'daki yaşayış böyle güzel olmazdı.

Türkiye'de nereleri dolaşmaktan zevk alırsınız?

Benim en sevdiğim Anadolu, Akdeniz Bölgesi'dir. Orada da Elmalı-Korkuteli hattıdır. Muğla civarını ayrıca severim. Doğu Anadolu'yu sorsan, eskiye göre çok kalkındı ama problemleri fazla; üretim de düşük… Diyarbakır'da artık tarım bile kalmadı, bu olumsuzluk onların çok lafını ettiği turizmi de etkiler. Eskiden İzmir'in civarı da güzeldi ama artık maalesef bitiyor. Çünkü Ege bölgesi doluyor. Doğudan kalkıp İzmir'in köylerine dahi geliyorlar. 5-10 dönüm arazi alıyorlar, o araziye 20 aile yerleşiyor. Muhtarlar bunu engellemeye çalışıyor, hakları var ama onlara da bu yeni tip valiler engel oluyor. İdari teşkilatta, yerele öncelik veren bir reformun yapılması gerektiğine inanıyorum. Bu tür kararlar yerelde alınmalı.

Seyahate dönelim; sözün özü, Anadolu'da her yeri görmek gerekir. Çok enteresan bir ülkede yaşıyoruz. Öyle ki Türkiye, başka ülkede yaşasan bile muhakkak ziyaret etmen gereken bir yerdir.

Peki Türkiye'yi nasıl gezmeli? Nereden başlamalı?

Turistik planı takip edeceksiniz. Yani sırasıyla batı, güney ve Orta Anadolu'yu dolaşacaksınız. 1960'lardan beri, böyle bir turistik plan mevcuttur; 15 günlük bir plandır. Kolayınıza nasıl gelirse öyle tatbik edilir. Önce Ankara'ya gidersiniz, oradan hareket edersiniz. Çorum-Boğazköy, Alacahöyük'ü gezersiniz; ardından da Kapadokya'ya geçersiniz. Bu hattı bitirince güneye inersiniz; Niğde, Adana, Antakya…

Bu güney rotası muhakkak Hatay'ı içerir; bazen Antep'e, hatta Urfa'ya da geçilir. Derken Mersin ve Antalya'ya gidersiniz. Silifke üzerinden bazen Konya'ya da çıkarsınız. Nihayet İzmir'e ulaşırsınız; Efes'i, Bergama'yı görüp İstanbul'a dönersiniz. İşte ben mihmandarken, bu gezi Türkiye'de çok yapılırdı. Memleket bu hat, bu plan üzerinden gezilirdi. Yabancı turistler ekseriyetti.

Mesela bir Alman öğretmen grubu gelirdi; Ankara'dan başlardık, hooop, planı takip ede ede ilerlerdik. Çok da meraklı olurlardı. Onları 15 gün boyunca gezdirirdim, tur bittiğinde Türkiye'yi o zamanki Türklerden daha çok görmüş bulunurlardı. Memleketimizi tanırlardı, neredeyse her köşeye girmiş olurlardı. Seyahatin türlü sıkıntısına katlanmış olurlardı. Tahmin edersin, eskiden seyahatler bu kadar konforlu değildi. Otobüsleri, otel odalarını düşün; sonra da bugünle kıyasla. Böyle bir Alman grubu; o sıkıntıya katlandıkları için, derslerine çalıştıkları için, birçok Türk'ü bizim memleket coğrafyası konusunda geride bırakırdı. Bizim millet böyledir; rotayı okuyarak, dinleyerek gezmezdi. Aslında Türkiye ve yeni kuşak Türkler çok değişti. O zaman Türkiye'de turizm Avrupa orta sınıfı için basit ve yaygın bir tüketim mekanizması değildi, meraklısı ve bileni gelirdi. Bizimkiler ise ne o sıkıntıyı çekerdi ne de oraları gezerdi.

Deniz tatiline gelelim. Genellikle yaz tatili için hepimiz kıyılara iniyoruz. Sizin için ideal yaz tatilini sorsam? Türkiye'de nereye giderdiniz?

Ben şimdi Ege'den, Akdeniz'den, sahillerden bahsetmeyeyim. Onları zaten herkes biliyor. Tatil deyince, Türkiye'de sanki başka bir yer yokmuş gibi sahillere hücum başlıyor. Hâlbuki memlekette çok güzel başka imkânlarımız da var, hepsini tanımak gerekiyor. Örneğin Konya Ereğli'sini ne kadar biliyorsunuz? O tarafa gidip Beyşehir Gölü kenarında Kubadabad Sarayı'nı göreceksiniz. Burası Selçukluların yazlık sarayıdır. Sonra gölün karşısına geçeceksiniz. Eşrefoğlu Camii oradadır; Beylikler Devri'nden, 13'üncü asırdan kalmıştır. Sonra Eflatunpınar'ı görürsünüz. Hitit İmparatorluğu'nun en önemli anıt çeşmesidir ama kim biliyor? Kim burayı görmek için plan yapıyor? Üstelik bu coğrafyanın havası da güzeldir, latiftir. Yaz akşamlarında tatlı bir serinlik olur.

Elmalı-Korkuteli hattını söylemiştim, işte yine o hattın yakınına düşecek yerlerden bahsedeyim. Konya'dan Alanya'ya doğru inerseniz, yolda İbradı ve Akseki'ye uğrayabilirsiniz. Buradan çok sayıda Osmanlı uleması (bilhassa kadılar) çıkmıştır. Bölgede bilinmesi, gezilmesi gereken daha çok yer var. Mesela Sagalassos[30] var, unutulmaz bir yerdir. Buralara biz, *Teke* diyoruz; Grek ve Latinler *Psidia* derler. Batı Anadolu'nun 12'nci yüzyıldan başlayan değişim sürecini bu bölgeleri gezmekle anlarsınız. Medeniyetler nasıl da birbirini izlemiş, nasıl birbirleriyle iç içe geçmişler görürsünüz.

> Memlekette gezmeyi ihmal ettiğimiz çok yer var. Örneğin Konya Ereğli'sini ne kadar biliyorsunuz? O tarafa gitmeli, Beyşehir Gölü kenarında Kubadabad Sarayı'nı görmelisiniz.

Türkiye coğrafyasının 12'nci yüzyıldan beri gelen sakinlerinin buradaki kökleşmesi, fakir üsluplu okul kitaplarının anlatabileceği bir süreç değildir. İşte bu yüzden, o civara gidiliyorsa, Antalya'ya bir kere de buradan inmeyi düşünmelisiniz. Hem yol da artık eskisi kadar maceralı değildir, nispeten düzelmiştir. Ama elinizi çabuk tutun, çünkü buralar da bütün Orta

30 Ağlasun Harabeleri.

Anadolu kasabaları gibi kaybolup gidiyor; mimarisi değişiyor, silikleşiyor.

Bir başka tatil rotası da bana göre Batı Karadeniz'dir; Sinop, Kastamonu, Safranbolu hattıdır. Buraları özellikle Ağustos sonunda rahatlıkla gezersiniz. Bu coğrafyada da eski şartlar değişti, yollar artık daha rahat...

> Safranbolu bir zamanlar ıssızdı, şimdi dolup taşıyor ama Safranbolu'yu görmeyen de Anadolu coğrafyasını tanıdığını söylemesin.

Gezmeye Sinop'tan başlayın. Kaleyi, şehirdeki tekkeleri görün; Batı'ya doğru ilerleyin. Ormanın içinde kalan sempatik kasaba Ayancık'ı gezdikten sonra Kastamonu'ya geçin. Kastamonu'yu gezmek çok vakit alır, görülecek yer çoktur. II. Abdülhamid döneminde açılan liseden camilerine, Şabanözü kazasındaki türbeye kadar... Ahşap, orijinal Kasaba Camii, Beylikler Dönemi'nden, Çandaroğlu Emin Bey zamanından mirastır; Kaşgar'daki camilere benzer. Dedim ya, Kastamonu'ya epey vakit ayırmanız gerekir; orada üç gün geçirseniz bile, civarda yine de gezecek yerler bulursunuz. Bu güzel günlerin sonrasında, gerçekten çok düzelmiş orman yollarını kullanarak Cide üzerinden Kurucaşile ve Amasra'ya gidebilirsiniz. Oradan da nihayet Safranbolu'ya geçersiniz. Burası bir zamanlar ıssızdı, şimdi dolup taşıyor ama Safranbolu'yu görmeyen de Anadolu coğrafyasını tanıdığını söylemesin.

Türkiye'deki iyi müzeler hangileri? Evvela nereleri dolaşmak gerekir?

Eskiden İstanbul denilince Topkapı'ya gidilirdi. Osmanlı'dan kalma Arkeoloji Müzesi var, oraya da gidilirdi. İslam Eserleri Müzesi bugünkü müze değildi, Süleymaniye'deki Evkaf-ı İslâmiye Müzesi[31] idi; oraya da gidilirdi. Dolmabah-

---

31 İslam Vakıfları Müzesi.

çe Sarayı gezilirdi. Bunlar bugün de gözde ve iyidir. Gerisi hakikaten bilinmeyen müzelerdi.

Bu liste ne kadar gelişti, tartışılır. Bizim Ankara Arkeoloji Müzesi, "Hitit" olarak düzenlendi. Antakya'daki Mozaik Müzesi yeniden düzenlendi. Eskişehir'de müze var. Bursa'daki hâlen doğru dürüst hâlde değil. Antalya çok güzel kuruldu. Adana maalesef hep aynı... Tek tek hepsine girmeyeyim ama Türkiye'de müzeler en az ilerleyen kesim... Parlak numuneler, atılımlar yapmış bir teşkilat değil. Mesela memleket tarihinin ana hatlarını destekleyecek seçme eserlerden oluşan bir millî müze yok ve maalesef bu çok büyük bir eksik...

Zeugma gibi müzeler yıldızlaştı, bu ilginizi çekmiyor mu?

Gidip görüyorsun ama yetmiyor. Bir millî müze gerekiyor. Gerçekten büyük bir Arkeoloji Müzesi teşekkül etmemiş, kaldı ki buluntu itibariyle en önde gelen ülkelerden biriyiz. Türkiye'de İtalya'dan bile çok buluntu çıkar. Ama maalesef bizde pek kazı yapılmamış, yapılanların birçoğu da kaçak kazılardır. Küçük Asya (*Asia Minor*), bütün çağlar boyunca en verimli kıta; burada büyük yerleşmeler var. Her imparatorluğun ana ekseni burası. Yunan medeniyetinin iyi parçaları İyonya'dadır, Helenizmin iyi parçaları Küçük Asya'dadır. Roma'nın asıl kalbi İtalya ile birlikte Küçük Asya'dır. Bizans zaten burası. İslâm eserleri burada. Öyle ki Eski Mısır'dan dahi eser var. Türk medeniyeti zaten tamamen burada kurulu... Selçuklu, Osmanlı devirlerinin temel eserlerinin hepsi bizde.

Çok zenginiz, ülkemizde çok katman var; epey eser çıkıyor. Ama gel gör ki bunlara layık müzemiz henüz yok. Nasıl olmaz değil mi? Maalesef yok. Atatürk devrindeki ciddi arkeoloji eğitimi ve eğitim yatırımları ile dünya çapında arkeolog hocaları yetişti. Kazı ve müzelere tahsisat ayrıldı. Talebe daha ciddi bir şekilde yetiştirildi. Kazılara mutlaka katılıyorlardı.

Bugün bu yok, her yerde arkeoloji ve sanat tarihi bölümlerini bitirmişler gibi... Kalabalık olduğu için kazılara veya tetkik gezilerine hocalarla birlikte katılmak bir imtiyazdır. Öğrenci eskisi gibi yetişmiyor. Bu, Türkiye'nin önde gelen kültürel tarihi, dokusu ve mirasını zedeleyecektir; halihazırda da zedeliyor. Çaresi; her şeyden önce bu zenginliklerle ilgilenen, gelişmeleri izleyen vatandaş kitlesine sahip olmaktır. Yani kültürel turizm yapılacak, takdir ve tenkit sesleri yükselecek. O sayede ilgili makamların da dikkati çekilebilir.

Müzecilik, bu atılım çağında Türkiye'de en geride kalan dallardan biridir. Kültür Bakanlığı aşağı yukarı 30 yıldır asistan imtihanı açmadı, eski kadrolarla idare ediliyor. Gülünç bir durum ama bizde ancak temizlik kadrosundan eleman alınır. Ne yazık ki Türkiye; müzeci olacak, eski eser uzmanı olacak insan sayısı bakımından fevkalade kabiliyetsiz bir ülkedir. Bu alanda çok gerideyiz. Sadece Fransa'dan, Almanya'dan değil; İran'dan da geriyiz. Mısır'da müzeler bizden iyi mi bilmem ama onların çok daha fazla uzmanı var. Belki eski Sovyet coğrafyasındaki birkaç ülkeden ileridayizdir; hepsi bu.

Bu kadar zenginliğe, bu kadar az insanla karşılık vermek olmaz. Çok açık bu. Yunanistan müzelerinde uzman sayısı fazladır. İran'la mukayese edersen, İran, Yunanistan'ı muhtemelen geçer. Neden söylüyorum bunu? Çünkü medeniyet beşiği bu iki ülke arasında güzel bir kıyas yapabilirsin. "O mu, bu mu?" diye sorabilirsin. Ama biz bu karşılaştırmaya giremiyoruz bile, ne kadar acı! Kadro yok; aldığın kişiyi de yetiştiremiyorsun, çünkü yetiştirecek durumda değilsin. Maalesef bu alanda şunu da söylemek lazım: Gelen gideni aratıyor.

Bizim kadrolara yetişmiş insanı tesadüfen alırsın, iyi çıkabilir. Ama onun da garantisi yoktur. İğreti aldığın insanın, sana karşı iyi yetişme mükellefiyeti yoktur. Yetiştireceğin dervişe evvela çorbasını ve hırkasını vereceksin, ne olursa olsun.

Yapılara gelelim. Özellikle İstanbul dışındakilere...
Demiryolu binaları, istasyonlarımız genelde beğenilir.
Siz de beğenir misiniz?

Evet, güzeldirler. Anadolu'daki demiryollarını Almanlar yapmıştır, yani Bağdat'tan evvelki safhasını. Anadolu dedik; önce adı "Anadolu Demiryolu Şirketi" idi. Sonra "Bağdat Demiryolu Şirketi" oldu. Çünkü hattı genişletme, daha doğrusu uzatma safhasına geçildi. Anadolu hattı da aslında Ankara'da kesildi ve Almanya sermayesinin değil, adeta gelecek Türkiye Cumhuriyeti'nin gayretine bırakıldı.

İncelemeye Haydarpaşa'dan başlayalım. Ne kadar güzel bir yapı değil mi? Demek ki Alman sermayesi sadece demiryolu yaparak bırakmadı; istasyon binaları, lojmanlar yaptı; belirgin noktalara hastane yaptı. Eskişehir Hastanesi var, Ankara'da bir hastane var. Yine Eskişehir'de "cer atölyesi" var. Bunlar İzmit'ten itibaren hep Alman yapısıdır. Gazi İstasyonu Cumhuriyet yapısıdır ama Mustafa Kemal Paşa'nın oturduğu ve çalıştığı ilk gar binası Almanlarındır. Hepsi mühim yapılardır, tümünün iyi lojmanları vardır. Örneğin Çumra'da sulama tesisleri var, o bile düşünülmüştür.

Sözün özü bunlar görülmesi gereken yapılardır; civarına uğrandığı zaman, yanından kafa yerde geçmemek, onları dikkatle incelemek gerekir. II. Abdülhamid devrinde başlayan bu demiryolu yatırımı Konya Ereğli'sine kadar gider. Sonra Toroslara bağlanması planlanmıştır ama iki ucun, tünellerin delinerek birleşmesi harbin ardına kalmıştır. Hicaz Demiryolu (Şam-Medine) hattı ise imparatorluk sermayesi ve tekniğidir. Bunu inşallah harp bitince Şam İstasyonu'ndan başlayarak Medine'deki tesislere kadar izleyebilirsiniz.

Demiryolu yapıları bir yana, ben esasen hükümet konaklarını, özellikle de mutasarrıflık binalarını beğenirim;

görülmelerini isterim. Çok bilinmeyen bir iki örnek vereyim. Aksaray Vilayeti binası, Ankara ve İzmir'in hükümet konakları, Eskişehir'in mutasarrıflık binası, 19'uncu yüzyıldan kalanlar ve bilhassa II. Abdülhamid devrinde yapılanlar... En başta hastaneler, sonra liseler... Maalesef Ankara'daki lise yıkıldı ama İzmir'deki, Kastamonu'daki, Sivas'taki, Erzurum'daki, Diyarbakır'daki lise binaları duruyor.

> Türkiye'de gezmeyi ihmal ettiğimiz, gözden kaçan çok yapı var: Niğde Aksaray Vilayeti binası, Ankara ve İzmir'in hükümet konakları, Eskişehir'in mutasarrıflık binası böyledir. 19'uncu asırdan, bilhassa II. Abdülhamid devrinden kalan devlet binalarının tümünü görmenizi öneririm.

İmparatorluktan bize intikal etmişlerdir, çok önemli ve güzel yapılardır. Buraları dolaşınca bu binalar görülmelidir. Modelleri, tarzları, havaları iyidir.

Neden hep 19'uncu yüzyıldan sayıyorum? Çünkü Cumhuriyet döneminde illerde az bina yapıldı. Bu alanlarda çoğunlukla eskiden intikal edenler kullanıldı. 1950'lerden itibaren yapılanma konusunda bir patlama var ama bu çirkin bir patlamadır. Bu dönem sonrasından sadece birkaç yapıyı ayırabilirim. Mesela ODTÜ güzeldir; Mimar Behruz Çinici'nin önemli eseridir. Rektör Kemal Kurdaş bu işe çok dikkat etti, her şey kuralına uygun yapılmıştır. Ama 1980'lerden sonra ODTÜ'de de dejenere yapılar arttı.

Arada bir mihmandarlık yaptığınız günlere referans veriyorsunuz. Siz nasıl mihmandar oldunuz hocam? Çok kişi geçmişinizdeki bu safhayı bilmiyor. Hangi dönemden bahsediyoruz tam olarak?

Lise yıllarımdan, bir parça da üniversitedeki ilk dönemimden bahsediyorum. Evvela şunu söyleyeyim: Ben o sıralar

Ankara'da oturuyordum ama elimden geldiğince İstanbul'u da karış karış dolaşmış, arşınlamıştım. Yalnız o İstanbul da İstanbul'du, bambaşkaydı. Artık öyle bir İstanbul kalmadı, yıkılıp gitti. Yıkılması da gerekmiyordu ama yıktılar, şehri görgüsüzce bitirdiler. İşte Anadolu budur. Kendi geleneğinden nefret eder, sırası geldikçe eskiyi yıkar. Bizim millet zaten genelde böyleydi. Misal, Adnan Menderes kadar hem geleneksel Anadolu'dan destek alan hem de o geleneksel Anadolu'nun siluetini görmek istemeyen bir başbakan yoktur.

Her neyse, 1963'te Ankara'daydım; liseye gidiyordum. O günlerde Basın Yayın Turizm Bakanlığı tarafından bir tercüman rehber kursu açıldı. Bu bizim lisede de ilan edildi. Bunu organize eden iki talebe birliğiydi. "TMTF", yani Türkiye Millî Talebe Federasyonu ve "MTTB", yani Millî Türk Talebe Birliği ama bugünküler değil; eski millîler... MTTB'nin turizm müdürü Rasim Cinisli olmuştu, hatırlıyorum. Ben kendisini orada tanıdım. Henüz 30 yaşında var yoktu, delikanlıydı; Talebe Birliği'ndeki turizm işlerine bakıyordu. Şefimiz oldu, bizi yemeğe çağırıp konuştu; o zaman da şimdiki gibi efendi bir adamdı. Turizm Bakanlığı'nın içinde oturuyorduk. Bize Turizm Dairesi bakıyordu.

Turizm Dairesi diyorum ama çok da küçük bir kurumdu. Başında Mukadder Sezgin vardı. İyi niyetli, enerjik ama işe girişmek için kadroları dar bir başkandı. Mesela turizm envanteri yapamıyordu. Buna mukabil, propaganda yapmayı, halkla ilişkileri dar kadroyla yapabildi; çünkü aslında o, Eğitim Enstitüsü mezunu bir Fransızca öğretmeniydi, Fransızcayı iyi konuşuyordu. Ankara'daki Gazi Eğitim Enstitüsü'nün öyle bir özelliği vardı, öğrencisini çok iyi yetiştirirdi. Bu eğitim enstitüleri mühim yerlerdi. Mukadder Sezgin de bunu iyi kullanmıştı. Basının, halkla ilişkilerin önemini de iyi yakalamıştı. Yapması gereken işin ne olduğunu kavramıştı.

Ne yapıyordu Turizm Dairesi?

Dışarıyla temas kurmak ve matbuata hitap etmek istiyordu. Bu işi halletmeye çalışıyordu. Dış basın gelip görsün Türkiye'yi; amacı buydu. O da ancak birilerinin onları gezdirmesiyle olacaktı, peki ama nasıl? Turizm Dairesi memlekete aynı anda üç kişi davet etse; elinde o üç yabancı kişiyi gezdirecek insan kaynağı, mihmandar ekibi yoktu. Haydi belki iki kişi ya var ya yoktu diyelim; üçüncü ve dördüncü misafirle ilgilenmek, onları gezdirmek için her defasında birini aramak zorundaydılar.

Ne yaptı Mukadder Sezgin? Bu amatör tercüman-rehber kursunu açtı; lisan bilen gençleri, üniversite ve lise talebelerini toplamaya başladı. Ben lisedeydim; baktım iş Almanca, Fransızca, İngilizce bilenler üzerinden gidiyordu; hatta İtalyanca da vardı sanırım, gidip dahil oldum. Tam bana göre bir işti. Turizm Dairesi o kurs dahilinde bize Anadolu'yu gezdirdi. Ankara-Eskişehir dışında Anadolu'yu ilk böyle, yani eğitim görerek öğrendim.

O birkaç yıl biz yetişirken hakikaten sağdan soldan turistler türemeye de başladı. Her gün olmuyordu belki ama sonuçta geliyorlardı, sayıları giderek de artıyordu. Onları da biz gezdiriyor veya bilgilendiriyorduk. Çok açıktır ki benim lisanım da öyle, konuşa konuşa gelişti. Düşün daha 18'ime bile gelmemişim, lisedeydim.

Bu işi üniversiteye geçtikten sonra da yaptım ama artık statü değişmişti. Amatör değil, profesyonel rehberlik gerekiyordu. Neticede ben bu mihmandarlık bahsi dahilinde birkaç kurs gördüm. Bunlar yarım yamalak dersler değildi, anlı şanlı hocalar gelip gidiyordu. Ekrem Akurgal devamlı hocamız oldu mesela.

Ekrem Akurgal mı? Büyük yerden başlamışsınız.

Eh, Ankara'da hocalar öyleydi. Gönül Öney geliyor, çini anlatıyordu; Lütfi Doğan geliyor, İslam anlatıyordu; Mahmut

Akok geliyor, eski Türk evlerini anlatıyordu. Dersler bitince Anadolu gezilerine çıkıyorduk. Adana'ya, Mersin'e, Hatay'a gidiyorduk. O sıralar oraları adamakıllı bilen kimse yoktu. Düşün, Hatay-Antakya'da Büyük İskender'in dönemi de yerli yerindeydi. Henüz Hadrianus Köprüsü'nü yıkmamışlardı! Demek ki Antakya Belediyesi daha medeni imiş o zamanlar! Böyle iyi bir eğitimden geçip dolaştık, Türkiye'yi gördük. Eğitimden sonra birçok yere kendi kendime gittim; mesela Efes'i, İzmir'i kendim dolaştım. Bu, benim için bir açılım oldu ama bunu bizim millete çok tavsiye edemem. Çünkü bizimkiler anayoldan sapmayı sevmez, zahmetli yollara girmezler. Misal Göreme'yi göreceğim diye, o zamanlardan bahsediyorum tabii, toza toprağa bulanmazlar. Şimdi gerçi oralara gidenler var ama o zaman pek yoktu.

Hocam siz, "Şu deliğe girin," deseniz şüphesiz girecek çok insan var!

Var belki ama Türkiye çok değişti. O söylediklerin de artık delik değil, otele dönüştüler. Benim gittiğim zamanlarda insanlar Ürgüp'te kaya evlerde oturuyorlardı, işte o kaya evler artık birer otel oldu. O zamanlar, öncü ve büyük bir atılım olarak, Reşid Saffet Atabinen ve Çelik Gülersoy'un liderliğinde Turing Kulübü Tusan otelleri kurmaya başladı. Göreme, Çanakkale-Truva ve Pamukkale'de üç otel kurdular. Çünkü turizmde atılım yapacağımız söylenmişti. Bu girişim de mali yönden destekleniyordu. Güzel yemek, güzel oda, temiz bakım… 1960'lar Anadolu'sunun görmediği lükstü bu, ama bir ölçü vardı ve bugünkü gibi görgüsüz bir şıklık yoktu.

Personel nereden gelecekti peki? Yeni açılan turizm-otelcilik okullarından alındılar; doğrusu bu okullar çok iyiydi, hâlen de fena değillerdir. Türkiye turizm endüstrisini böyle böyle yakaladı, hatta bu şekilde birçok ülkenin önüne geçti. O zamanlar bu iş ilginçti. İnsanlar yetiştirildi; memurların iyileri bulunup bursla okutuldu; çok enteresandır, turizmde üretim başladı. Ben de bu üretimin tam göbeğindeydim. Beraber ders gördüğüm arkadaşlar turizm acentaları kurdular. Ben hariç! (Gülüyor.)

Bizim içimizden çıkan kabiliyetli, meraklı gençleri de Avrupa'ya gönderdiler. Bu gençler Belçika'da, İngiltere'de, iyi yerlerde, galiba OECD'nin de yardımıyla eğitim aldılar. Derken Özal devrinde bir dejenerasyon yaşandı, birtakım arsalar sağa sola tahsis edildi. Sonra arazi kirlenmesi ve tahribat başladı. Bilhassa Antalya ve çevresinde devasa, zevksiz mimariye sahip, ehil elde olmayan ve sıkça sahip değiştiren oteller ortaya çıktı. Böyle böyle bugüne geldik. İşte Türkiye'de turizm böyle başladı azizim. Ben de yakından gözlüyordum (Gülüyor). İlk acentalar da, dedim ya, böyle kurulmuştu. Acenta kurmayanlar bile o sektörün önemli isimleri oldu. Ben hariç!

İLBER ORTAYLI'NIN YEDİ ROTASI

1) Müthiş ve dengeli bir karışım görmek için...

İspanya'yı görmelisiniz. Seyahatinize Barcelona'dan başlayabilirsiniz. Böylece hem bu güzel karışımın unsurlarından birini görmüş olursunuz hem de dünyaya açık, medeni Akdeniz'i yaşarsınız. Akdeniz başlı başına bir dünyadır. O dünyanın geniş pencerelerini Barcelona'da bulursunuz. Barcelona zengindir, sanayisi gelişkindir. Mimar Gaudi'nin eserleri oradadır. Bir musiki şehridir, opera şehridir. Şehrin konser salonu (*Palau de la Música*) ve opera binası (*Gran Teatre del Liceu*) mühim eserlerdir. Çarşısı, pazarı da ihtişamlıdır Barcelona'nın; mutfağına vakit ayırmak gerekir. Şehirdeki Picasso Müzesi'ni, yine civardaki Figueras-Girona'daki Salvador Dali Müzesi'ni dolaşmak şarttır. Katalunya'nın başkenti, Avrupa'nın en Avrupaî başkentidir. Her sokak, her bina sergiliktir. İnsanlarına ayak uydurmakta zorlanmazsınız. Zira Katalanca, herkesin bileceği kadar çok konuşulan bir dil (yaklaşık 10 milyon kişi konuşuyor) olmasa da Katalanlar her dili bilir.

İspanya elbette Barcelona'yla bitmez. Akdeniz'e nüfuz etmek için daha epey dolaşmak gerekir. Mesela Endülüs... Bizim kültürümüzün bir parçasıdır, mutlaka ziyaret edilmelidir. Keza İspanya, Ortaçağ İslam tarihinin en önemli merkezlerinden biridir. Madrid'in güneyindeki Toledo'ya Endülüs Emevileri döneminde "Tuleytula" denirdi. Cordoba'ya da, biliyorsunuz, "Kurtuba." İkisi de tarih ve kültürümüzde uzaktan da olsa izleri olan önemli şehirlerdir, muhakkak ziyaret edilmelidir.

Toledo'da 15'inci yüzyıldan sonra ülkemize göç eden Sefarad Yahudiliğinin izlerini bulmanız da mümkün... Bu önemli yurttaş kitlemizin yaşadığı bin yıllık bölgeyi, onun yanı başında da İslam kültürünün Toledo'ya bıraktıklarını keşfetmek ilginizi çekecektir. Cordoba'ya (Kurtuba) gelince, bu şehir İslam sanatının ve medeniyetinin en önemli yeridir. Roma döneminde

Seneca'yı çıkaran bölge; İslam devrinde İbn-i Rüşd gibi büyük bir filozofu, Muhyiddin İbnü'l-Arabî'yi ve Yahudi filozof Maimonides'i yetiştirmiştir.

Kurtuba'daki en büyük mimari eser, maalesef hâlâ katedral olarak kullanılan Kurtuba Mescidi'dir. Bu büyük eserin en önemli yönü, çatıyı tutan sütun ormanı ve tavanlarındaki Müslüman döneme ait Bizans modeli mozaiklerdir. Bunların arasındaki simetri *Reconquista* devrinde tahrip edilmiştir. Hele V. Karl

> Katalunya'nın başkenti Barcelona, Avrupa'nın en Avrupaî başkentidir. Her sokak, her bina sergiliktir. İnsanlarına ayak uydurmakta zorlanmazsınız.

devrinde içeri monte edilen hantal katedrali İmparator'un kendisi dahi beğenmemiştir. Binanın dıştaki dört cephesiyse içerisi kadar ilginçtir. Kurtuba'da İslami dönem, gerek sur içindeki zenginlikler gerekse surların dışındaki *Medinetü'z-Zehra* adlı küçük saray yerleşmesinde kendini gösterir.

Cordoba'dan güneye indiğinizde, El-Hamra Sarayı'nın bulunduğu Granada'yı (Gırnata) ve nihayet Sevilla'yı (İşbiliye) görürsünüz. Böyle bir gezi yaparsanız, sekiz asırlık Müslüman İspanya'nın dünya tarihindeki önemini ve Avrupa'ya etkilerini gözleyebilirsiniz. Tabii yarım yamalak gezmek bir şey ifade etmez. Madrid'in Prado ve Kraliçe Reina Sofia gibi ünlü müzelerini, operasını da programa eklemeli.

2) Akdeniz'deki "biz"i yaşamak için...

Dubrovnik başta olmak üzere, yukarıda Saraybosna'dan başlayan bir geziyle, bize yakın bütün kıyıları gezmek gerekir. Adriyatik kıyıları ve Dalmaçya özellikle nefistir. Yunan adalarının hemen hepsi çok güzeldir. Midilli yeşildir, hoştur; Sakız o kadar hoş değilse de orijinaldir. Rodos bana fazla turistik gelir, yine de enteresandır. Yunanistan'ın kendisi el değmemiş, temiz kalmış bir ülkedir. Bu bir başarıdır ama Selanik'i maalesef bu başarıya dahil edemem. Etmeyi çok isterdim ama edemem.

Bu gezi sırasında sakın ola ki kocaman turistik sefer yapan gemilere binmeyesiniz! Ahali bu tip turistleri hiç iyi karşılamıyor ve dürüst hizmet vermiyor. Limanlar arası kısa seferleri veya kara yolculuklarını tercih edin. Kesenin ağzını biraz açabilenler tekne de kiralayabilir.

Adriyatik'in güneyine indiğiniz zaman Venedik medeniyetini en çok yaşatan Korfu, Kefalonya, Zakintos gibi adalar görülmelidir. Buradaki Osmanlı hâkimiyeti çok ilginçtir. 1800'de Rus ve Türk müşterek donanmasının Napolyon'a karşı bir zafer kazanarak *İonya* dediğimiz bu adaları işgal etmesi ve iki imparatorluğa burada himaye altında cumhuriyet kurdurması da tarihin enteresan sayfalarından biridir. Ruslarla tarihteki tek ittifakımız da budur. Tarih boyu Venedik tesirini çok iyi saklayan bu adalarda, böylelikle bir dönem için Türk hâkimiyetinin göstergesi daha ortaya çıkmıştır.[32] Daha önce Gedik Ahmet Paşa, 1480'de iki adayı geçici olarak mülke katmıştı; Otranto'ya da öyle ayak basmış ve orayı fethetmişti.

> Yunanistan deyince, görmeyenler Girit'i de muhakkak görmeli. Çünkü Girit'i bilmeyen Akdeniz tarihini ve 17 ilâ 20'nci yüzyıl Türk tarihini de anlayamaz.

Seferin devamında, Peleponnes'in güneyindeki İnebahtı (Nafpaktos) ve Arta'yı (Narda) görün; sonra Korint Kanalı'nı geçerek, Yunanistan'ın eski başkenti Anaboli'ye (Yunancası "Nauplion", İtalyancası "Napoli di Romania") girin. Yunanistan'ın bu ilk başkentinde ilk meclisin toplandığı Türk camisi, önünde ilk siyasi suikastın yaşandığı (Cumhurbaşkanı Kapodistria katledildi) Türk çeşmesi ve adanın

---

32   Yedi Ada Cumhuriyeti.

her yerindeki Osmanlı ve Venedik kalıntılarıyla güzel tabiat görülmeye değerdir.

Yunanistan deyince, görmeyenler Girit'i de muhakkak görmeli. Çünkü Girit'i bilmeyen Akdeniz tarihini ve 17 ilâ 20'nci yüzyıl Türk tarihini de anlayamaz. Adanın iklimi, coğrafyası, bitki örtüsü kendine hastır; ilginçtir. Orada konuşulan Rumca bile kendine hastır. Bir zamanlar ada nüfusunun önemli kısmını oluşturan Müslümanlar bugün artık Türkiye'dedir ama çoğu Girit kökenlinin ecdat toprağını tanımadığı biliniyor. Lütfen Hanya Limanı'ndaki iskeleyi ve camileri gidip görünüz, adanın başkenti Kandiye (bugün Heraklion) gibi Osmanlı ve İtalyan merkezlerinin yanında gene bu özellikleri taşıyan Rethymnon'daki (Resmo) eserleri ziyaret ediniz. Mutasarrıflık binasını, çeşmeleri, ufak mescitleri, Venedik kalıntılarını (bilhassa lonca binası) dolaşmanızı tavsiye ederim. Kandiye'deki mezarlık (taşlar müzede) ve Mevlevihane kalıntısı da görülecek yerlerden...

3) Hayattan bunaldığınız zaman...

Bosna'ya gitmelidir. Çünkü İslamiyet'in en hoş yaşandığı yer orasıdır. Kazan da öyledir ama fazla kozmopolittir. Saraybosna'da Müslümanlık, Osmanlılık ve medeniyet birleşmiştir. Ezan orada sade insan sesiyle okunur, pek güzeldir. İslam dünyası hakkında ümidinizi yitirirseniz de Bosna'ya gidin. Oradaki

> İslamiyet'in en hoş yaşandığı yer Saraybosna'dır. Orada Müslümanlık, Osmanlılık ve medeniyet birleşmiştir. Ezan sade insan sesiyle okunur, pek güzeldir.

dinî hava ve laik atmosfer, şık kıyafetler ve mütevazı İslam, insan sesiyle okunan ezan ve çarşının Osmanlı havası muhakkak teneffüs edilmelidir.

4) Kafanızı dinlemek, hayat hakkında planlar yapmak, durup bir geriye bakmak için...

Peşte'ye[33] gidin. Buda da hoştur ama benim için esas güzeli Peşte'dir. Lakin Buda ya da Budin'de hâlen çok iyi kitapçılar vardır. Orta Avrupa'daki şehirler arasında elbette Prag da hoştur; bir müzik şehridir, şıktır.

Oralardan devam edeceksek Avusturya'ya gelelim. Şimdinin Avusturya'sını ben çok eğlenceli bulmam. Benim gençliğimdeki ülke değildir ama özel bir memlekettir. Çekya'ya benzemez; doğal güzellikleri fazladır, hâlâ da güzeldir. Ülkeyi dolaşırken sadece Viyana'ya değil, tüm şehirlerine özel bir önem vermek gerekir. Innsbruck manidardır mesela, bir Salzburg manidardır; buraları değerlendirmek şarttır. Hatta güneyde Graz bile görülecek yerdir. Sonra Klagenfurt üzerinden İtalya'ya inmenizi de tavsiye ederim. O göller, doğa...

> Macaristan'ı görün. Başkent Budapeşte'nin sakinlerinin şehirle nasıl ilişki kurduğuna dikkat edin. Macaristan'ın başkenti, refah şehri Viyana'ya göre çok daha şahsiyetlidir.

Ama işte buraların da ruhu kayboluyor. İnsanlar ülkelerin ruhunu korumayı beceremiyor. İstisnalar var elbette. Az önce Budapeşte dedik ya, sıkıntılar içindeki Macaristan'ın başkentidir ama refah şehri Viyana'ya göre çok daha şahsiyetlidir. Viyana artık o kadar kişilikli değil. Macarlar tarihçi ve ayrıntıya düşkün bir kavimdir, her şeyleri sallanırken bile bu şahsiyetlerini muhafaza edebiliyorlar. Mesela hâlâ eski kitaplar topluyorlar ama hakikaten zor durumdalar. Böyle kişilikli işleri Rusya'da da görürsün. Rusya'nın çok fakir ama şık şehirleri vardır. Örneğin Volga boyundaki şehirler... Gidersin, karşına birdenbire nefis bir kütüphane çıkar. İşte o kütüphane olmadan şehrin karakteri oluşmaz.

---

33 Macaristan başkenti, "Buda" ve "Peşte" isimli iki ayrı şehirden oluşan Budapeşte'nin "Peşte" tarafı.

Yalnız dikkat edin, binanın güzelliği de tek başına yetmez. Daha önce de söylemiştim; bir şehir, kasaba kütüphanesinde birinci sınıf bir kütüphaneci varsa güzeldir. İşte Litvanya; Vilniuslular Kuzey Avrupa'nın en eski üniversitesi onlarda diye övünür. Gurur duymakta haklılar, şehrin terk edilen Yahudi gettosunu gezdiğinizde bile o özel havayı teneffüs edersiniz.

5) Hayaller kurmak, tefekküre dalmak için...

Semerkand'a gidin. Ben ilk defa oraya 1994'ün Ekim'inde gittim. Hayat yolunda çok geç kaldığım bir rüya şehridir. Çocukluktan beri Semerkand hakkında okurdum, şehrin resimlerini görürdüm. Ama gecikmenin bir faydası oldu. O ana dek Doğu ve Batı'daki önemli merkezleri görmüştüm, bu sayede kıyas imkânı buldum ve büyülendim. Semerkand, bozkırın ortasında, medeniyetlerin hülasası olarak ortaya çıkmış bir şehirdir. "Bir Ortaçağ şehri işte!" dersiniz ama Barthold'un *Soçineniya*'sını[34] ve diğer kitaplarını da pazardan alırsınız.

> "Rüya şehir" Semerkand'da, geceleri Registan Meydanı'nda oturmalısınız. Bu deneyim, ateş seyretmek gibidir; büyüleyicidir. Meydanda otururken tefekküre dalıyorsunuz, hayaller kuruyorsunuz.

Bilhassa geceleri Registan Meydanı'nda oturmalısınız. Bu deneyim, ateş seyretmek gibidir; büyüleyicidir. Meydanda otururken tefekküre dalıyorsunuz, hayaller kuruyorsunuz. Bu tip dalmalar esasen yazarlara ve müzisyenlere çok ilham verir. Ben de oralarda çok eskilere daldım, düşündüm. Kafamda maziye gittim. Timur'a, Darî İranî döneme, oradan son asrın Rus dönemine... Buralar bir bakıma Türklüğün geldiği yerlerdir, o dönemlere uzandım. Sonra o meydanın karşısında Uluğbey Medresesi'ni görürsünüz. Ahmet Haşim'in şiirindeki

---

34 Vasiliy Vladimiroviç Barthold, *Soçineniya*, Moskova 1977.

gibi, İslam dünyasında ilim güneşinin, o muhteşem kızıl akşamını Uluğbey Medresesi temsil eder.

Dedim ya; Semerkand, Ortaçağ medeniyetinin müthiş bir temsilcisi ve sembolüdür. Hiçbir yerde öylesi yoktur. Günümüze kalmış, korunmuştur; evleri sade ve sakindir. Avlu içinde kerpiç evlerdir bunlar, şehirde gökdelen yoktur. O bölgede bilhassa Semerkand ve Buhara'da, ardından da Taşkent'te, gökdelen tarzı binalar göremezsiniz. En çok beğendiğim Yahudi gettosu da Buhara'dadır.

6) Orta Asya coğrafyasını keşfetmek için...

Özbekistan'a gidin. Bu ülkenin dört köşesi de çok önemlidir, muhakkak gidip görmek gerekir. Türkmenistan sınırındaki Hiva şehri bizim Oğuz mantalitesine yakındır. Taşkent, Buhara, Semerkand...

Özbekistan görülmesi gereken şehirlerle doludur. Taşkent düzgün bir Rus şehridir, çölde vaha gibidir; düzgündür, planlıdır. Burası Çar devrinden beri bir garnizon şehridir. Özbeklere gelince, onlar tuhaf bir millettir. Kendilerine göre kaba ve muhafazakârlardır, diğerlerine göreyse çalışkan. Orta Asya'da Tacikistan, Kırgızistan ve Özbekistan tarafından paylaşılan Fergana Vadisi de çok önemlidir. Esas Doğu Türkistan önemlidir de maalesef oraları göremiyoruz.

> Ahmet Yesevi'nin şehri Yesi'ye gittiğinizde, "Bir Orta Anadolu şehri gerçekten zenginleşirse nasıl olur?" sorusunun cevabını göreceksiniz.

Orta Asya'da en kültürlü halk Kazaklardır. Çok açık ki Kazakistan'ın güneyini de ihmal etmemelisiniz. Artık orası Turan eyaleti olarak biliniyor. Başkenti de Hoca Ahmet Yesevi'nin şehri Yesi, şimdiki adıyla Türkistan'dır. Yesi'ye gittiğinizde, "Bir Orta Anadolu şehri gerçekten zenginleşirse nasıl olur?" sorusunun cevabını göreceksiniz. Timur'un 1389'da yaptırdığı muhteşem Hoca Ahmet Yesevi Türbesi oradadır. Şehrin biraz ötesinde de Ahmet Yesevi'nin hocası Arslan Baba'nın türbesi ve onun ismini taşıyan cami vardır. Buralarda masmavi çiniler, Kazakistan bozkırının ortasında heybetle yükselir.

7) Tüm dünyada en sevdiğim şehir...

İsfahan'dır. Yezd'i de sayabilirim. Ama benim için en başta İsfahan gelir. Bizim buralardan daha çok insan oralara ziyarete giderse memnun olurum. Ama gelecekte oralara yolu düşecekleri tatsızlıklara karşı da uyarayım. İran'da ulaşım pek rahat değildir, zahmetlidir. Otobüste gidersin gidersin, sonu gelmez bir kasabalar zincirinden çıkamazsın. Bu kasabalar birbirine benzer, kapalıdırlar.

Zaten İran'da birçok şehir belli bir saatten sonra kapı duvardır. Mesela Erdebil... Tamamıyla Türk şehridir ama geceleri in cin top oynayan yerlerden de biridir. Geçenlerde orada bir gece kaldım. İnsan ürküyor; kriminal bir meselenin varlığından değil ama herkesin evine kapanmasından, kimsenin dışarı çıkmamasından ürküyorsunuz. Tahran bile biraz bu hâle geldi. Daha önce de değindiğim gibi gece yaşantısı son dönemde birazcık hareketlenmekle beraber epey azaldı.

Bununla beraber Yezd canlanıyor. Bana Horasan eyaletindeki Meşhed'i de sorarlar ama orası çok sıkıcı bir yer... Eski pırıltısı, canlılığı kalmadı. Öte yandan Horasan ilginçtir, orada renkli milletler vardır. Horasan'da Farsçayı Türkçe yapıyla kullanarak şiir yazan, Türkçe şiveyle söyleyip okuyan insanlar yaşar.

İLBER HOCA'NIN MUHAKKAK GÖRMEYİ TAVSİYE ETTİĞİ DÜNYA MÜZELERİ

Arkeoloji Müzesi (Kahire)

Arkeoloji Müzesi/Muze-ye Iran Bastan (Tahran)

İsrail Müzesi (Kudüs)

British Museum (Londra)

Tate Gallery (Londra)

Victoria & Albert Museum (Londra)

Louvre Müzesi (Paris)

Tüm bina ve sergiler (Floransa)

Arkeoloji Müzesi (Napoli)

Ulusal Sanat Galerisi (Washington DC)

Arkeoloji Müzesi (Madrid)

Hermitage Müzesi (St. Petersburg)

Kremlin Sarayı (Moskova)

Kunsthistorisches/Sanat Tarihi Müzesi (Viyana)

Ephesus Müzesi (Viyana)

Belvedere Müzesi (Viyana)

Pergamonmuseum/Bergama Müzesi (Berlin)

Pinakothek (Münih)

Musée D'Orsay (Paris)

Prado Müzesi (Madrid)

Puşkin Müzesi (Moskova)

Tretyakov Devlet Galerisi (Moskova)

Hermitage (St. Petersburg)

Rus Müzesi (St. Petersburg)

Capitol Müzesi (Roma)

Vatikan Müzeleri

BİR ŞEHİR NASIL GEZİLİR?
İLBER HOCA'DAN YEDİ TAVSİYE

* Bir şehri ilk defa görüyorsanız, bir dakika bile dinlenmeyeceksiniz.

* Yürüyeceksiniz. Gençseniz ve bir şehirde gönlünüzce yürümüyorsanız orayı gezdiğinizi söyleyemezsiniz.

* Bir şehre ilk defa gidiyorsanız çok yoğun bir program yapacaksınız, illâ ki yorulacaksınız.

* O şehir hakkında her fırsatta okuyacaksınız, hatta şehri gezerken bile okuyacaksınız. 20 saat geziyorsanız mesela, iki saat da okuyacaksınız. Gezi sırasında okuyacaksınız. Rehber de bulduysanız, programınızda olmasa da üşenmeden gidip bakın.

* Harita bakacaksınız, fotoğraf çekeceksiniz, not tutacaksınız.

* Müzeleri gezeceksiniz ama mutlaka çarşıya-pazara da karışacaksınız. Bunları görmeden o çevreyi tanıyamazsınız.

* Güvenliği hesaba katarak şehri gece de gezin. Gece, bir şehrin güzelliğidir. Venedik, Yezd, Semerkand, Barcelona, Toledo muhakkak gece de görülmesi gereken şehirlerdir.

ALTINCI BÖLÜM

EĞİTİMDE HANGİ TERCİHLERİ YAPMAK GEREKİR?

Bir millet iktisadi krizle düşmez, hukukî ve kültürel yapıdaki derbederlikle düşer.

Eğitim konusunda şüphesiz tüm ülkenin tavsiyeye ihtiyacı var. Size göre en yakıcı sorunun bu olduğunu da biliyorum. Kurumların yeniden yapılanması, bireylerin önünü görmeyi başarması gerekiyor. Bu bölümde; an itibariyle eğitim sisteminin içinde olanlara, mevcut öğrencilere yönelik tavsiyelerinizi dinlemek istiyorum. Bir yandan da eğitim sisteminin kendisine yönelik eleştirileriniz üzerine konuşalım. Çünkü halihazırdaki sistemi reforme etmeden, öğrencilerin de kurtulamayacağını düşündüğünüzün farkındayım. Ayrıca yıllardır ısrarla dillendirdiğiniz yapısal arızaların altını çizmek, çözüm önerilerinizi almak isterim. Kısacası bu bölümde hem öğrencilere hem de onların içinde yer aldığı sistemi belirleyen tüm aktörlere dönük tavsiyeleriniz yer alacak. Dilerseniz en tepeden başlayalım. İyi bir eğitim nasıl olur hocam?

Eğitimin iyisi müzikle, matematik ve filolojiyle, bir de sporla olur. Bunu sağlayamadığınız sürece, istediğiniz kadar okul açın; netice değişmez. Neden biliyor musun? Zira tarihî zamandan geriye gittikçe, sağlam bir filoloji (dil bilgisi) ve *textology* denen metin okuma ustalığı gerekiyor. Dünyanın dibine inmek için bu gerekir. Coğrafya da bu vasfı tamamlar. Bir toplum ancak filoloji bilgisine sahipse bütün zamanları kontrol ediyordur. Bir toplum musiki ve matematikten anlıyorsa bütün insanlıkla irtibat kurabiliyordur, dünyalı olmuştur.

Bu gerçeği Türkiye'de kimsenin görmediğini söyleyemem, elbette idrak edenler çıkmıştır. Evvela Mustafa Kemal Atatürk anlamıştır. Daha önce bazı Tanzimat asker ve sivillerinin bu konuda girişimi vardır; ama genel eğitimin içerisinde, bu söylediğim unsurlara sistematik olarak yer vermek Cumhuriyet döneminin işidir. Fakir nüfusunu harplerde kaybetmiş, kıt sanayi bölgelerini elinden çıkarmış, Anadolu'ya hapsedilmek isterken bir nebze olsun dışarı çıkabilmiş Türkiye Cumhuriyeti'nin başındaki Ulu Önder, şüphesiz bunun öneminin farkına ziyadesiyle varmıştır. Kendisinden sonrakilerinse bu mirası ne kadar kavrayıp ileri götürdükleri tartışılır.

Bir bakalım. Ordumuz açık ki çok ileri gitmiştir. Cumhuriyet'in ilk yıllarıyla kıyaslarsan, sanayi de ileri gitmiştir. Kişi başına düşen gelir katbekat artmıştır. Hekim sayısı çok azdı, şimdi makul düzeye gelmiştir. Eğitimimiz de birçok kusura, çürüğe sahip olmakla beraber düzelmiştir. Ama ne kadar düzelmiştir? İşte burası önemli... Türkiye maalesef yetiştirdiği tıp insanlarının sayısına hukuk alanında ulaşamıyor.

Bugün istesek 10 tane daha tıp fakültesi kurabilir miyiz? Kurarız. Peki 10 tane daha hukuk fakültesi kurabilir miyiz? Mümkün değil, kuramayız. Çünkü biz Batı'nın yaşadığı devrimleri yaşamadan hukuk devrimine girdik. Girmek zorundaydık; şimdi de orada kalmak, bu hukuk düzenini muhafaza etmek zorundayız. Hukukun romanizasyonundan geri dönemeyiz, lakin süratle bunun gereklerine de icabet etmeliyiz.

Bu, sadece ideolojik bir mesele değil; bu işin çok fazla olmazı var. Müesses nizam buna yaslanıyor, mali yapı buna yaslanıyor. Dönmek bir yana, bizim bir hukuk ordusu üretmemiz lazım. Örneğimiz, Ulu Önder'in isabetli yaklaşımıdır; kendisinin gerçek anlamda yaptığı devrimdir. Nedir bu? Atatürk'ün filoloji, matematik ve müziğin önemini anlamasıdır. Bunları bir arada yapmadan bizim modern dünyayı kavramamız, insan düşüncesini geliştirmemiz, bir mantık yaratmamız mümkün değildir. Dediğim gibi, bunu idrak etmezsen istediğin kadar okul aç, istediğin kadar para harca, istediğin kadar toplantı yap, istediğin kadar bilgisayar yatırımı yap; bir netice alamazsın. Sistemi doğru kurmak gerekir. İyi bir sistem kurabilirseniz, bir ağacın ömür süresi içinde nesilleri de değiştirebilirsiniz; önümüzdeki nesilleri de kurtarabilirsiniz.

> Bir toplum ancak filoloji bilgisine sahipse bütün zamanları kontrol ediyordur, musiki ve matematikten anlıyorsa bütün insanlıkla irtibat kurabiliyordur. Bunu bizde en iyi Atatürk anlamıştır.

Birçok insan açmazlardan yılıp, çocuklarını en azından üniversite eğitimi için yurt dışına göndermeye başladı. Bu konuda ne düşünüyorsunuz?

Eğitim faciasından kurtulmak için, çocuklarınızı yurt dışına göndermeniz de kâr etmez; neticeyi değiştirmez. Size ancak hayal kırıklığı yaşatır. Çocukların harcanıp gitmesinin ötesine böyle geçemezsiniz. Ama kendiniz bilinçli olarak yetiştirdiğiniz insanları dışarı yollarsanız hiç şüphesiz ki kazanırsınız. Türkiye Cumhuriyeti senelerden beri eski toplumların ilahlara insan kurban etmesi gibi, hekimlerini mühendislerini yetiştirip yetiştirip dışarılara yolluyor. Yolluyor da ne oluyor? Nerede büyük hukuk profesörleri? İki Nobel'den başkası nerede? Bunlar bize bir şey göstermiyor mu? Anlamamız lazım. Kültüre, köklü bir kültüre yatırım yapmamız gerektiğini idrak etmeliyiz.

İnsan kalitesi köklü bir kültürden geçer. "Cultura" demek, bir toplumda insanların zamanları ve mekânları avuçları içinde tutması demektir. İktisadi krizler veya problemler bu avucu hiçbir zaman açamaz, onlar geçici şeylerdir. Bir millet krizle düşmez veya yükselmez; bir millet ancak insanın eğitim niteliği yüksekse yükselir, gelişir, zenginleşir. Bunlar da her zaman iktisadi istatistiklerde yer almaz. Netice, "cultura"ya ne kadar sahip olduğuna da bağlıdır. Bu da eğitimden geçer.

Peki bizde o "eğitim" var mı? Hiç oldu mu? Bir de siz, "İyi eğitim için iyi öğretmen gerekir," diye ısrarla söylersiniz. Bunu sağlayabildik mi?

Evvela şunu anlamak gerekir. Sistem dahilinde her türlü eğitimin var olması, ayrıca her türlü eğitimin kendi kalitesi içinde düzenlenmesi lazım. Bizde, klasik imparatorluk döneminde pragmatik yöntemlerle bunun doğrusu bulunmuştu. Tanzimat, modern dünyaya çok önemli bir uyarlama yapmış; çağa yaklaşmıştı. Cumhuriyet de buna devam etti. Sonra bir yerde ipin ucunu kaçırdık. Demokrasiye geçtik geçeli işi sulandırdık. Demokratik bir nizam içinde, kitlenin talepleriyle işin mantığını, gereklerini iyi meczedemedik, bağdaştıramadık.

Eğitim, kitlenin taleplerinin dinleneceği yer değildir; kasaba türü siyasetin, nabza göre şerbetin yeri değildir. Çünkü eğitim, dünyanın en önemli meselesidir; insan reprodüksiyonudur. Yani insanın bir nevi yeniden üretimidir. İşte bütün bu sistem içinde ilk bakılması gereken yer de öğretmendir.

Çok açık ki bu iş evvela bir öğretmen meselesidir. Evet, iyi eğitim için iyi öğretmen gerekir. Tarihte de böyle olmuştur. Öğretmenin daha 18 ve 19'uncu yüzyıllarda, toplumunun içinde bir lider hâline geldiğini görürüz. Japonya örneğin, toplumdaki yeterli okuma yazma düzeyini 18'inci yüzyılda çözmüştür. O dönemin Japonya'sında erkek nüfusun yüzde 40'ı, kadınlarınsa neredeyse üçte biri okuma yazma biliyordu. Bu çok yüksek bir rakam... O zamanlarda, Batı'ya fark atan bir rakam... Nasıl oluyor bu işler? Öğretmenler sayesinde oluyor. Orada öğretmenliği samuraylarla rahipler yaparmış. Batı'da Maria Theresia,[35] güya okul reformu yapıp ilkokulu mecburi kıldı. Kıldı kılmasına da nerede bu okul? Herkes oraya bakıyordu ama okul neredeydi? Yoktu.

Bizde evvela nereye bakılmış?

Bizim İttihatçılar, eğitim konusunda Bulgaristan'a hayrandır. Bulgar eğitimini örnek almaya çalışırlardı. Yalnız bu da çok geç başlamış bir eğitim biçimidir. Öyle ki 19'uncu yüzyılın başında Bulgar eğitimi diye bir şey yoktu, köy papazları bile cahildi. Şehirli Bulgarlar da Yunan mektebine gidiyordu. Bu durum Osmanlı'nın Balkanlar'daki Arnavut nüfusu için de geçerliydi. Avlonyalı Ferit Paşa, Şemsettin Sami Fraşeri gibi insanlar Yunan gimnazyumlarında okumuşlardı. Bulgaristan seçkinleri de farklı değildi. En başta meşhur tüccar ve eğitmen, Bulgaristan'ın laik eğitim modelini kuran Vasil Aprilov bile kendini Yunan sayıyordu. Elbette asimilasyon da etkiliydi. Bir Ukrayna tarihçisi olan Venelin, bunlara, "Yahu siz Paissiy/Slav'sınız, kendinize gelin!" diyordu. Aynı şeyi daha önceden Aynaroz Manastırı'ndaki Bulgar rahip Paissiy Hillanderski de yazdığı tarih kitabında söylüyordu. "Tarihini bil, kendini bil, dilini bil, senin kendi şanlı geçmişin var," diye döktürüyorlardı. Bu eğilim 18'inci yüzyılın ortalarındadır ama bunun

---

35 1740-1780 arasında Avusturya-Macaristan İmparatorluğu'nu yöneten İmparatoriçe Maria Theresia, altı-on iki yaşları arasındaki tüm erkek ve kız çocuklarına eğitimi zorunlu tuttuysa da, bu reformdan istediği sonucu elde edemedi. Keza Avusturya nüfusunun önemli bölümü 19'uncu yüzyılın ortalarına dek okuma yazma öğrenememiştir.

üzerinde Yunan ayaklanmasının, Yunan reformlarının tesirleri de barizdir. Yunanlar bu işe çok erken uyanmış, Hırvatlarla birlikte Rönesans'tan etkilenmişlerdir.

Aynaroz Manastırı milletler karması gibi bir yer biliyorsun, belli ki etkileniyorlar. İşte bu Aprilov, Yunanistan'a gidip okuyor; oradaki eğitim sistemini, ortamı, ilham kaynaklarını görüyor. Dönünce de okullar açmaya başlıyor. Dahası bunlar özel ve pahalı okullar da değildi. Özellerdi ama ucuzlardı. İngiltere'de Sanayi Devrimi sırasında geliştirilen *Bell-Lancaster metodu* diye bir metot vardır. Sınıf doludur; öğretmen o sınıftaki en zeki çocukları yetiştirir, o zeki çocuklar da diğerlerini ne kadar olabiliyorsa o kadar okutur. Kitleler böyle böyle okuma yazma öğrenmiştir. Bu metodu biz de kullandık. İsmail Gaspıralı'nın *Usul-u Cedid* metodu uygulayan okulları böyledir. Sınıfa yüz kişi girer; öğretmen en öndeki sırayı eğitir, onların eğittikleri de diğerlerini eğitir.

Türkiye'de de köylerde birleştirilmiş okullar vardı.

Evet, vardı ama bizim asırda bu artık çok ayıptır, yazıktır. Ayrıca öğretmenlerin birçoğu da o kadar iyi ve idealist değiller. Sorsan, maalesef ki kaytarmak için 40 bin mazeretleri vardır. Peki bu doğrudan doğruya öğretmenlerin suçu mudur? Değil! Sisteme bakmak lazım.

Bizim öğretmen yetiştiren sistemimiz iki önemli sorun yaşadı. Birincisi, Köy Enstitüleri'nin lüzumsuz yere kapatılmasıydı. Bunu Halk Partisi yaptı. İkincisi ise Eğitim Enstitüleri'nin batırılmasıdır. Büyük öğretmen tipiyle de işte o zaman vedalaştık. Bu da maalesef belki istenmeden, gayriciddi bir tedbirle Ecevit devrinde yaşandı. Bu enstitüler, Türkiye eğitim tarihinin çok önemli yapıtaşlarıydı.

Adını hiç unutmamak gerekir; bizler bir zamanlar, birinci sınıf bir millî eğitim bakanına, Mustafa Necati Bey'e sahiptik.

Cumhuriyet'te maarifin bir numaralı ismi odur. İşte eğitim enstitüleri onun getirdiği bir kurumdu. Bu enstitüler 1970'lere kadar da dayandı. Sonra bir an geldi; sistem dejenere oldu, öğretmenler üç ayda mezun edilmeye başlandı. Bu iş de o meşhur çarıklı erkanıharp tipinin üst makamdaki icraatının neticesidir. Çok şey bildiğini düşünenler sağ-sol çatışmasını böyle çözdüklerini sanıyorlardı.

Üç ayda nasıl mezun olunuyordu?

Enstitüler güya çatışmalar yüzünden faaliyet gösteremiyormuş! Bu yüzden öğrencileri üç ayda mezun ettiler ve sistemi bitirdiler. Sağcı-solcu olarak birbirini vuranlar da üç aylık fırsatı görünce maşallah hemen ders notlarını okuyup mezun oldular, yani söz konusu fırsatı değerlendirdiler. Bizimkilerin vatanperverliği ve devrimbazlığı da işte bu kadardır, bizde her zaman kasaba oportünizmi ağır basar.

Neticede kasabalar niteliksiz öğretmenlerle doldu. Bunların birtakımı toplumun lideri olabilecek tarzda insanlar olmadıkları gibi idealist de değillerdi. Dahası, bunlar maalesef idealist olanları da bastırdı. Kendini insanlara adamış öğretmen tipi kaybolunca da bu iş bitti. Bu dönemin ardından ortaya idealist gençler çıksa da yollarını bulamadılar. Zaten aksi mümkün değildir; önünde iyi bir örnek yoksa, insan nasıl çalışacağını bilemez. Çünkü birini ancak meslektaşı adam eder.

Bugüne bakınca ortada böyle bir modelin kalmadığını görüyoruz. Eğitim enstitülerinin ziyan edildiği günden bugüne dek önümüzde model yoktur. Zira eğitimin temeli öğretmendir. Öğretmen olmadan okul olmaz!

O zaman, "Madde bir: İyi öğretmen!" diyebiliriz sanırım.

Evet, her şey en başta iyi öğretmen yetiştirmeyle olacak. İyisini yetiştirecek sistem de elimizde vardı: Az evvel bahsettiğim

Mustafa Necati'nin sistemi. Ama 1970'lerde, yine az önce anlattım, kurnaz politikacılar yüzünden bu sistem ortadan kalktı. Eğitim enstitüleri laçkalaşınca bu fırsat kaçtı.

Herkes köy enstitülerinin kapatılmasını konuşuyor, eğitim enstitülerini anlatan yok. Ne var ki Cumhuriyet'in nitelikli teknik öğretmen yetiştirmesi daha o zamanlarda başarıyla yürütülürken, 1970'lerde, eğitim enstitülerinin başına gelenler yüzünden bitmiştir. Karşımıza da bu yüzden cevaplaması çok zor bir soru çıkmıştır: Bugün özel okul da kursan, kamu okulu da kursan, öğretmen olarak kimi çalıştıracaksın; kimi bulacaksın? Buldun diyelim, mevcut eğitim sisteminden ne çıkaracaksın? Buradan bir şey çıkarmak çok güç; A'dan Z'ye tutarsızlık var.

Mesela sınav sistemi; özel veya kamu, bizim okullarda ciddi bir merkezî imtihan sistemi yok. Fransız bakaloryası gibi, *matura* denilen olgunluk sınavı gibi bir kriterimiz yok. Bunlardan bizde de vardı bir zamanlar ama artık yok. Sonra lise hocaları işe ciddi bir imtihanla alınmıyor, herkes kendi yandaşını alıyor. Fransa'da Jean Paul Sartre, Albert Camus gibi bir dönem lise öğretmenliği de yapmış isimlerin geçtiği ciddi profesörlük sınavları bizde yok. O bakımdan son derece sakat bir noktadayız.

Ama ne olursa olsun öyle ümitsiz bakmayın, bir çaresi var.

Son birkaç dakikadır cidden içim kararmıştı ama nihayet bir umut ışığı yaktınız! Nedir çaresi hocam?

Çare, Tanzimat'ın büyükleri gibi davranmak... Yani Cevdet Paşalar, Münif Paşalar gibi hareket etmek... Seçkin okullar kurmalıyız, elit öğretmenler yetiştirmek için nitelikli okullar kurmalıyız. Bu okullarda nitelikli imtihanlar yapmalıyız. Bu iş böyle hallolur.

İyi bir örnek vereyim. Fen liseleri kurulurken orada görev yapacak öğretmenleri de imtihan etmişlerdi. Bağımsız bir imtihandı, tarafsız ve kaliteliydi. Tahir Çağatay ve Mübeccel Hanım (Kıray) alınacak öğretmenleri saptayan komisyondaydı. Hayata bakışlarındaki ciddi ayrılığa rağmen, aralarında katiyen bir çatışma çıkmadı. Düşün ki Tahir Bey sosyalist bir dünya görüşüne sahip değildi. Rusya göçmeniydi, düzgün bir insandı; dünya görüşüne aykırı olmasına rağmen, TİP'li bir çocuğu kendine asistan almak için uğraşan bir adamdı. Keza Mübeccel Hanım da düzgün bir tipti, onun da dünya görüşü Tahir Bey'le hiç uyuşmazdı. Ama ne oldu? İkisi yan yana oturdular; farklılıklarını hiç mesele hâline getirmeden, oraya en düzgün öğretmenleri aldılar; en iyi öğretmenleri seçtiler. Bu öğretmenlerin kim olduğuyla hiç ilgilenmediler.

Bu konuda mesele çıkaran biz olduk. Yani o dönemin lise öğrencileri! Çünkü bahsi geçen öğretmenler, yani yeni liselere tayin edilecek öğretmenler, elbette bizim öğretmenlerimiz arasından seçiliyordu. Baktık ki hocalarımız gidiyor... E, biz ne olacağız; biz nasıl yetişeceğiz? İmtihanlar da yaklaşıyor. Üniversite imtihanlarını bekliyoruz. Bilhassa fen dallarındaki çocuklar çok telaşa kapıldı. Ama Allah razı olsun onlardan, hiçbir öğretmenimiz bizi bırakıp gitmedi. Mesela bir Suha Hanım vardı, müthiş bir insandı. Fizikçiydi. Devamlı sigara içen biri

> Umutsuz olmayın, eğitimi kurtarmak için çare var. O da Tanzimat'ın büyükleri gibi davranmaktan geçiyor. İyi okullar kurmalıyız, elit öğretmenler yetiştirmeliyiz, nitelikli imtihanlar yapmalıyız.

olarak hatırlıyorum kendisini. "Ayol ne olacak," dedi; "Amerika'ya göndereceklermiş; orayı görmedik mi sanki!" Gitmedi! Hâlbuki imtihanı kazanmıştı, üstelik maaşı da artacaktı. Ama o öğrencilerini kırmadı, okulumuzda kaldı.

Özel okullardaki öğretmenleri nasıl buluyorsunuz?

Özel okullardaki öğretmenler zor durumda... Oraya vasıflı insanlar dayanamaz. Bir defa öğretmenin tepesinde bir müdür duruyor, okul sahibi duruyor. Karşıda da çoğu gayet edepsiz, müdahaleyi kendine iş edinmiş veliler var. İşleri güçleri yok; okula gelip öğretmene, müdüre akıl öğretiyorlar. Neredeyse bütün gün orada çadır kuruyorlar. Bunlar okulların çalışmasını adeta sabote ediyor.

Hâli vakti yerinde olanlar ya parayı pulu dert etmediğinden ya da başka çaresi olmadığından çocuklarını özel okula gönderiyor. Sayı çok arttı, zincir hâline gelen okullar da var. Bu durumun nasıl sonuçlanacağını merak ediyorum ve bunu iyi bir hâl olarak görmüyorum. Beri yandan özel okullar bakanlıktan öğrenci başına bir tahsisat alıyorlar. Ama bunun dar gelirliye veya teknik eğitime bir hayrı yok. Özeller o işe de bakmıyor.

Bununla beraber özel okul eğitimine karşı değilim. Özel eğitimcilik; kararlı, realist bir eğitimci kadrosunun elinde iş yapabilir. Çağa uygun, yeni yöntemler geliştirirlerse iyi örnek de oluştururlar. Batı'da görüldü bunlar, Rusya'da görüldü. Bizde de yok değil. Örneğin, Meşrutiyet'ten sonra Osmanlı İmparatorluğu'nda özel okul girişimlerine, hem de bunun iyi örneklerine rastlanmıştır. İşte *Darü't-Talim*... Hacı İbrahim Efendi'nin okuludur. Ortaokul öğrencilerine süratli bir şekilde Arapça ve Farsça öğretmesiyle meşhurdu. Eski maliye bakanlarından Ali Fuad Efendi (sonra Ağralı) buradan çıkmadır. Yine Halepli düşünür Satı el-Husrî'nin *Yuva* anaokulu vardı. Kardeşi Neriman Hızır tarafından Ankara'da da bu model başlatıldı. İsmi de hatta *Ayşe Abla İlkokulu* oldu. Nihayet, Cumhuriyet dönemi örnekleri arasında, daha önce bahsettiğimiz *Yeni Kolej* var. Coşkun Kırca'nın babası Mehmed Ali Haşmet Kırca tarafından kurulmuştu. Daha önce de değindiğimiz gibi bu okul, disiplini sayesinde, başka türlü okuyamayacak birçok çocuğu dünyaya kazandırmıştır. Şimdi bu gibi örnekler nasıl olacak, nasıl gelişecek; ona bakmalıyız.

Sizin bizzat üzerinde çalıştığınız Edebiyat Lisesi projesi de var. Eğitim sistemine bir alternatif sunacağını düşünmüşsünüz. İşin üzerine de gittiniz ama sonuç düşündüğünüzden farklı oldu. 2003'te, projenin başında birer *Edebiyat Lisesi* olarak düşünülen *Sosyal Bilimler Liseleri* açıldı. Ama hem çalışılan projenin hem de neticenin sizi tatmin etmediğini biliyorum.

Çok istiyordum ama olmadı. Yıllar önce yaptığım bir tavsiyeydi. Ben Topkapı'dayken komisyona çağırdılar. Biraz bakınca işin rengini anladım. Kimse alınıp gücenmesin, o adamlar edebiyat lisesi falan kuramazlardı.

Kafanızdaki neydi? Siz nasıl bir lise hayal ediyordunuz?

Evvela Klasik Batı dillerini öğretecek bir lise düşünüyordum. Yavaş yavaş Klasik Şark dillerini de öğretecekti. Kesinlikle bir iki yıllık bir hazırlığı olacaktı. Bu hazırlık sınıfı yaşayan bir dille yapılacaktı. Hiçbiri programa konmadı. Bir tek Osmanlıca kondu.

Buna rağmen lise çocuklarının içinde kendini en mutlu hissedenler, o okullara gidenler oldu. Bu da böyle bir okula, modele ihtiyaç olduğunu gösteriyor. İddia ediyorum; edebiyat lisesi çocuğunun mutluluğu, fen lisesi çocuğunun mutluluk derecesinden daha fazla olacaktır. Edebiyat lisesindekiler, "Tarih okuyoruz, edebiyat okuyoruz, Osmanlıca öğreniyoruz," diyecektir; "Klasik dillere hâkimiz," diyecektir.

Ama nasıl olacak bu işler? Kasaba zihniyetindeki eğitmenlerle olur mu? Mesela, "Çocuklara Yunanca ve Latince verelim," dediğimde bana, "Onlar başka bir medeniyetin dilleri," diye cevap verdiler. "Nasıl?" diye sordum; "Ne demek başka bir medeniyet! İslam dünyası Yunancadan tercüme yaparken, berikiler daha ağacın üstündeydi; önce öğrenin, sonra konuşun."

Bir meslektaşa böyle gayet ağır bir hitabım oldu, sonra da zaten o kurula gitmedim. Sürekli haşlayacağın, kavga edeceğin adamlarla bir yerde bulunulmaz; yanlarına gidilmez. Dolayısıyla oradakiler de bu liseleri kendi kendilerine kurdular. Üstelik 33'ünü birden kurdular. 33 tane klasik gimnazyumu bugün Almanya'da dahi kuramazsınız. Almanya için "belki" diyebiliyorum ama Türkiye'de katiyen kurulamaz. Çünkü kaynak yoktur. 33 ayrı okulda iyi bir Avrupa dili, sonra Arapça öğretecek, Osmanlıca öğretecek insan kaynağımız olduğunu sanmıyorum. Keza böyle bir geleneğimiz yoktur. Farsça öğretecek öğretmenimiz de yoktur. Yabancı dil öğretmeni buluruz, bir iki Latince öğretmeni ancak buluruz. Olabilseydi bu okullar da iyi bir hâle gelirdi. Buralardan mezun olanlar her yere girerdi. Hazırlığı bile yeterdi.

Ama söz konusu okulları kuranlar hiç o taraflara gelmediler. Sonuçta can sıkıcı bir iş oldu. Çünkü bunlar; büyük hayalleri, büyük projeleri olmayan kişilerdir. Maalesef üniversitede de lise öğretmenliğinden gelen arkadaşlar öyledir. Ben içlerinde büyük projeleri olanları görmedim. Hâlbuki eskiden vardı. Mesela ben öğrenciyken, sonradan üniversitede öğretim görevlisi olmuş lise muallimleri vardı. Hatta benim lisedeki hocalarımın içinde üniversiteye kayan kimseler vardı ve iyiydiler.

Niteliğin düşmesi bir sıkıntı daha üretiyor. Özellikle taşrada, iyi öğretmenlerin çocuklara çıkış kapısı olduğunu düşünürsek, niteliksizlik bu kapının da kapandığı anlamına geliyor. Buna katılır mısınız?

Herkes için öyle, Avrupa'da da az çok öyle; ama bilhassa bizde model hep öğretmenlerdir. Anlattıklarıyla bir dünya kurarlar. Öğretmen iyiyse, toplumunu kurtarır. Ama işte model olan bu öğretmen artık ortadan kalktı. Anlattıklarıyla da kalktı.

Benim gördüğüm son model öğretmeni anlatayım sana: Türkan Bengisu. Ortaokuldaydık, bu hanımefendi de edebiyat öğretmenimizdi. Türkan Bengisu, Eğitim Enstitüsü mezunuydu. Gazi'den veya Çapa'dan mezun olmuştu. Bir defa, önce insan olarak, sonra da pedagog olarak üstün vasıflı biriydi. Türk edebiyatını bu kadar seven, 10 küsur yaşındaki çocukları adam yerine koyarak ciddi ciddi edebiyat anlatan ve onlara da anlattıran birini daha görmedim. Türkan Hanım talebeyi kendi muhatabı, hatta kendi meslektaşı gibi gören bir insandı. Bizlerle romanları, şiirleri tartışırdı. Ama bunları o sınıfta yapmak kolay değildi, çünkü doğrusu sınıfımızda epey problem mevcuttu. Yüksek bürokratın çocuğuyla gecekonduda yaşayanlar beraber okuyordu ve buradan doğan çelişkiler yaşanıyordu. Ayrıca isyankâr delikanlılar da vardı.

> En çok öğretmene dikkat etmemiz lazım. Bizde model hep öğretmenlerdir, anlattıklarıyla bir dünya kurarlar. Öğretmen iyiyse, toplumunu kurtarır.

Türkan Hanım bunların hepsini adam etti, yola getirdi. Bu tipte hoca çok azdır. Türk maarifi Tanzimat'tan beri işte bu öğretmeni hazırlamıştı. Ahmet Cevdet Paşa'nın kurduğu, kadın-erkek öğretmen yetiştiren sistem bir öncüydü. Türkiye Cumhuriyeti bunu devam ettirdi ama ne acı ki 70'lerde bu iş bitti. Bugünkü eğitim fakülteleri maalesef eğitim enstitüleriyle bir değildir, onu söyleyeyim. Bunlar hep anlatılacak şeylerdir ama özellikle tekrar belirtmek gerekir ki biz maalesef eğitim enstitüsü öğretmenlerini kaybettik. Ucuz politikalarla, Eğitim Bakanlığı'ndaki çokbilmiş tiplerin icraatıyla bu hâle geldik.

Bir de şu var: Bizde 1950'lerde yeni bir öğretmen tipi çıktı. Bunlar bir iki yıllığına ABD'ye gidiyor, dönerken beraberlerinde orada gördükleri yalan yanlış şeyleri getiriyorlardı. Faraziyelerle, uydurdukları tipolojilerle geliyorlardı. Anlattıkları, aktardıkları şeylerin çoğu kendi hayallerine dayanıyordu. Sırası gelince bunların neler olduğundan bahsedelim. Neticede bu insanlar çok önemli mevkilere ulaştılar. Bazıları maalesef eğitim profesörlüğüne kadar çıkmıştır. Sonuç, bugün gelinen nokta ortada... Bence eğitim fakültelerinin fonksiyonu daha başlarda bitmiştir. Ben bunlarla lise eğitimi verilebileceğine inanmıyorum. Başka yollar aranması lazım.

Nedir o yollar?

Klasik yöntemlere dönülmesi gerekiyor. Üniversite eğitimi görenler öğretmenlik sertifikası alacaksa, ciddi bir pedagojik ilaveye ihtiyaç var. Bunları sağlayamazsak gelecek kuşakları da bitiririz. Pedagoji çok önemli...

Dışarıdan örnek vereyim. Almanya'daki, Fransa'daki akranlarımı hep milliyetçi, muhafazakâr öğretmenler yetiştirmiş; bu arkadaşlar da o günlerde onlardan nefret etmişler. Ama sonra, "Bunlar iyiymiş yahu!" demişler. Çünkü zaman geçtikçe derslerine sosyalizan veya yeşilci tipler girmeye başlamış. Bu adamlar derse, sırtlarında Yunanistan veya Türkiye'den aldıkları heybelerle giriyormuş. Çok kişiden dinledim; bu tipler, ayaklarında sandaletler, çarıklar; birtakım şeyler anlatıyorlar. Güya tartışma açıyorlar. Lisede tartışma açsan ne olur! Bunlardan ders görenler, mezun olduktan sonra, "Hiçbir şey öğretmemiş bize," demiş. Bunu bana anlattılar. Arkadaşlarım bu öğretmenlerini de en başta çok sevmişler ama sonradan, "Bize hiçbir şey anlatmadı!" diye hayıflanmışlar.

Benzerini ben de görüp yaşadım. Bu ikinci grup öğretmenlerden üniversitede de vardı. Berlin'de bir kısa sömestr kalmıştım; orada bu tip, reform dalgaları sırasında kolay tırmanmış bir profesör tanıdım. Öğrencileri onu şöyle anlatıyordu: "Birden herkesin gözdesi olur ama dönem sonunda tatava olduğunu anlarsın."

Bu işler böyledir. Öğretmen dediğin ciddi, işini seven, öğreten insan olacak. Bunun sağı solu olmaz. Benim Atatürk Lisesi'ndeki hocalarımın sağcısı da solcusu da mevcuttu; ama öğrencilerine edebiyatın, matematiğin, biyolojinin, coğrafyanın iyisini öğretirlerdi. Çocuklar böyle şekillenir. İşte çocukları şekillendirecek o öğretmeni çok iyi yetiştirmek gerekir.

Nasıl olacak o iş? Evvela kendi alanımdan söyleyeyim. Liselerdeki tarih öğretmenlerini adamakıllı yetiştireceksin. Sonra lisan öğrenmeyen tarih öğretmenlerini de mesleğe almayacaksın. İyi öğretmen yetiştirmek için, Fransa'da bugün de takip edilen yöntemi yerleştirmek lazım. Fransızlar felsefe, tarih, matematikte hususi imtihan açar. Lise profesörü diye bir unvan vardır, nitekim orada efsane lise profesörleri yetişmiştir. Bizim de bu şekilde seçkin öğretmenler yetiştirmemiz lazım. Bu işi ancak böyle hallederiz.

Öğretmen konusunu şimdilik bir kenara bırakalım; sistemin kendi açmazlarına, tartışmalarına girelim. Sık gündeme gelen bir konuyu sormak istiyorum. İmam-hatip okulları bir çözüm müdür? Sayılarının artması çok tartışılıyor. Eskiden bir alternatif gözüyle bakılırken şimdi sistemin göbeğine yerleşiyorlar. Ne diyorsunuz?

Ülkedeki imam-hatip okullarının sayıca çokluğu malum... Bu hâliyle ve bu sayıyla imam-hatiplerin bir işlerliği yoktur. Bunların, bu dal için gerekli olan Arapça, Farsça ve Batı dilini verecek durumda bulunmadığı açık... Bu konuda iddialıysan, gerçek bir eğitim vermek istiyorsan; eğittiğin çocuğa iki ölü, iki diri dil öğreteceksin. Başka türlü olmaz bu iş.

Biz olmayacağını söylüyoruz ama adamlar ısrar ediyor; "Efendim biz iyi birer imam-hatip yetiştireceğiz," diyorlar. Tabii ki yetiştirirsin ama bu, bugünkü eğitimle olmaz.

Dışarıdan bir örnek vereyim. Benim keşiş bir meslektaşım vardı; Pere Outtier. Bir Benediktin keşişiydi; kaldığı manastır Mans (Paris civarında) filoloji fakültesi gibiydi. Bu keşiş, Kafkasya araştırmalarında önde gelen bir Fransız bilginiydi. Gürcüce, Ermenice biliyordu; iki nadir Kafkas dilinin uzmanıydı. Bir sempozyumda tanışmıştık, orada herkesi kendine hayran bırakmıştı. Tarikatının kara cübbesine bürünmüştü ki onun yaşında ve fiziğindeki genç adamlar bunu tercih etmezdi. Terbiyeliydi, bilgisi derindi ve tevazu sahibiydi. Sunduğu tebliğ de çok başarılıydı. Çok açık ki Pere Outtier tek başına değildi; bulunduğu manastırda, onun gibi yeryüzü coğrafyasının çeşitli dillerinin uzmanı başka keşişler de vardı. Manastırdaki diğer keşişler Çince biliyor, eski metin okuyorlardı. Yeni bir şey değil, bunlar Ortaçağlardan beri böyle yapmış. Okul işte bu şekilde kurulur.

> İmam-hatiplerde gerçek bir eğitim vermek istiyorsan, eğittiğin çocuğa iki ölü, iki diri dil öğreteceksin. Başka türlü olmaz bu iş.

Biz proje de önerdik; "Böyle bir imam-hatip olması lazım," dedik. Dinlemediler bile. İmam-hatip okulu birilerine göre ucuza mal olan okuldur, milletin de kendini bu okulla özdeşleştireceği düşünülür. Hâlbuki alakası yok, bu aranan şeyin fonksiyonu değişiktir. Orada yetişen çocukların Arapça da öğreneceği yoktur. Çünkü bu lisanı öğretecek kimse mevcut değildir. Siz Türkiye gibi lisan öğretmemekle tanınan bir memlekette; beş yüz, yahut bin imam-hatip okulunda, iki bin tane iyi Arapça uzmanı istihdam edebileceğinizi iddia edebilir misiniz? Böyle insanlar yok ki ortada. Kendinizi kandırmayın!

Peki sayı ne olmalı?

Çok açık ki Türkiye'ye bin tane imam-hatip okulu lazım değil. Sayılar mütevazı, okullar da tam teşekküllü olmalı. Bunlarda doğru dürüst Batı dili, doğru dürüst Doğu dili, doğru dürüst ölü diller, doğru dürüst diri dillerin yanı sıra; doğru dürüst coğrafya, edebiyat, mantık ve matematik öğretirsen, o zaman kimsenin de kimseye yobaz diyecek hâli kalmaz. Kimse nitelikli yetişen öğrenciyle, onun öğretmeniyle uğraşmaz. Ama dediğim gibi şimdiki okullar maalesef bunu yapacak; Arapça, Farsça, Osmanlıca öğretecek durumda değil.

Bunu kim yapıyor biliyor musun? Katolik Kilisesi yapıyor. Kilise; Papa II. Jean Paul gibi, onun Papa olmasında büyük etkisi olan Kardinal König gibi adamları köylerinde bulup yetiştiriyor. Kardinallere şöyle bir bak, konuşmalarını takip et; zaten anlarsın. Çoğu, "Bizim köyde şöyleydi, böyleydi," diye anlatır. Niye? Çünkü onlar köylü çocuklarıdır. Ama kilise onları öyle bir hallihamur etmiştir ki... Acaba bu yapı başka neyi hatırlatıyor sana?

Enderun'u?

Evet, Enderun. Osmanlı İmparatorluğu'nda Enderun da öyle dağdan, köyden çocuk toplardı. Bu şekilde Osmanlı aristokrasisinin en rafine adamlarını çıkarmıştır. Topkapı'nın Enderun'u ile Katolik Kilisesi'nin eğitimi... Yanlarına çok başka örnekler de koyamazsın. Bu tarz bir eğitimle ortaya özel insanlar çıkar. Osmanlı'dan başka bir örnek daha vereyim: Sınai mektepleri. Kurucularının başında Midhat Paşa'nın geldiği bu mektepleri bir an evvel geliştirmek, yaymak durumundayız. Buradan çıkacak çocukların da üzerinde durmak zorundayız. Sırası gelince konuşuruz, zira elit eğitim onları da kapsar.

Ders kitapları da pek iç açmıyor. İçlerinde pek çok sıkıntı, pürüz var; her an su kaynatmaya müsait... Ne dersiniz hocam?

Öğretmenden sonra eğitimin araçları sonsuz... Saymakla da bitmiyor ki... Ama sistematik düşünmeyi öğretmeyen; renksiz, kokusuz bir eğitimimiz var. Ders kitapları da ona göre, aralarında çok fazla derleme bulunuyor. Matematik ders kitapları bile rastgele bir şekilde yabancı kitaplardan derlenmiş. Elbette matematiğin millîsi olmaz ama müfredatın iyi takip edilmediği açık...

Eğitimini geliştiren ülkeler çoktan bu tür problemleri aştı, ne var ki bizim sistemimiz aşamadı. Talebeye aşırı ders yükleyip matematikte-geometride düşünmeyi, temel kavramları, postulatları yeterince öğretmeden; onu doğrudan problem çözmeye sevk eden bir sistem bu.

Kendi alanınızdaki kitapları nasıl buluyorsunuz?

Çok açık ki renksizliği tarih alanında da hissediyorsunuz. Tarih kitaplarımızda kullanılan üslup, mukayeseli bir eğitime imkân vermiyor. Dünyanın her yanında ders kitapları sıkıcı olabilir, ama üslup bakımından bizimkisi kadar fakir olanı çok azdır. Tarihte müfredat sıkıntısı da yine fazladır. Bir nesilden diğerine, tarih derslerinin müfredatı değişiyor. Üstelik bunlar zamana ve zemine uyan, araştırmaların getirdiği yenilikleri takip eden zaruri değişimler değil.

Bizim nesil; ortaokulda Eskiçağ ve Ortaçağ tarihi, Bizans, Yunan-Roma tarihi, Osmanlı tarihi öğrendi. Lisede de bunların daha gelişkin bir versiyonunu gördük. Sonra tüm bunların yerine "millî" tarih eğitimi başladı, Avrupa ve dünya tarihi ihmal edildi. 30-40 yıllık bir süreçten bahsediyorum. Ama şu unutuldu: Türkler olmadan Avrupa ve dünya tarihini anlamak zaten mümkün değildir. Bizi de dünyasız anlamak mümkün değil. Şüphesiz bu noktada daha dengeli olmak gerekir.

İmtihan sisteminden de hoşnut değilsiniz.

İyi bir merkezî imtihan sistemine sahip olmadığımızdan bahsetmiştim. Tekrara lüzum varsa tekrar edelim: Merkezî imtihan sistemimiz kötü... İyi sorular hazırlanmıyor. Puanlama ilkeleri düzgün değil. Evvela bunları düzeltmek lazım. Sonra öğrencilere bir olgunluk imtihanı getirmemiz gerekiyor. Öğretmenlere de ayrıca bir imtihan düşünmemiz lazım.

Bunlarla beraber ele almak gereken bir konu daha var: Öğrenci sayısını da düşürmeliyiz. Arada bir, "Eskiden sınıflar çok kalabalıktı," diye bahsi geçiyor ama öyle söylendiği gibi 80 kişilik sınıflar hiç olmadı. 60'a kadar çıktığını bilirim ama 80'e hiç yükselmedi. Mamafih sorun ortada. Kalabalıkla çağdaş eğitim olmaz. Sınıflar küçük ve öğretmenler çok olacak, ideali budur.

> Küçük sınıf, çok öğretmen... İdeali budur. Yalnız ilköğretimde anne-baba gibi, tek bir öğretmen olmalı ve çocuk da onu model almalı.

Yalnız ilköğretimde çocukların başında tek öğretmen olmalı. Anne-baba gibi, tek bir öğretmen olacak ve çocuk da tek öğretmeni tanıyıp onu model alacak. Birden fazla öğretmene ilköğretimden sonra geçilmesi gerekir ve bu çok önemlidir.

Bizim dönemdeki Anadolu liselerini, "her derslikte 36 öğrenci" diye formüle etmişlerdi.

Anadolu liselerindeki rakam iyidir. Zaten o liselerde önemli bir ortak zemin vardı. Kastamonu, Konya, Diyarbakır, Afyon; hangisini bitirirsen bitir, netice üç aşağı beş yukarı aynıydı. İster Kabataş'ta oku ister Mersin'de, fark etmiyordu; aynı eğitimi alıyordun. Bu iyi bir şeydir.

Ama taşraya, kasabalara güzelleme yapmanın da çok gereği yok. Çünkü şehrin kendisinin de öğrenci üzerinde çok etkisi vardır. Taşra kasabaları bazen olumsuz etkide bulunup öğrenciyi boğar, bu yüzden çocuğa bir çıkış kapısı sunmak gerekir. Okul bu kapı olabilir, oluyorsa iyidir.

Bizim Halil Hoca (İnalcık) anlatıyordu. Babası ölmüş, iki kardeşi ve anasıyla kalmış. Anne; çocukları hep bursla, yatılı okutmuş. Halil Bey'in, İstanbul'dan, bir şeyh ailesinden geldiğini de belirtelim. İşte o dönemde Balıkesir Öğretmen Okulu'na gitmiş. Ama şehri o kadar tatsız bulmuş ki... Balıkesir sosyal hayat itibariyle küçük insanın kâm alacağı bir yer değildir. Üstelik bugün de öyledir, hiçbir şeyi uygun değildir. Ben bir yerin nasıl olduğunu öğrenmek için, küçük insanın nelerle mutlu olduğuna, şehirden ne kadar istifade edebildiğine bakarım. Çünkü burjuvazi yolunu her yerde bulur ama küçük insan bulamaz. Burjuvazi her yerde mutlu olabilir, küçük insan olamaz.

Bir şehrin, bir kasabanın iyiliğinin ölçüsü, küçük insanın mutluluğudur diyebilir miyiz o hâlde?

Paris neden Paris'tir? Çünkü orada az parayla da eğlenebilirsin. Eğitime öğrenime uygun bir şehirdir. İllâ burjuva olmaya gerek yoktur. İstanbul'u soracaksın, biliyorum; sen sormadan söyleyeyim. İstanbul bu açıdan iyice bir şehirdi, şimdi değil. Ankara çok iyiydi, şimdi hiç değil. Olmadı; yapamadık, götüremedik biz bu işi.

Bugün İstanbul'da, Ankara'da küçük bir insansan adım atamazsın. Attığın adımla iyi bir yere ulaşman mümkün değildir. Küçük insanlar da bu yüzden bulundukları yer neresiyse, orada oturup kalır. Şehir onları

> Bir şehrin nasıl bir yer olduğunu öğrenmek için, küçük insanın nelerle mutlu olduğuna bakın. Onlar şehirden istifade edebiliyorsa, orası iyi bir şehirdir. Burjuvazi yolunu her yerde bulur ama küçük insan bulamaz.

hapseder. Tıpkı bir zaman Balıkesir'in Halil Bey'i neredeyse hapsedeceği, mahvedeceği gibi...

Hoca Balıkesir'de okurken, "İntihar etmeyi düşündüm bir ara," dedi. Ne kadar acı! Çok da zeki bir çocuktan bahsediyoruz. Neyse ki o şehirde öğretmenlik yapan Abdülbaki Gölpınarlı çıkmış, Nusret Kürkçüoğlu çıkmış; onun önüne düşmüşler. Dikkat et, bunlar büyük alimler. Halil Bey'in şansına, bu isimler o sırada Balıkesir'de görev yapıyordu; sonra üniversiteye geçtiler. Geçmeden evvel Nusret Hoca, Halil Bey'e çok iyi derecede matematik ve fizik öğretmiş. Halil Bey de bu tesirle evvela mühendis olmak istemiş. Gölpınarlı'yı zaten anlatmaya gerek yok, müthiş bir edebiyatçıydı; o da Halil Bey'i çok etkilemiş. Gölpınarlı'nın Halil Bey üzerindeki bu tesiri çok önemlidir, sonuçları olmuştur. Sana bir şey söyleyeyim, Halil Hoca ölene kadar Türkiye'nin en büyük edebiyat tarihçisiydi. Gölpınarlı'dan aldığı eğitimle başlayarak bu yola girmiştir. Elbette Orhan Şaik Gökyay veya Gölpınarlı'nın kendisiyle yarışamazdı ama kimse kusura bakmasın, bugünkülerden çok daha iyiydi. *Fuzuli Divani*'nı Farsçasından okurdu. Bütün nazım sanatlarını bilir, şiir yazardı. Nereden nereye...

Halil İnalcık tek değil, Cumhuriyet'in taşradan çıkan epey önemli aydını var. Aziz Sancar örneğin Mardin'den geliyor. Demek ki öğretmenler bir dönem çok etkili olmuş.

Evet; işte öğretmenlerin bu gibi çocukların farkına varması, onları işlemesi lazım. Demek ki iyi öğretmen şart... İlginçtir, bahsettiğim dönemde neredeyse bütün taşra böyleydi, istisnai isim çoktu. Pertev Naili Boratav Konya'ya sürülmüştü, Nihal Atsız Malatya'daydı. Gazi Yaşargil nereden yetişti sanıyoruz? Polatlı'dan Ankara'ya geldi; Atatürk Lisesi'nde, Latince bölümünde okumuştu. Bunlar çok önemli çizgiler azizim. Eh, İsmet Paşa'nın oğlu Erdal İnönü de Gazi Lisesi'nde okudu. Aziz Sancar Mardin'den çıkmış. İşte mesele budur. Demek ki herkese eşit eğitim sağlanıyordu; Mardin'de ya da Diyarbakır'da, Ankara'da öğretilenden farklı, eksik bir şey öğretilmiyordu. Görülüyor ki Aziz Sancar'a en az Kabataş'taki kadar kimya öğretilmiştir.

Bir de o dönemin öğretmenleri epey enteresandı. Matematikçi matematiğe kafası basanları hemen saptar, onlarla iyice uğraşırdı. Kendisi de derslerine iyi hazırlanırdı. Şunu bilirdi çünkü; kendini yetiştirmezse, dersine iyi hazırlanmazsa, zeki çocuğun karşısında mahvolurdu. Edebiyatçı da aynı şekilde davranırdı. Onlar da kendini hazırlar ve öğrenciler arasındaki edebiyatçı takımıyla uğraşırdı.

> Öğretmenler artık rol modeli, kanaat önderi olarak aramızda değil. Acilen ve de bir lider olarak geri dönmeleri gerekiyor.

Şimdi bunu artık göremiyoruz. Bizim hayatlarımızda öğretmenin yeri artık yok. Ama acilen aramızdaki yerlerini geri almaları gerekiyor. Öğretmenlerin hayatlarımıza geri dönmesi gerekiyor, hem de birer lider olarak.

Bu çok önemli bir saptama... Ağır da bir söz... "Bizim hayatlarımızda öğretmenin yeri yok artık." Bana çok dokunuyor bu.

Biliyor musun, kademe kademe Batı da bu hâle geldi. İlginçtir; Avrupa'da bu yapı çözüldü, sona erdi. Üstelik bunu sosyal demokratlar yaptı. Herkese lise diploması verdiler. Böylelikle geri kalmış bir öğretmenler takımı ortaya çıktı. Hiçbir şey görmüyorlar, insandan anlamıyorlar. Avrupa'da da artık o eski öğretmen yok. Bugünküler kendilerini adamıyorlar, idealist değiller, işi bilmiyorlar.

Bize de geldi bu yöntem, hem de çok vahim bir şekilde. Çok başka politik boyutlarla, çatışma boyutuyla geldi. Bu yüzden de işin tadı kaçtı. Artık eğitimle uğraşılmıyor, belki birkaç kişi bu yönde çabalıyordur ama onları da ara ki bulasın. Bir lisenin müdürü iyiyse, becerikliyse, istedikleri öğretmenleri getirebiliyorsa; orası iyi bir lise hâline geliyor. Anadolu lisesi için de böyle, imam-hatip okulları için de. İyi imam-hatiplere bakın, müdürünün becerikli olduğunu görürsünüz. O müdür gidince okul da çöküyor.

Buna epey dikkat ettim. Türkiye'de öğretmen en önemli meseledir. Bu öğretmenlerimizi ıslah etmezsek, ellerinden tutmazsak, yeni nesillerini olsun kurtaramazsak, yaşam kalitelerini yükseltmezsek, niteliklerini desteklemezsek, onları fakirlikten çıkaramazsak, gelecek nesillerin hayatı düzelmez. Yoksa bizleri bekleyen hüsrandır.

Bunu nasıl sağlayacağız?

Seçkinci, elit bir eğitim vererek sağlayacağız. Şunun üzerinde ısrarla durmamız gerekiyor: Eğitim doğrudan doğruya elitist olmak zorundadır. Elit olmaktan korkmayın. Bu utanılacak bir şey değildir. Elitist olmayan, elitlerini iyi değerlendiremeyen bir toplum dekadansa (inhilâl) mahkûmdur. Çok açık ki insanların aklını ve kabiliyetini eşitleyemezsiniz, demek ki bu akla ve kabiliyete göre bir eğitim vermeniz gerekecek.

Elit olmaktan kastınız nedir hocam?

Elitlik, işini iyi yapan insanların toplumda dikeyine sınıflandırılmasıdır. Elit sistem demek irsî aristokratlık, soyluluk değildir; paranın elitizmi değildir; aklın, yeteneğin elitizmidir. Aklın elitizmi de illâ ki matematik, fizik dâhisini çıkaracak bir elitizm değildir; el emeği uzmanlarının da eliti vardır; yani parmakların ve ellerin de eliti

Elit (seçkin) olmaktan, elitist bir eğitim aramaktan, talep etmekten korkmayın. Elitlerimizi iyi değerlendirememekten korkun. Çünkü böyle bir toplum gerilemeye mahkûmdur.

159

bulunur. Söz gelimi, Türkiye'de benim tanıdığım en elit insanlardan biri döşemeciler loncasının eski başkanlarından Hüsnü Diker Usta'ydı. Ben onu derse davet ederdim, ölene dek de ettim.

Hüsnü Diker tam bir lonca ustasıydı. Anlatırdı; kalfa olmak için üç sene bozmuş dikmiş, bozmuş dikmiş; bir koltuğa döşeme yapmış. Yani bir nevi doçentlik tezi hazırlamış. Anlayacağın, oracıkta imtihan ediliyor. Bütün ustalar toplanmış, koltuğa bakıyor; "Aa bu iyi," diyorlar; "Peştemal kuşatacağız," diyorlar. Demek ki akademideki gibi cübbe giydiriyorlar. Hüsnü Usta da herkesin elini öpüyor.

O, "Şimdikilerin yaptığına döşeme denmez. Bunlar semerdir, büyükannem de yapar," derdi. Bu tabii bir eğitim meselesidir. Bugün o zanaatla uğraşırsanız, *Hüsnü Usta dikişi* diye bir dikiş olduğunu görürsünüz. Adam hususi bir dikiş geliştirmiş; yani ordinaryüslüğe ulaşmış, metot bırakmış. Ardından devamlı yaşayan eser, iş ve anılan isim bırakan hoca, sanatçı veya asker pek azdır.

"Hüsnü Usta da bir ordinaryüs profesör kadar elittir," diyorsunuz yani. Doğru mu anladım?

Evet, demek ki bir döşemeciyi ve bir ordinaryüs profesörü karşılaştırabilirsiniz. O döşemeci, yeri geldiğinde, bir profesöre göre toplumsal faydası daha yüksek ve daha saygın bir insandır. Ben hayatımda Ordinaryüs Profesör Ömer Lütfi Barkan'ı da tanıdım, Döşemeciler Loncası Kâhyası Hüsnü Diker'i de. İkisinin birbirinden farkı olmadığı açıktır. Eşit derecede ilginç

> Elitlik, illâ paranın veya mülkün gücüne sahip olmak veya iktidar üyesi olmak demek değildir; illâ bir diploma almak da değildir. Elit lafından zinhar kaçınmayacaksınız. Tam aksine, çocuklarımızın bir düstur olarak elit biçimde yetişmesi gerekiyor.

adamlardı. Literatürde isimleri vardır. Dedim ya, Hüsnü Usta rahmetli, kendine göre bir dikiş bulup bırakmış; keza Barkan'ın eserlerini de hâlâ kullanıyoruz.

Yani elitin tarifi öyle sanıldığı gibi değildir. Elitlik, illâ paranın veya mülkün gücüne sahip olmak veya iktidar üyesi olmak demek değildir; illâ bir diploma almak da değildir. Toplum bunu iyi tespit edip örgütlenmelidir. Elit lafından zinhar kaçınmayacaksınız. Tam aksine, çocuklarımızın bir düstur olarak elit biçimde yetişmesi gerekiyor. Bu çizgi etrafında gelişemeyen, yetenekli insanlarını değerlendiremeyen bir eğitim sistemi zaten dolandırıcılık demektir.

O hâlde ilk olarak yeteneklerimizin saptanması gerekiyor. Neye yatkınız, onun anlaşılması gerekiyor. Ama bunun için de önce herhâlde velilerin durumu anlaması önemli...

Şüphesiz! Yanılgı şuradan başlıyor: Türk halkı, eğitimi yukarı tırmanmak için bir araç olarak görüyor. En zor durumdaki köylüden şehirdeki bürokrata, serbest meslek sahibinden büyük tüccar ve sanayiciye kadar bu böyle. Hâlbuki ABD'nin en iyi okullarında okuyanların bile hayatta başarılı olma garantisi yok. Chicago'da mesela müthiş bir fizik bölümü vardır. Lakin ben orayı bitirip fazla bir şey olmayanı da gördüm. Bu kişi gençken apartman kâhyalığı yapmış; okulu bitirmiş, aynı yerde devam ediyor. Chicago'da fizik doktorası yapmış olsa da... İşte bir başkası; yine önemli bir üniversitenin kimya bölümünü bitirmiş, basit bir kolejde öğretmenlik yapıyor.

Bu çok barizdir, üniversiteden çıkan her öğrenci bir yere gelecek diye bir kural yoktur. Okul birtakım şanslar verir ama şans ancak onları kullanabilirsen geçerli olur. Buna da insanlar kanidir. Bizde öyle bir şey yok. İnsanlar, "Oradan çıkınca otomatikman bir yere yerleşeceğiz," zannediyorlar. Yine bizde insanlar, çocuklarının belli bir okula giderse adam olacağını zannediyorlar; Amerika'daki herhangi bir okulla işi çözeceklerini sanıyorlar. Dahası bu yaptıklarını elitizm olarak görüyorlar. Ve maalesef yanılıyorlar.

Ne eliti? ABD'de yüzlerce üniversite var. Yeryüzünün en prestijli üniversiteleri de, düzenbazca diploma veren üniversiteleri de orada. Dolayısıyla ABD'de herhangi bir üniversitede okuyan kendini elit zannediyor. Türkiye'de üst sınıfın çocuklarını Levent'ten Aksaray'a bırakırsan simit bile alamazlar. Hâlbuki elit okulun çocuğu aslında gözü açık olur, dünyaya intibak eder. Bizde elit çocuk diye yetiştirilenlerin neyin eliti olduğunu anlamak zor.

Elit çocuk kimdir peki?

Elit çocuk, yeteneği daha okula başlamadan tespit edilmiş ve ona göre bir okula kabul edilmiş çocuktur. Ayrıca, onun yeteneğine göre bir okul halihazırda kurulmuştur. Bunun da sıkıntısını çekmez. Bu arada yeteneğin zengini fakiri olmaz, o yüzden elitin de olmaz. İngiltere'de her lord çocuğunun Eton College'a gittiğini mi zannediyorsunuz siz? Eton'da lordlar okur, doğru; ama orası sadece lord çocukları için değildir. Eton, kafası çalışan çocuklar için kurulmuştur; orada yeteneğe bakarlar. Viyana'daki Theresianum veya Schottengymnasium'a çok üstün ailelerin çocukları gidiyor ama kontun çocuğunun yanında kontun şoförünün çocuğu da orada okur. Böyle insanları gördük.

Marangozluğa, demirciliğe yeteneği olan da ona göre okur. Prenses Margaret'in oğlu; yani Lord Snowdon iyi marangozdur, mobilyacıdır. Ama onun da

Kimi çocuğun tarihe, hukuka kabiliyeti vardır; kiminin de marangozluğa... Onları elit bir hukukçu, elit bir marangoz olarak yetiştirmemiz gerekir. Sürpriz rol modelleri var. Olağanüstü kabiliyetli bir marangoz olan II. Abdülhamid, padişah olmasa, piyasada marangozluk işi tutsa milyarder olurdu.

eksiği var! Bir karşılaştığımızda kendisine, "Sizin grubun piri kimdir?" diye sormuştum. Bilemedi! Kim olduğunu sana söyleyeyim. Çok açık ki II. Abdülhamid Han, emperyal marangozların en büyüğü, en kabiliyetlisidir. Padişah olmasa, piyasada marangozluk işi tutsa milyarder olurdu. Avrupa çapında mobilya çıkarırdı. Yaptığı işler ortadadır fakat kimsenin haberi yok. Müzeye, saraya bir iki masasını koyarlar ama kimse gidip de Şeyhülislamlık'taki, yani İstanbul Müftülüğü'ndeki Şeriye Sicili arşivlerinde bulunan raflarına bakmaz. II. Abdülhamid, abartmıyorum, marangozluk alanında bir dehadır. 16'ncı asırdan kalma evrakın hem hava almasını hem de bozulup kurtlanmamasını temin eden enteresan dolaplar imal etmiştir. Nasıl bir perde çekmiş, kavelaları nasıl yerleştirmiş! Tam bir marangozluk dehası...

Biraz da şimdiki nesiller üzerine konuşalım. Bugün üniversite sınavına girecek gençler kendilerini nasıl hazırlamalı?

Nasıl hazırlanacakları hiç fark etmez. Ama önce şunun farkına varsınlar; aldatılıyorlar! Açık konuşacağım; bilmem nerelerde üniversiteler açılıyor, bu çocuklar da oralara gidince hayatlarının düzeleceğini sanıyor. Ama söylüyorum; iyi olmayan üniversiteye gideceklerine, üniversiteye gitmesinler. Gitmeyin!

Çok açık ki siyasetçilerin bu işe çok girmemesi gerekiyor. Bir gün bir konferansta konuşuyordum. Eski bir politikacı, hemşehrilerinin sempatisini kazanmak için, hiçbir bağı yokken kalkıp bana tenkitte bulundu. Kendisinin çıktığı şehirden

> Bilmem nerelerde üniversiteler açılıyor, bizim çocuklarımız da oralara gidince kurtulacaklarını zannediyorlar.
> Ama söylüyorum; iyi olmayan üniversiteye gideceklerine, üniversiteye gitmesinler.

bahsederek, "Efendim '…'mızı küçümsemeyin," dedi. Öyle bir hava yoktu, savunmaya geçmedim ama kürsüden indikten sonra ona şunları söyledim; "Yanlış anladınız, mühim değil fakat size bir hususu açıklamam lazım. Biz tarihçiler sizi sevmiyoruz. Çünkü arşivimizi mahvettiniz. Arşiv binamızı elimizden alıp İstanbul polisine verdiniz. O bina İstanbul polisinin dişinin kovuğuna gitmezdi, nitekim üç sene sonra da çıktılar zaten. Biz bunu unutmuyoruz."

Çok açık ki burada önemli bir nokta var. Siyasetçiler bu işlerden uzak dursun, herkes bildiği işi yapsın.

Peki öğrenciler kendilerini nasıl geliştirecek? Karşınıza gelecek bu öğrenciler bireysel olarak ne yapsınlar?

Evvela hayatın diplomadan ibaret olmadığını bilsinler. Diploma, insanlara bizim zamanımızdaki gibi imkânlar vermiyor. Hatta hiçbir şey vermiyor! Okuyacağız diye rastgele yerlere gidip ne kendi hayatlarını ne de ailelerinin cebini mahvetsinler. Oralarda üniversite olmaz! Bu kadar açık…

Çocuk iyi bir üniversiteye geldiyse de çalışacak, çalışacak, çalışacak… Hakkını vere vere çalışacak; bu kadar basittir. Talebe kantinde oturmaz; Avrupa'da, Amerika'da öyle kantinde oturan öğrenci görmezsin. Bir öğrenci kantine girer; yiyeceğini alır, kahvesini içip gider. Bu da en fazla 15-20 dakika sürer, katiyen yarım saat değildir. Çok açık ki kantinde oturanlar tembeldir. Eğer hocalar arasında da oralarda bir saat oturanlar varsa, onlar da dalgacıdır. Bu satırları okuyan öğrenciler bunu da not etsinler. Hocanız kantinde çok oturuyorsa o da tembeldir!

Hocam, insan, hayatının bu ilk döneminde, üstelik çok da tecrübesizken, geri kalan tüm hayatını etkileyecek bir seçim yapıyor; mesleğini seçiyor. Burada kriterler ne olmalı?

Buna sosyal bilimlerde, kendi alanım ve ilgilerim doğrultusunda cevap verebilirim. Evvela söylemek lazım: Tahsil yaparken, her dalda olduğu gibi tarih ve filoloji dallarında da neyin seçileceği fevkalade önemlidir. Genellikle bizim üniversite sistemimizde, mühendislik, tıp, hukuk gibi dallarda tutunamayanlar, çaresiz edebiyat fakültesine ya da Dil Tarih Coğrafya Fakültesi'nin (DTCF) bölümlerine giderlerdi. Bu şekilde elbette bir yanılgıya düşmüş olurlardı. Yanlış meslek seçimi daha başlangıçtan bir tıkanıklığa mahkûm olacağınız anlamına gelir. Derslerinizi bir gayet başarıyla tamamlayıp diploma alsanız, hatta kürsüdeki asistan ihtiyacı dolayısıyla üniversitede kalsanız bile, bu yola ileride devam etmeniz çok güçtür. Çünkü bu dallar normal bir gayretle yürünebilecek dallar değildir; her şeyden evvel çok merak ve aşırı bir çalışma isterler. Sosyal hayatınızda ve iktisadi durumunuzda bazı imkânların bulunması gerekir.

Bunlara Britanya'da aristokratlar arasında *gentlemen's science*[36] denirdi. Bizdeyse bu işler ancak Cumhuriyet'te, Kemalist dönemde, devlet desteğiyle gerçekleşmiştir; yetenekli öğrencilerin bu dallara alınması, bursla okutulması ve hatta Avrupa'ya gönderilmesiyle bir şeyler başarılabilmiştir. Fakat böyle bir sistemin sürekli yürütülmesi mümkün değildir. Demek ki tercihi yapan öğrenciye de iş düşecek, nereye ne gayeyle geldiğini bilecek. Tıpkı hukuk fakültelerinde Roma Hukuku'nu seçenlerin piyasadaki avukatlıktan veya hukukçuluktan çok, artık kendi kütüphanelerine kapanıp bazı şeyleri fisebilillah incelemelerinin gerekli olması gibi. Bu başka türlü bir atmosfer; başka bir hava ister.

Hangi dalları kuşatan bir atmosferden bahsediyorsunuz?

Ciddi gerilemenin başladığı dallardan söz ediyorum. Mesela Fars tetkiklerinde bir gerileme söz konusuydu. Lisan bahsinde

---

36 Centilmenlerin bilimi. Burada "hâli vakti yerinde olanların" anlamında kullanılıyor.

değinmiştim; şimdiki gençlik bunu telafi ediyor. Zannediyorum ki Fars dilinin meraklıları, o edebiyatın büyüsüne kapılanlar ortaya çıktı; ama yetmez. Sasaniler ve Ahamanişler devirlerinin medeniyetine gitmek lazım, yani Pehlevice metinleri okumak gerekir. Zaten öteden beri istenen de buydu; "O metinlerde Türk tarihi hakkında bazı izler bulur muyuz?" deniyordu. Gene aynı şekilde, Mezopotamya tetkiklerinde de Türklerin çekilmesi söz konusudur. Sümeroloji ve Asiroloji bunların başında gelir. Hatta bir vakitler Sedat Alp'ın kişiliğinde temsil ettiğimiz Hititolojide bile artık o kadar çok aday yok.

DTCF kurulduğunda Hindoloji ve Çin tetkiklerine çok önem verilmişti. Hindolojiye gelen Walter Ruben, daha sonra Doğu Almanya'ya gitmiştir. Çok tanınmış bir Hint dilleri uzmanıydı; Sanskrit ve Hindi bilirdi. Çin tetkikleri (Sinoloji) için ülkemize gelen kişi de, bu alanın dünyadaki en önemli isimlerinden Wolfram Eberdhart'tır. Yani biz bir yerlerdeydik; geriliyoruz. Çin'le ilgili eğitim, Çin'in piyasaya çıkışı dolayısıyla pratik olarak talip buluyor; rağbet görüyor. Hâlbuki bizim beklediğimiz asıl eski Çin tarihiyle ilgilenilmesidir; ilkçağ ve ortaçağ metinleri üzerine eğilmektir. Çünkü bunların tetkik edilmesi sayesinde Türk tarihinin bir safhası aydınlanacaktır.

> Fars tetkikleri, Sinoloji, Hindoloji, Ejiptoloji, Bizantinika, Yunan tetkikleri, Roma-Latin tetkikleri... Bu alanlarda fevkalade geriyiz. Bu dallara merak edip girenler, nitelikli hizmetlerde bulunanlar muhakkak karşılığını alacaklardır.

Ejiptoloji[37] de her zaman Türklerin ilgisi dışında kaldı, nedenini nasılını anlamak son derece zor... Biz Mısır'da 400 sene idarede bulunduk, bizden sonra da gene Türkiye asıllı bir hanedan 1952'ye kadar ülkenin başındaydı. Bütün bunlara rağmen, Ejiptoloji gibi bir dalda Türkler yok. Biz Mısır'ın bu çağını da,

---

37 Mısırbilim.

ortaçağını da, ilkçağını da çok iyi etüt etmek zorunda olan bir milletiz ve bu dala girmemiz lazım. Bizantinika'ya gelince... Bu, Türkler için bir utanç kaynağıdır. 1930'ların sonunda dışarıya öğrenci yollanmasına rağmen bu sahayı dolduramadık. Bugün dahi Bizantinika'nın gelişimi çok yavaş oluyor. Bizans tetkiklerinde Türkiye behemehâl yerini almalıdır. Birkaç uzmanımızın, ki bir elin parmaklarıyla sayılabilirler, lisan konusundaki girişimleri henüz daha yeterli neticeyi vermemiştir. Bir küçük ordunun bu dalda çalışması gerekir. Yeni Yunanistan tetkiklerinde ise büyük bir atılım yaptık. DTCF ve İstanbul Üniversitesi bu konuda önü çekti. Türkler komşunun dilini merak ediyor. Üstelik bu dillleri öğrenenler sadece akademisyenler değil; turist rehberlerini bile kurslarda görüyorsunuz.

Ama bir yere geldik ve takıldık... Nerede? Roma-Latin tetkiklerinde... İmparatorluklar yaşayan milletler, ki Türkler bunlardan biridir; Roma'nın tarihini, siyasi düşüncesini, içtimai anlayışını, askerliğini etüt etmek zorundadır. Bunun için de Roma tarihini okumamız gerekir. "Efendim zaten yazılmış, onları okuyalım," derseniz de olmaz; çünkü Anadolu yani Küçük Asya, Roma İmparatorluğu'nun en verimli ve en yoğun iktisadi-kültürel yaşamını sürdüren bölgelerden biriydi ve buradaki Roma tarihi henüz çok karanlık safhaları olan bir dönemdir. Bizzat bizim çalışmamız gerekir. Binaenaleyh, hem Latinceyi hem imparatorluğun muasır dillerini bilen dil uzmanlarının, arkeologların bulunması fevkalade önemlidir. Eğer bu dallara gerçekten merak duyanlar varsa, buraya girmeleriyle çok önemli işler başarılabilir. Bu dallara hizmet edenler, muhakkak karşılığını bulurlar.

Üniversiteye yerleşmiş olanlarla devam edelim. Öğrencilerin Türkçelerinden memnun musunuz?

Katiyen değilim. Bazı üniversitedekiler iyi çıkıyor, mesela bizim Galatasaray Üniversitesi'ndekiler iyi sayılır. Ama son zamanlarda Türkçenin hâli Ankara Siyasal'da bile kötüydü. Belli ki bazı çocuklar imtihana kopyayla giriyorlar. Yani birileri kopya çekiyor, birileri ter döküyor. Kimse bana eşitlik edebiyatı yapmasın. Eşitliğin tashih edileceği yer üniversite seviyesi değildir.

Bazı çocuklar öyle bir Türkçe konuşuyorlar ki, anlamak mümkün değil. Telefonda bir şeyler söylüyorlar, katiyen anlamıyorum. Bizim kızların, oğlanların en büyük derdi; dişlerinin arkasındaki bir Türkçe ile konuşmak... Bunu da televizyonda gördükleri şarkıcılardan, sunuculardan öğreniyorlar. Vazgeçsinler, böyle bir Türkçe olamaz. Maalesef üzülerek söyleyeceğim ki Türkiye üniversitelerindeki en bozuk şive ve aksan dönemini yaşıyoruz.

Lehçe ve şive her yerde vardır, bunlar her milletin mukaddes kültürel varlığıdır. Kimsenin de şive ve lehçelere laf etmeye, onları elemeye, ortadan kaldırmaya hakkı yoktur. Korunmaları gerekir ama millî eğitimin de onlardan korunması gerekir. Eğitimde şive ve lehçeleri kullanamazsınız. Televizyonda, üniversitede kullanamazsınız. Standardı olan kurumlarda bu böyledir. Fransa'da doçentlik imtihanı safhasında bir deneme dersi verilirdi, o derste adayın dili nasıl kullandığına bakılırdı. Güya bu bizde de vardı, gittikçe önemsizleşti. İngilizcen düzgün değilse, zaten Oxford'a talebe olarak giremezsin.

Bizde buna dikkat edilmiyor, hâlbuki dediğim gibi eskiden edilirdi. Televizyonda hep yanlış telaffuz kullanılıyor. Şimdi bakıyorum, bütün kızlarımız *Ajda* gibi konuşuyor. Türkçe öyle konuşulmaz; dilimiz, diş önünde konuşulan bir dildir. Bunlar, dedim ya, dişlerinin arkasında konuşuyorlar. Ben telefonda her gün birini haşlamak zorunda kalıyorum. Almanca ve Amerikan telaffuzuyla konuşuluyor. Hele telefonda birçok insanın ne dediği hiç anlaşılmıyor. Türkçelerini anlamak mümkün değil. Ne kadar hazin! Ne yapsınlar, neticede televizyona dayadıkları Türkçe de bu. Bence RTÜK, ahlaki denetimle, siyasetle uğraşacağına biraz da bunlara bir baksın; Türkçeyi yanlış kullanana ceza versin.

Biz geçmişte bunları düzeltmek için Harf Devrimi'ni yaptık. Türkçenin sekiz seslisini de kullanabileceğimiz bir alfabemiz var. Eğitimde o geçerlidir, yerel lehçe kullanılmaz. Lehçelerin, fonetik laboratuvarları olur. Tiyatrocular, edebiyatçılar bunları bilip kullanır. İsteyen herkes kullanabilir ama eğitimde değil. Eğitimde genel Türkçe, İstanbul Türkçesi kullanılmalıdır. Dikkat edilecek en önemli unsur da budur. Biz bununla insan yetiştiriyoruz!

Peki öğrencileri dil dışında yeterli görüyor musunuz? Üniversiteye hazır geliyorlar mı?

Katiyen hazır gelmiyorlar, yetişmeden geliyorlar. Dil dışında da eksikleri çok... Liseden çıkan öğrenci maalesef yeterli donanımla gelmiyor üniversiteye. Yeterli donanımı bırak, saptırılmış bir şekilde geliyor. Kronoloji nedir, senkronizasyon nasıl yapılır, tarihte belgelerin önemi nedir, tarih nasıl yapılır; çocuklarımıza bu konular uygulamada değil ama genel havasıyla öğretilmemiş. Bunlar olmadığı zaman, çocuk üniversiteye donanımsız geliyor; hâlbuki bu konular bilinmeden üniversite okunmaz. Unutmayın; geçen senelerde lise imtihanını kazanan iki çocuğumuz, biri erkek biri kız, dağda yaşayan iki çobandı. Bu bize bazı şeyleri göstermiyor mu? Dağda yaşayan çobanlar, muhtemelen gökbilimine şehirdekilerden daha çok hâkimdir; otların arasındaki rabıtayı da daha iyi kuruyorlardır. Bizim eğitimimiz birçok çocuğumuza bunları dahi veremiyor.

Eğitim düzeyini rahatlıkla anladığım bir yöntemim var. Üniversitede bazı imtihanlarda çocuklara harita çizdiriyorum. O haritaların çiziminden elde ettiğim sonuç utanç verici... Bazıları katiyen çizemiyor, komik şeyler karalıyorlar. Şüphesiz haritayı ilkokulda öğrenemeyen insanlar, üniversitede de çizemez. Siz de

> Dağda yaşayan çobanlar, muhtemelen gökbilimine şehirdekilerden daha çok hâkimdir; otların arasındaki rabıtayı da daha iyi kuruyorlardır. Bizim eğitimimiz birçok çocuğumuza bunları dahi veremiyor.

bir insanın aldığı eğitimin düzeyine bakmak istiyorsanız onun nasıl harita çizdiğine bakabilirsiniz, bu gayet teknik bir meseledir. Mesela eski Sovyetler Birliği'nde Moskova Rusya'sından gelen Ruslarla, Özbekistan'da şurada burada okuyan çocukların ne kadar farklı bir eğitim sisteminden geçtiğini yine buradan anlarım. İkinci kısım harita çizemez.

Beğenin veya beğenmeyin, Bulgaristan Halk Cumhuriyeti'nin vatandaşlar arasında eğitimde eşitsizlik yapmadığını da buradan anlarsınız. Türk kitlesi orada çok ezilmiştir ama okulda, Türk veya Bulgar fark etmez, aynı eğitimi almışlardır. Bulgaristan'da eğitimde eşitlik vardır. Buna karşılık diğer komşumuz Yunanistan, üstelik Lozan'ın açık hükümlerine rağmen, Türklerin eğitiminde kalitesizlik ekseni üzerinde gitmiştir. Yunanistan, ilkokulda Helen çocuklarına verdiği eğitimi, Trakya'daki Türk çocuklarına vermemiştir. Yunanca dahi sanki kasten kötü öğretilmiş, bunu herkes söylüyor. Ama oralara gelmeye gerek yok, dediğim gibi bir harita çizdirin yeter. İmladan ve coğrafyadan o çocuğun bilgisini anlarsınız. Matematik bu tür şeyleri ölçmede arkadan gelir.

Batı'da da böyle mi bu iş? Onlar harita çizmeyi beceriyor mu?

Aslına bakarsan, bu beceriksizlik bize özgü sayılmaz. Benzer hastalık Batı'da da var. Ne acı ki insanlar yaşadıkları yerküreyi bilmiyor. O kadar geziyorlar, yine de bilmiyorlar. Uçakları dolduruyorlar, her yere gidip geliyorlar fakat yine de düşünemiyor, kaydedemiyorlar. Demek ki eğitimde bununla ilgili unsurları da geliştirmemiz gerekiyor. Batı'yı Batılılar kendileri düşünsün, bizim evvela kendi insanımızı nasıl kullanacağımızı öğrenmemiz gerekiyor.

Altını tekrar çizelim: Kabiliyetleri tespit eden, çocukları ona göre yetiştiren bir sistem kurmamız gerekiyor. Çok açık ki elitizmden, seçkinci eğitimden katiyen uzaklaşmamalıyız; çünkü Türkiye eğitiminin en büyük sorunu elitizmden uzaklaşmaktır. Hiçbir toplum yetenekli çocuklarını harcayacak lükse sahip değildir.

Deminki harita örneğindeki gibi, az gelişmiş-çok gelişmiş fark etmez; yetenekli çocuğa her toplumda çok az rastlanır. Bu çocuklar Avrupa'da da azdır ve dahası Avrupalılar çocuklarını harcamaya başladılar; yetenekleri değerlendiremiyorlar, eskiden yapabildiklerini şimdi yapamıyorlar. Avrupa'nın verdiği eğitim; İngiltere'nin, İsrail'in, bir dönemin Sovyet Rusya'sının ve Japonya'nın gerisinde kaldı. Çünkü seçkinci eğitim sistemini terk ettiler. Yeteneklerine göre insanları alıp eğitme sistemini reddettiler. İçinde "her şeyi bilen" insanlar yetiştirecekleri okullar kurdular. Laf! Tabii ki öyle bir şey olmuyor.

> Kabiliyetleri tespit eden, çocukları ona göre yetiştiren bir sistem kurmamız gerekiyor. Hiçbir toplum yetenekli çocuklarını harcayacak lükse sahip değildir.

O hâlde önce çocukları seçen, sonra ona göre yetiştiren okullar kurmamız gerekiyor.

Evet, mesele seçmektir. Hem zekâyı hem de yetenekleri kullanabilmektir. Çok önemlidir bu, hem bizim açımızdan hem de dünyanın kalanı açısından. Kendimize bakarsak, Türkiye maarifi birçok dalda büyük aşama kaydetmiştir ama birçok yerde de duraklamıştır. Neden? Çünkü nabza göre şerbet vermeyi seçmiştir. Örneğin, "Çocuklar Latince öğrenmek istemiyor," bahanesiyle Latinceyi kaldırdık. Bu da başka bir laf!

Çok açık ki Türkiye'de eğitim, insanların talebine göre düzenleniyor. Hâlbuki filolog dediğin, Latince bilir. Türkolog dediğin kişi de Arapça ve Farsça bilir. Bunu bilmeden de hiçbir şey yapamazlar. İstediğin kadar okul aç sonra, ne olacak ki! 50 tane hukuk fakültesi aç, kadrosunu verebilecek misin? Bin kişilik sınıfta hukuk öğretmeye, öğrenmeye çalışmanın önüne geçebilecek misin? Türkiye'de maalesef insanların başka türlü tembihlerle yönlendirildiği görülüyor. Bunu her politikacı ve her parti yapıyor ama bu kasaba siyasetidir.

Yeri gelmişken, bir başka kasaba siyaseti örneğinden de bahsedeyim. "Efendim, ben imam-hatipleri kapatacağım," diyen var. Kapatmasına kapatırsın veya yapıldığı gibi yasa çıkarırsın, liseden başlatırsın. Peki ne olacak? İmam-hatipleri kapatma derdine, çocuğunu Fransız okuluna başlatmak için sen de liseyi beklemek zorunda kalırsın! Şuraya geliyoruz; kimse kusura bakmasın, 15 yaşından sonra hiçbir şeye başlanamaz. Fransız'ın dili, Alman'ın dili, Arap'ın dili 15 yaşından sonra öğrenilir ama iyi öğrenilemez. Mümkün değildir!

On beş yaş bir sınır mıdır? Nedir önemi?

On beş yaşına kadar grameri ve lisanı öğrenmen lazım. Bu bir deha meselesi değildir, öğrenen kimse de öyle dâhi değildir. Başka türlü öğrenenler de elbette vardır ama onlar istisnaidir. İstisnaları kural hâline getiremezsiniz. Çünkü 15 yaşından sonra hiçbir şey hakkınca öğrenilmez. Hatta ana iş, meslek olarak öğrenilmemesi tavsiye edilir!

Öğrenmek derken, yarım yamalak öğrenmekten değil; gerçekten öğrenmekten bahsediyorum. 15'inden sonra bir lisanı çok iyi derecede öğrenemezsin. Mesela ata binmeyi de öğrenemezsin, düşer kafanı kırarsın. Piyano çalmayı öğrenemezsin.

Kısacası o yaştan sonra hiçbir şey öğrenilmez; ancak belirgin bir şeyin üzerinde yeni yöntemler, geliştirmeler yapılabilir.

Çocuğun beş yaşından itibaren lisan öğrenmesi gerekir. Sohbetimizde daha önce bahsi geçmişti; meşhur filolog Champollion'un, yani hiyeroglifleri çözen adamın, 16 yaşı itibariyle eski-yeni diller bilgisi tamamdı. İşte az önce konuştuğumuz imam-hatip okullarında da öğrencinin 11 yaşında alınıp üç dili öğrenmesini sağlamak lazımdır. O yaşa kadar öğrenmezse o çocuktan din bilgini çıkmaz. Ayrıca hukukçu da çıkmaz, tarihçi de.

> Eğitim için 15 yaş önemlidir. Bu yaşa gelene dek lisan eğitimine başlamak gerekir. Piyano eğitimine de marangozluk eğitimine de...

Peki bu yaştan sonra marangoz ya da döşemeci çıkar mı?

Hayır efendim, o da çıkmaz. O işler de belli bir yaştan sonra hakkıyla öğrenilmez. Üstelik kasaba siyaseti güdersen, o çocuğu zanaat okuluna da 15 yaşından sonra göndermek zorunda kalırsın. O yaştan sonra kimse çok iyi bir marangoz olamaz, iyi bir usta olamaz. Çok iyi piyano çalamaz, çok iyi bale yapamaz. Bu dallara çok erken yaşta başlaman gerekir.

Bir cemiyetin insanını, toptancı kararlar ve toptancı politikalarla eğitime tabi tutamazsınız. Şunu kabul etmek zorundasınız: Eğitim insanların kabiliyetine göre olur ve bu kabiliyet de doğuştan gelir. Siz hiçbir zaman belirli paralar ve belirli statülerle, "Biz elit yetiştireceğiz," diye bir okul kuramazsınız. Oraya girecek çocukların kim olacağı da, hangi yeteneklere sahip olduklarına göre zaten bellidir. Ayrıca, bir cemiyette elit insan demek illâ iyi hukukçu, iyi filozof veya iyi hekim demek değildir. Ne dedik; bir cemiyetin nitelikli insanı, yazar kadar üstün nitelikli marangoz da olabilir. Unutmayın, yeryüzünün tesisatla ilgili en büyük buluşlarından biri bir Ermeni ustasından gelmiştir. Hani musluğu çevirmiyoruz, açıp kapıyoruz ya artık. O usta çok hayır duası almıştır. Çünkü artık contalar sökülmüyor, "Musluğu ne zaman tamir edeceksin?" diye karı-koca kavgası çıkmıyor. Bu çok önemlidir. Demek ki bir cemiyette iyi musluk ustası da çok önemli olabilir. Bu zihniyeti yerleştirmek lazım.

Türk halkı maalesef, en cahilinden en okumuşuna, en fakirinden en zenginine kadar; çocuklarının, okulun onları kâtip olarak yetiştirmesiyle kurtulacağına inanıyor. Böyle bir şey yok, hele bu asırda mümkün değil. Bizler bu şehirleşmeyle ve geldiğimiz teknoloji düzeyinin neticesinde bağımlılık yaşının yükseldiğinin farkında değiliz. Bakın, geleneksel cemiyette insanlar, beş yaşında bile bağımlılıktan kurtuluyorlardı; çünkü hayvan güdüyor veya annelerine yardım ediyorlardı. Ama o devirler geçti, artık mavi yakalı işçiler bile çok büyük bir teknik eğitime tabi tutuluyor. Uzun bir eğitimden geçilmesi gerektiği çok açık... İşte o eğitime 15 yaşında başlarsan olmaz. Çok açık ki hayata elit eğitimden uzak başlarsan, elit sayılmazsın; mesleğinde de başarılı olmazsın, ancak kendini kandırırsın.

Bildiğim kadarıyla, siz eğitimdeki birtakım yeni metotlara karşı çıkıyorsunuz. Mesela ezbere dayalı eğitimi savunuyorsunuz. Açıkçası bize ezberin geçmişte kaldığı öğretilmişti. Siz bunu neden savunuyorsunuz?

İşte bu size öğretilen de, dışarı çıkıp bir şeyler keşfettiğini sananların getirdiği yalan yanlış bilgilerden ibarettir. Sözün buraya geldiği isabet oldu. Bahsetmiştim; bazı eğitimciler dışarı gidiyor, bir iki sene "master" yapıyor, sonra yurda dönüp size bize sistem öğretiyorlar. İlk öğrettikleri de şu: "Efendim, biz ezbere dayalı eğitimi bir kenara bırakacağız. Anlayarak öğreteceğiz."

İyi de, insanlar ta mağara devrinden beri, Mezopotamyalı hocalardan, Aristoteles'in Akademya'sından beri anlayarak değil; ezberleyerek öğrenirler. Anlamak için önce ezberlemek gerekir. Kilise bunun farkına varmıştır. Ortaçağ'ın İslam dünyası bunu anlamıştır. Önce ezberlersin! Çünkü çocuklar ve gençler ezbere çok yatkındır, her şeyi ezberleyebilirler. Dili bile, kalıplar hâlinde, ezberleyerek öğrenirler. Ezberden sonra anlamak gelir. Ezber ve tekrar, öğretimin temelidir (*repetitio est mater studiorum*). Lisan da matematik de coğrafya da ezberleyerek öğrenilir. Gençlere tavsiyem, bunlara kanıp ezberi bırakmamalarıdır.

Bu tür yenilikçiler sadece ezberi küçümsemekle kalmıyor, başka şeyler de yumurtluyorlar. Örneğin, "aktif metot" diye bir meseleleri var. Bunu da ders yapmamak için geliştirdiler. Ama bu epey zamandan beri var. "Aktif metot" deyip dersi çocuğa hazırlatıyor, kendileri de hiçbir şekilde derse çalışmıyorlar. Dünyanın hiçbir yerinde böyle bir şey olmaz. Mesela Batı üniversitelerinde Oryantalistler bir Arapça veya Türkçe metni talebeye okutur ama kendileri de derse okuyarak gelmiştir, öğrencilerin tepesinde dikilirler. Öyle kolaycılığa kaçılmaz.

> Ezber ve tekrar öğretimin temelidir. Lisan da matematik de coğrafya da ezberleyerek öğrenilir. Gençlere tavsiyem, bunlara kanıp ezberi bırakmamalarıdır.

Okuldaki sıkıntıları konuştuk, onları burada bırakıp aileye gelelim. Çocukların ailelerinden aldıkları eğitimi nasıl buluyorsunuz?

Çok kötü buluyorum. Çünkü aileler çocuklarıyla bire bir uğraşmıyor. Para verip kursa yolluyorlar, imtihan kazansın diye öğretmen arıyorlar. Gerçi o kurslara ihtiyaç var mı? Bunun cevabı muhtelif...

> Çocuğunuzu ne fazla övün ne de fazla yerin. Bir çocuğu sürekli övmek iyi bir şey değildir. İnsanın çocuğundan dâhi diye bahsetmesi, devamlı yermek, küçümsemek kadar tehlikelidir. Onun yanında olmasını bilin, yeter.

Bir çocuğu sürekli övmek iyi bir şey değildir. Böyle şeyler söyleyeceğine, onu övüp duracağına, çocuğunla bire bir uğraş; onun yanında ol, onunla beraber ol. Ama bu yok; onunla beraber olmak yerine, para harcamak var. Çocuk böyle yetişmez.

Bir de şimdi bir moda daha var; çocuğu hemen yurt dışına, en başta da ABD'ye yolluyorlar. "Liseyi bitiren çocukları Amerika'ya yollamayın," diyoruz. Bunlar taze fidandır; kimse kusura bakmasın, 18 yaşındaki Türk çocuğu bizim onları yetiştirme tarzımızdan dolayı biraz çaylaktır. Ama işte bizi dinliyorlar mı?

Ailelerin çocuklarını yetiştiremediğini söylüyorsunuz ama bugünlerde "çocuk yetiştirme" kitaplarını okumak, yöntemleri incelemek, yani başkalarını dinlemek epey revaçta. Bunların göstermelik olduğunu mu düşünüyorsunuz?

Öyle görünüyor, kitaplar alıp duruyorlar ama hiçbir şey bildikleri yok. Bak burada söyleyeyim, anne-babaların önce çocukların beslenmesine dikkat etmeleri lazım. Ama maalesef kendileri yemek yapmayı bilmedikleri için, çocuklarına da lezzetli ve organik yemek yediremiyorlar. Ben yaşadığım yerden görüyorum: Her eve kuryeler girip çıkıyor, mütemadiyen yemek taşıyorlar. Böyle çocuk yetiştirilmez. Kimse artık Türk mutfağını tatbik etmiyor. Çocukların ne yedikleri belli değil. Anne-babaların kendileri de ne yediklerini bilmiyor zaten. Ayrıca çocuk neyi isterse onu yediriyorlar. Bu da yanlış, çocuğa her istediği yedirilmez.

Daha da önemli bir mesele var. Türkiye, ABD, Hollanda, İngiltere ve daha böyle birkaç ülke, insanlarına hormonlu ve kimyevi gıda yediriyor. Bunlar maalesef kontrol edilmiyor. Kimse kusura bakmasın, bu saydığım ülkelerdeki gıda endüstrisinin insanları hiç itibar edilecek sanayiciler değiller. Çocuklara neler yedirdiklerini bir bilsek dehşete düşeriz. Mesela mısır

> Anne-babaların önce çocukların beslenmesine dikkat etmesi lazım. Kimse artık Türk mutfağını tatbik etmiyor. Çocuk neyi isterse onu yediriyorlar; bu da büyük bir yanlış.

şerbeti kullanıyorlar, hâlbuki bu şerbet Avrupa'daki üretimde yasak... Yani orada yok ama bizde kullanılıyor. Bu gıda sanayicilerimiz böyle tipler! Bir de şimdi içindekiler bölümüne kimyasal formüller gibi rakamlar yazıyorlar. İyi de ben biliyor muyum nitratı, potasyumu; ayrıca neden bileyim? Tüketicilerin de hâliyle hiçbir şeyden anladığı yok. Haydi tüketici anlamıyor, onlara bu konuda yol gösteren kimse de yok.

Sözün özü, hem çocuklar hem de büyükler açısından gıdaya dikkat etmek şart... Doğal gıdalar yenilecek, sık ve az yenilecek; hepsi bu kadar. "İştahım açık," veya "Tadı hoşuma gitti," katiyen demeyeceksiniz; az yiyeceksiniz. 30 yaşından evvel kilo alıyorsanız vaziyet çok feci derim. 40'ından önce alıyorsanız, belli ki yine feci ama idare edersiniz. Zaten kimseye yüz sene yaşamayı da tavsiye etmiyorum. Böyle birtakım insanlar var; 70 yaşındalar, herkese delikanlılık taslıyorlar. Onları da dinlemeyin! (Gülüyor.)

Gençlere dönersek, yeni nesli genel terbiye konusunda nasıl buluyorsunuz?

Bir defa usul erkân bilmiyorlar; içlerinde, maalesef, çok terbiyesiz olanları var. Kız çocukları çok şımartılıyor ve çok dengesizler, bu iyi bir şey değil. Oğlan çocukları da son derece sorumsuz yetiştirilmiş. Cinsiyet ayrımıyla ilgisi yok bu söylediğimin, cinsiyetin kendisi budur. Sorumluluk duygusu teşekkül etmemiş bir adam hiçbir işe yaramaz. Aynı şekilde ağzına hâkim olamayan bir kadın da hiçbir şekilde çekilmez. Zarafet değil, cinsiyete aykırı davranışlardır bunlar. Saçma sapan konuşan, öteye beriye ne yaptığını fark etmeyen bir hatun yetiştirilemez. Bir defa cinsiyete aykırıdır.

Hocam kadını erkeği mi var bunun? Erkeği de çekilmez.

Erkeği de çekilmez; erkekte en kötü şey sorumsuzluktur, bilgisizliktir. Böyle bir erkeğe de dayanılmaz. Doğru dürüst insanlar bunlarla beraber yürümez. Dikkat edeceksiniz; cinsiyet diye bir şey var, her cinsin kendine göre özelliği var. Niye iki cinsiz? İki ayrı huyumuz var, iki ayrı denge unsurumuz var; bu çok önemlidir.

> Çocuklarınızı hayatın zorluklarına realist bir şekilde hazırlayın. Türkiye'de dayanıksız, hayata hazırlıksız, en küçük güçlükte tökezlemeye meyilli çocuklar yetiştiriliyor.

O bakımdan biraz önce değindiğimiz konuya tekrar dönüyoruz; insanlar çocuklarıyla uğraşmıyor. Şimdi çok moda oldu, her şeyi parayla halledeceklerini zannediyorlar. Ama görgüsüzler, o kadar! Çocuk için iki ayrı bakıcı tutuyorlar. İki bakıcı! Gece ayrı, gündüz ayrı... Çocuklarını kucaklarına zor alıyorlar. Herhâlde kendilerini İngiltere kralı-kraliçesi sanıyorlar! (Gülüyor.)

Peki üniversiteden mezun olan gençlerin, hayata hazır olduğunu düşünür müsünüz?

Hayır, çünkü evvela bir algı sorunu yaşıyorlar. Gençler filmlerde, dizilerde gördükleri hayatlardan çok etkileniyor. Ama çok büyük bir kısmı bu hayatları hiçbir şekilde aşamıyor, aşamayacak da. Türkiye'de oğlan çocukları hayata inanılmayacak kadar dayanıksız yetiştiriliyor. Hoş, kızlar da öyle yetiştiriliyor ama kızlar nasılsa bu durumu bir şekilde aşıp kendilerini kurtarıyorlar.

Kısacası, şu an ortada dayanıksız insanlar var. Türkiye'de kendi ömrümde gözleyebildiğim bir şeyden bahsedeyim. Ülkemiz biliyorsunuz, İkinci Cihan Harbi'ne uzun zaman girmedi ve savaş sonrası da bu avantajın getirdiği birikimden bir müddet istifade edebildi. Yani mal sattı, ihraç etti. İthal edemedi, çünkü karşıdan gelecek bir şey yoktu. Sonra Marshall Yardımı alındı (ki onu en çok alan ülke de biz değiliz); derken şehirleşme sürecine girildi. Eh, Osmanlı da kabile imparatorluğu değildi; modern mühendislik iki asırdır bizde de vardı, yani sanayi için bir altyapı yatırımı zaten mevcuttu. Neticede şartlar bir araya geldi; şu veya bu şekilde, korumacı politikaların da desteğiyle ülkemizde refah arttı.

Şimdi bu refah arttıkça, maalesef menfi şekilde etkilenen gençler görmeye başladık. Bu etki benim kuşağımda çok barizdir. Ortada mahrumiyet çekerek büyüyen bir anne-baba vardır. Ama onların çocukları öyle yetişir ki tanıyamazsın! Size böyle kaç tane kapitalist söylerim. Anne-baba mahrumiyet çekmiş ama çocuklar için bu yokluklar mevzubahis olmamış. Hatta yokluk deyince ne kastedildiğini bile anlayamıyorlar.

Haydi servet sahiplerini geçelim; bu kişi orta sınıf mensubuysa da yoktan anlamıyor, ona göre bir orta sınıf oluyor. Dahası sadece bizde değil, bütün dünyada bu böyle. Mesela bizim kuşağın Avrupa'daki karşılığı olan Almanlar ve daha genç olanlar eskilerden farklıdır, tahammülsüzdürler. Hâlbuki o

> Çocukların yokluğu, zorluğu, mahrumiyeti bilmesi lazım. Bunu ona siz göstereceksiniz. Eğitimin tümünü okul veremez; eğitim satın alınacak, herkese aynı şekilde hitap eden bir ürün değildir.

eski Alman tasarruflu yaşardı; "Bu elimizdekiler yarın olmayacak," diye hareket ederdi.

Şimdiki gençlerle savaş sonrası kuşağı arasında bir paralellik mi var yani?

Bugün, anlattığım dönemi bile geçen bir hâl var. Şimdiki çocuklar bollukla büyüyor, büyüdüğünde de yokluğa intibak edemiyor. Daha kötüsüne hiç edemeyecek. Yokluğu anlamadığı için de, yoksulların gözü önünde edepsiz ve görgüsüz bir tüketim sergilerler. Muhafazakârları için de öbür grupların zenginleri için de bu ortak bir olumsuzluk ve Avrupa burjuvazisine göre Türkiye'de önemli bir sosyal gerilim nedeni... Hâlbuki onları çok tatsız durumlar bekliyor olabilir. Dahası bu kuşak bize göre çok istikrarsız... Bizim Mülkiye mezunlarının müfettişlik yapmak için bile beğenmedikleri bankada, veznenin arkasında yeni mezunları görüyorsun ki; bu bile şimdi çok iyi bir iş olarak kabul ediliyor.

Ekmeğin zorla elde edileceğinin farkında olmak lazım. Bakın söylüyorum, çocuğunuzu gelecekteki zorluklara göre yetiştirin. Bu kadar basit... Şu andaki gibi çocuk yetiştirilmez. Çocuğunuza zorluğu göstereceksiniz. Onu kendiniz eğitecek, onunla bağ kuracaksınız. Ismarlama, tezgâhtan çıkma eğitim olmaz. Çocuğun eğitimi; 10 kuruşluk dondurma, 50 kuruşluk pandispanya gibi satın alınamaz. Bizde çocuklar belli bir okula veriliyor, çünkü efendim orada hâli vakti yerinde aileler çocuk okutuyor; verdikleri çocuğun da onlarla bir kalıba girmesi bekleniyor. Öyle bir şey olabilir mi? İnsanlar herhangi bir kalıba sırf okulla girmez; gayet açık ki bu, değişime uygun bir şahsi yetenek meselesidir. Okul dışı eğitim yönlendirmeleri bu asırda her ülkede başta gelmektedir.

YEDİNCİ BÖLÜM

NE İZLEMELİ? / NE DİNLEMELİ? / NE OKUMALI?

Sinemada İtalyanlar, müzikte Almanlar, romanda Ruslar, şiirde İranlılar
en yükseğe çıkmıştır. Zor yakalanacak, uçarıca bir ihtişama sahip Fransız
edebiyatı da bir başka büyüklüktür.

SİNEMA ÜZERİNE

Hocam, çoğu okurunuz bilmez ama siz sinemayla epey ilgili birisiniz. Özellikle de, herhâlde alanınızdan doğan bir ilgi sebebiyle, tarihî anlatıları çok seviyor; bu konuda birçok ülke sinemasını takip ediyorsunuz. Peki en çok hangi ülkenin sinemasını beğeniyorsunuz?

İtalyan sinemasını severim ve önemli bulurum. Entelektüel, düşünen, bilgili bir sinemadır. Örneğin, Luchino Visconti'nin iki harp arası olaylara veya 19'uncu yüzyıla bakışı benzersizdir. *Il Gattopardo*'yu seyredin, *Lanetliler*'i seyredin; söylediklerimi anlayacaksınız. Bu filmler birer cemiyet analizidir. Üstelik Luchino Visconti sırf analizle yetinmez, iyi bir tarih bilgisi de vardır. Bu bilgiye uygun bir ekibi vardır, dekor yine bu bilgiye göre kurulur. Visconti, Hollywood'un tarihî sineması gibi farfara yapmamıştır. Bu dünyanın geçmişini zamana bağlayan bir İtalyan aristokratıdır.

Üstelik sadece Visconti'ye özgü bir durumdan bahsetmiyorum, söz konusu tarih bilgisi neredeyse tüm İtalyan rejisörlerde mevcuttur. Örneğin Pasolini'nin *Decameron*'unu görünce erken dönem Rönesans Avrupa'sının ne olduğunu anlıyorsunuz.

181

> Tarih, o rengârenk Hollywood filmlerindeki gibi anlatılmaz; tarihî filmler öyle çekilmez. Konusuna hâkim, entelektüel tarihî filmler izlemek istiyorsanız evvela İtalyan sinemasına müracaat edeceksiniz.

Çünkü o Avrupa'nın nasıl bir yer olduğunu Pasolini çoktan anlamıştır. Dersine çalışmıştır, anladıklarını bize anlatmayı da doğrusu çok iyi becermiştir. Pasolini bize; pisliği, sefaleti, yıkılmışlığı ama bunların yanında güzelliği de gösterir. Duygunun farkındadır. Öte yandan dekorun da farkındadır.

Amerikan sinemasına nazaran Avrupa sinemasını seviyorsunuz sanırım.

Dersine çalışanları, duyguyu verebilenleri seviyorum. Tarihle hakiki bir ilişkisi olanları seviyorum. Dediğim gibi Visconti, Pasolini ve birçok İtalyan rejisör tarihi aktarmayı becermiştir. Aslına bakarsan, bu filmleri çekmekte geç bile kaldılar. Bu tarihî duyguyu geçirmeye, bu dekoru kullanmaya geç başladılar. Ama neticede başladılar. Amerikan sinemasının bunu yapabildiğini söyleyemem. Çünkü tarih, o rengârenk Hollywood filmlerindeki gibi anlatılmaz; tarihî filmler öyle çekilmez. Demek ki Amerikan sineması, İtalyanların yürüdüğü yolu yürüyememiştir. Tabii konuyu sadece İtalyanlardan bahsederek bırakmak olmaz. Sinema yoluyla tarihi anlatmayı beceren başkaları da var. İlk aklıma gelen isimler, Polonya'dan Andrzej Wajda ile Macaristan'dan Istvan Szabo…

Szabo'yla İstanbul'da bir gün geçirdiğinizi biliyorum.

Evet, Szabo'yla İstanbul'u dolaştım; onunla biraz ahbaplık ettim. Müze müdürlüğüm zamanı gezdik de. Beraber dolaşmak, bir insanı tanımanın en iyi yoludur. Szabo'yu da işte böyle tanıdım. Bana *Taraf Tutmak*'ı çevirirken okuduğu bir iki kitap verdi. Bu münasebet esnasında anladım ki adam, Berlin Filarmoni Orkestrası'nın büyük şefi Wilhelm Furtwängler'i iyiden iyiye incelemiş. O kadar incelemiş ki Furtwängler'e dair bütün bilgileri içselleştirmiş; sanatçının sosyal çevresine, ilişkilerine bile hâkim olmuş.

Bak, burada ilginç bir bağlantı var. Neslişah Sultan, biliyorsun Avrupa aristokrasisinin en entelektüel üyeleri arasındaydı. Devrinin önemli sanatçıları, düşünürleri Neslişah Sultan ile kardeşleri Hanzade ve Necla Sultan'ın da dostlarıydı. Furtwängler de işte bunlardan biriydi. Avusturyalı şef Willi Boskowsky de bu isimlerdendi. Düşün ki Szabo, dersine çalıştığı için prensesleri de biliyor. Lafı geçince, "Ha şu üç güzel prenses mi?" deyip; Furtwängler'in yakın çevresinden, sanatçının çok dostluk gösterdiği üç prensesi hemen sayıverdi: "Neslişah Sultan, Hanzade Sultan, Necla Sultan."

Bu isimler, dedim ya, Avrupa'nın entelektüel olarak da saygı gören aristokratlarıydı. Szabo'nun filmde onları ne kadar kullandığı ya da hiç kullanıp kullanmadığı önemli değil, mühim olan onun bütün bu isimlere hâkim olmasıydı. İster kullansın ister kullanmasın, bu ayrıntıları bir sohbette böyle geçirebiliyorsa; Szabo, Furtwängler'i demek ki A'dan Z'ye tanıyordu. Demek ki ona dair her şeye hâkimdi. Demek ki onun yaşadığı dünyayı baştan sona anlamıştı. Amerikalılar ünlü şefi mahkûm etmeye kalktı; bu Yahudi Macar aydını ise *Orkestra Şefi*'nde onu savunuyor, yüceltiyor. Tabii ki Yehudi Menuhin'in yaptığı gibi sahipleniyor. Ancak evvela onu anlamak için çok çalışmış, mühim olan odur.

Herhâlde tam bir kitap kurduydu.

Szabo, Demirperde Macaristan'ında doğup büyüyen biridir. Ama enteresandır; imparatorluk Viyana'sının 10 yılını, III. Reich'ın Berlin'ini bizzat içinde yaşamış kadar biliyor.

Ama bu Szabo, neticede benim yaşlarımda bir Macar... Düşün ki onun yetiştiği dönemde, Komünist Halk Cumhuriyeti bir adamı kolay kolay dışarı göndermezdi. Peki bu adam Viyana'ları, Berlin'leri nasıl biliyordu? En fazla Doğu Berlin'i görmesi mümkündü. Bir cevap var; demek ki dersine çalışıyor, bol bol okuyor. Bir de o tarihî devirlere gidişi, bakışı, inceleyişi çok üstün... Yani hem çalışıyor hem de işin erbabı. Adam, imajı entelektle beslemiş. *Mefisto*'yu çıkartmış ortaya, *Albay Redl*'i çıkartmış.

Diğerleri de Szabo'ya benziyor. Söz gelimi, az önce bahsi geçen Pasolini... Adamın birtakım fantazyaları var, artık tasvip etmeyeceğimiz kadar ipin ucunu kaçırmış ama öbür taraftan *Roma Şöleni*'nde yabancılaştırma efekti diye köle kıza Nazım'ın şiirini okutuyor. Belli ki bir yerleri hiç durmadan taramış; olandan bitenden, çevresindeki dünyadan haberdar olmuş.

Szabo'yla birlikte Andrzej Wajda'yı saymıştınız. Onu neden önemli buluyorsunuz?

Wajda her şeyi sorgulayan bir sinemacıydı. Filmlerinde Polonya tarihini otopsi masasına yatırmıştır. Çok da saygı görmüştür. Ardından gelen nesiller onun filmlerini benimsedi, coşkuyla karşıladı. Buna bizzat şahit oldum. Yıllar önce Wajda'yla, Varşova'da bir sinema salonunda randevu alıp görüşmüştüm. O sıralar 70'ini aşmıştı, filmlerinin topluca gösterildiği salona gelenlerin yaş ortalamasıysa 20'yi geçmiyordu. Bu hâl, onun filmlerinin, kuşaklar boyu Polonya halkı üzerinde ne kadar etkili olduğunun bir göstergesidir.

Ben Wajda'yı öteden beri çok severim ama onun filmlerini görmek de doğrusu kolay olmamıştı, çoğunluğunu yine yurt dışında izleyebildim. Önerecek filmi çoktur. Örneğin Stanislaw Wyspianski'nin tiyatro oyunundan sinemaya uyarladığı *Wesele* (Düğün), iyi bir tarih filminin nasıl işlenmesi gerektiğini de gösteren bir eserdir. Wajda; halka inmek için, kendi sınıfından olmayan bir kızla evlenen bir Polonya soylusunun düğünü etrafında, koca bir tarihî dönemin atmosferini inceleyebilmiştir.

Çok başarılı olmakla beraber, Wajda'nın ülkesi dışında en tanınan eseri *Wesele* değildir. *Vaatler Ülkesi* çok daha fazla bilinir. Bu; etkisini yitiren toprak soylularıyla, yükselen sanayici ve banker sınıfı arasındaki gerilimi anlatan bir filmdir. Olaylar, anlatılan konuya son derece yakışır şekilde, Rusya Polonya'sının Manchester'ı diye bilinen Lodz şehrinde geçer. Film, Nobelli romancı Wladislaw Reymont'un elinden çıkma bir romanın uyarlamasıdır. Söz konusu kitapta şahane bir dönem tasviri, değişen dünyanın isabetli bir anlatımı vardır; yine dönemin ruhuna

> Polonya sineması büyük isimler çıkaran bir sinemadır. En başta Andrzej Wajda, sonra Krzysztof Kieslowski ya da Krzysztof Zanussi. Bunlar hep toplumu iyi tahlil eden yönetmenlerdir.

paralel olarak, bu romanda antisemitizmin de hissedildiğini söylemeliyim. Yalnız Wajda bu yorumlara girmez, ayrıca Komünist Parti'nin de paralelinde kalmamıştır. Bazı filmlerde rejimi de inceden eleştirmiştir.

Kendisini birkaç sene önce kaybettik. Sinemanın anıt isimlerindendi. Yeni kuşaklar onu ne kadar tanıyabilecek, filmlerini nasıl görebilecek bilemiyorum ama bir yolunu bulmalılar.

Wajda'nın da mensubu olduğu Polonya sineması tümüyle önemli bir sinemadır, başka büyük isimler de çıkarmıştır. Örneğin Krzysztof Kieslowski... Ya da benim çok tuttuğum Krzysztof Zanussi... Kuşkusuz Polonya sinemasını bilmek gerekir.

Çok sevdiğiniz İtalyan yönetmenlere dönelim. Örne-ğin Vittorio de Sica, sizin bir dönemler İtalya'da bul-duğunuz duygunun filmini çekebilmiş. "O fakir İtalya kalmadı," diyorsunuz ya... Hiç değilse De Sica film-lerinde bu duyguyu görebiliyoruz. Örneğin Bisiklet Hırsızları*'nda...*

Evet, De Sica o duyguyu verebilmiştir. Başka filmleri de önemlidir. De Sica da dersine iyi çalışan bir yönetmen... *Finzi Contini'lerin Bahçesi*'nde de dönem duygusunu görürüz.

Ben bu filmlerin çoğunu sonradan, sinemateklerde seyrettim. Örneğin Federico Fellini'nin meşhur filmi *Roma*'yı ilk gösteril-diğinde kaçırmış ama bir gece yarısı seansında Bonn'da izleyebil-miştim. Bonn'da ekstra filmleri gece yarısı seansına koyarlardı. *Roma*'yı işte o saatte seyrettim. İyi ki de seyretmişim. O film beni çok etkiledi. Bazı filmler insanların üzerinde derin tesirler bırakır. Filmden çıktığımda istikametimi çizmiştim, Roma'ya gidecek-tim. Hakikaten de öyle yaptım. O sıralar devam ettiğim Dışişleri Arşivi'ndeki araştırmayı tamamlamıştım, Roma'yı programıma aldım. İstanbul'a dönünce iki şehirden daha güzeli yoktu. İkisini de birlikte gönlüme koymuştum. Böyle değişiklikler anlık oluyor ve daha önce bakar kör olduğunu anlıyorsun.

Filme dönersek; Fellini'nin Roma'ya, o döneme bakışı çok ilginçtir. Biraz Amerikalı rejisör Thornton Wilder'ın *Our Town*'ına benzer, o espride bir filmdir. Bizde Ali Yörük vardı, onun tarzı da bu filmlere benzer. Nedir bu? Evvela o dönemin bir rengi vardır, Fellini filmde o rengi vermeyi başarır. Üstelik bunu her filminde yapmıştır, çünkü incelemiştir. Rengi bul-mak, rengi bilmek mühimdir.

Az önce De Sica'yı hızlı geçtik. Onun filmlerindeki ev kadınlarına bak; bu kadınlar, en ince detayına kadar, doğru resmedilmiştir. İnsanları bırak; De Sica'nın mekânlarına, söz gelimi restoranlara bak; doğru resmedilmiştir. İşte De Sica'nın ve Fellini'nin filmlerinde, dönemin Roma'sını bütün ayrıntılarıyla bulursun. Zaten, o Roma'yı görmek istiyorsan, başka çaren de yok; bakacağın tek yer bu filmlerdir. Çünkü filmdeki tramvay artık o caddeden geçmiyor. Repubblica Meydanı'nın civarı artık eskisi gibi değil; pis,

> Bazı filmler insanların üzerinde derin tesirler bırakır. Benim için bir gece yarısı seyrettiğim Fellini'nin *Roma*'sı öyleydi. Filmden çıktığımda istikametimi çizmiştim, Roma'ya gidecektim.

düşük bir semt olmuş. Ama filmlerden de anlıyoruz ki, bir dönem orta sınıf mıntıkasıymış.

Orta sınıf diyorsunuz ama o filmlerde orta sınıfa mensup insanlar, bugünkü orta sınıfa göre çok fakirler sanırım.

Evet, yaşamları fakir ama bir saygınlıkları var. Renkleri, zevkleri var. Ben Roma'da yaşasam ve öyle bir semt bugün var olsa, gidip o semtte otururum. Fellini de belli ki bu duyguyu özlemiş, filmleriyle bir nostalji yaşıyor. Ama nostaljiye kapılıp ayrıntıları da kaçırmıyor, dönemi canlandırmayı biliyor. Bu çok önemlidir. Bizde bu tip yönetmenliği ben biraz Ziya Öztan'da gördüm. *Bugünün Saraylısı*'nı mesela o gözle seyrederseniz anlarsınız. Herkeste bu kavrayış yoktur.

Başka hangi İtalyan yönetmenleri beğenirsiniz? Michelangelo Antonioni gibi isimler sanırım size biraz uzaktır. Doğru mu düşünüyorum?

Elbette tüm İtalyan yönetmenleri de sevmiyorum. Ettore Scala'yı severim. Roberto Rosselini'yi severim. Rosselini filmlerinde bire bir tarih yapar. En başta da *İtalya'ya Yolculuk*'ta. *Açık Şehir Roma*'sı var, o da önemli bir filmdir. Bu arada, doğru tahmin ettin; Antonioni'den çok hazzetmem. Aslına bakarsan, *Roma* gibi esaslı filmlerine rağmen, Fellini'ye de çok ayak uyduramadım. Elbette

> Andrzej Wajda'nın bütün filmlerini seyretmelisiniz. Istvan Szabo, Zoltan Fabri, Luchino Visconti, Krzysztof Zanussi, Sergey Bondarçuk... Bizden Lütfi Akad, Halit Refiğ... Bu isimlerin filmlerini muhakkak seyredin.

tüm filmlerini seyretmedim ama Fellini bana çok geçmemiştir.

Bu arada İtalyan sinemasının bazı önemli filmleri var ki henüz görmediğimi söylemeliyim. Örneğin Bernardo Bertolucci'nin o uzun *1900*'ünü henüz izlemedim ama filmin bana hitap edeceğini tahmin ediyorum. Bulursam izleyeceğim.

En son İstanbul Film Festivali'ne gelmişti, belki bir festival vesilesiyle yine gösterilir. Ya da fırsat olursa, bir sinematekte, eskiden izlediğiniz gibi izleyebilirsiniz.

Belki... Yalnız sinemalarla ilgili ciddi bir derdim var. Gitmek istediğim filmi bir türlü sinemada seyredemiyorum. Niyetlenip gideyim diyorum; bir bakıyorum, film çoktan vizyondan kalkmış. Bir film sadece bir hafta mı oynar! Türkiye'de maalesef sinemada film seyredilemiyor. Size göre enteresan bir film geldi mi, vizyonda en fazla bir hafta duruyor. Öyle olunca da sinemaya gidemiyorsunuz.

Okurlar için bir liste yapmanızı istesem... "Muhakkak izlenmesi gereken filmler" listesi...

Yapalım. Evvela yönetmenler üzerinden gidelim. Bir defa Andrzej Wajda'nın tüm filmlerini bu listeye koymalı. Hiç ayıramam ki... Hatta önce "siyah beyazlarını" koyarım. Wajda tamam; şimdi çok tuttuğumu söylediğim ama bizde iyi bilinmeyen bir yönetmene geçelim: Krzysztof Zanussi. Onu da listeye koyarım. Sonra Istvan Szabo'nun filmlerini eklerim. Yine Macaristan'dan Zoltan Fabri'yi koyarım. Az önce saydığımız İtalyanlar herhâlde bu listeye girer. Sovyet döneminden Sergey Bondarçuk da muhakkak bu listede yer almalı.

Bizden kimleri koyarsınız listeye?

Eskilerden giderim. Aslına bakarsan, eski rejisörler içtimai tarihimizi daha iyi anlatıyorlardı; bu konudaki bakış açıları daha gelişkindi. Mesela Lütfi Akad'ın filmlerini koyarım; üçlemesi önemlidir: *Gelin, Düğün, Diyet.* Önemsediğim isimler arasında Halit Refiğ'i de saymak isterim. Başka ilgileri de olan bir sinemacıydı, felsefeye kadar bilirdi. Hiç şüphesiz *Teyzem* çok enteresan bir filmdir. Refiğ'in *Haremde Dört Kadın*'ı da Yeşilçam'ın seyredilmesi gereken filmlerinin arasındadır.

Aydınlarımız bazen Yeşilçam'a, "Bunlar basit filmlerdir, sıradan konulardır; zengin kız-fakir oğlan ilişkisinden ibarettir," diye dudak büker; o filmleri beğenmezler. Ama yanılıyorlar. Oradaki gözlem, retorik ve folklorik yorum çok güçlüdür. Edebiyatın bile önüne geçmiştir. Özellikle Akad ve Refiğ gibi adamlar mühim adamlardır.

Az önce "Sovyet dönemi" demiştiniz. Sergey Eisenstein için ne düşünürsünüz? Ya da yakın dönemden Andrey Tarkovski hakkında?

Eisenstein önemlidir; elbette ki bilinmesi, izlenmesi gerekir. Sinemanın temel taşlarındandır. Çok bilinmeyen bir yanını söyleyelim; babası "art nouveau" Riga'yı inşa eden mimardır. Yani Sergey Eisenstein'ın babası Mikhail Eisenstein, Rus art nouevau'sunun da babasıdır.

Gelelim Tarkovski'ye. Elbette yönetmenliği tartışılmaz ama bana bir şey söylemiyor. Eh, ben bir ilişki kuramadım diye filmlerinin kötü olduğunu söyleyecek de değilim.

Mesela çok sevdiğim İran sinemasında da bana bir şey söylemeyen çok film vardır. Ama bunlar da Tarkovski'ninkiler gibi çoğunlukla iyi filmlerdir. İranlılar iyi sinema yapar.

İLBER HOCA'NIN TAVSİYE ETTİĞİ
26 YABANCI FİLM

1. *Potemkin Zırhlısı* - Sergey Eisenstein (1925)
2. *Aleksandr Nevsky* - Sergey Eisenstein (1938)
3. *Bir Kuşak* - Andrzej Wajda (1955)
4. *Wesele* - Andrzej Wajda (1957)
5. *Küller ve Elmaslar* - Andrzej Wajda (1958)
6. *Vaatler Ülkesi* - Andrzej Wajda (1975)
7. *Waterloo* - Sergey Bondarçuk (1970)
8. *Dünyayı Sarsan On Gün* - Sergey Bondarçuk (1983)
9. *Constans* - Krzysztof Zanussi (1980)
10. *Macarlar* - Zoltan Fabri (1978)
11. *Mephisto* - Istvan Szabo (1981)
12. *Albay Redl* - Istvan Szabo (1985)
13. *Taraf Tutmak* - Istvan Szabo (2001)
14. *Teorema* - Pier Paolo Pasolini (1968)
15. *Dekameron'un Aşk Öyküleri* - Pier Paolo Pasolini (1971)
16. *Roma* - Federico Fellini (1972)
17. *Satyricon* - Federico Fellini (1969)
18. *Leopar* - Luchino Visconti (1963)
19. *Lanetliler* - Luchino Visconti (1969)
20. *Venedik'te Ölüm* - Luchino Visconti (1971)
21. *Roma, Açık Şehir* - Roberto Rossellini (1945)
22. *İtalya'ya Yolculuk* - Roberto Rossellini (1954)
23. *Bisiklet Hırsızları* - Vittorio de Sica (1948)
24. *Umberto D.* - Vittorica de Sica (1952)
25. *Lili Marleen* - Rainer Werner Fassbinder (1981)
26. *Jesus Of Nazareth* – Franco Zeffirelli (1977 - Mini dizi olarak çekildi.)

SAHNE SANATLARI ÜZERİNE

Şu lafınız çok ilginç: "Tiyatro neymiş görmek isteyen üç şehre gitmelidir: Moskova, Londra ve Tel Aviv." Neden bu üç şehir?

Londra malûm, Batı dünyasının en önemli oyunları hep orada sergilenir. Demek ki bunları izlemek için illâ Londra'ya gidilmelidir. Ama bunun ötesini görmek istiyorsanız, ya Rusya'ya ya da İsrail'e gideceksiniz. Çünkü bu iki ulus da tiyatroyla yaşar, kültürlerini de tiyatroyla yaşatırlar. Hâlen şiir okuyan aktörleri, aktristleri vardır. Matineleri lebaleb dolar. Seyirciler temsillere en iyi kıyafetlerini giyip gelirler. Hele Rusya'da, maaşının yarısını oyuncuya takdim edeceği çiçeğe yatıran seyirciler bulunur. Bu seyirciler; oyunun sonunda öne geçmek, bu çiçekleri vermek için yarışırlar. Bu âdetleri hâlen devam ediyor. Rusya'da sadece tiyatro oyunları değil, konserler de aynıdır. Müzik iyi, opera iyi, dans iyi... Büyükşehirlerde hâlâ sanat var. Odessa'da bile mevcut... Çok açık ki insanlar üretime, hem de birinci sınıf bir üretime ulaşabiliyor. Önemli olan da zaten budur.

Rusya örneğinden devam edelim. Herkes Bolşoy'a gidemez, belki bilet pahalı gelir. Özellikle yaşı genç olanlar Moskova Sanat Tiyatrosu'na da yanaşamaz ama demiryolcuların bir Gogol Tiyatrosu vardır, oraya rahatlıkla gidebilirsin. Klasikleri doğru dürüst seyredebileceğin çok yer vardır. Bu salonları asla küçümseyemem, oralarda ben dört dörtlük oyuncular gördüm. Moskova'da hâlâ iki yüzün üzerinde tiyatro var ve hâlâ güzel salonlarda oynuyorlar.

İran'da da tiyatro oyunu seyrettiniz. Onlar nasıl bu konuda?

İran sineması çok konuşuluyor, çünkü iyi filmleri var ama bilmekte fayda var ki tiyatro anlayışları da iyidir. Humeyni'nin ihtilalinden sonra Tahran'da tiyatroya gitmiştim. Taler-i

Vahdet denen İran'ın ünlü tiyatro salonunda bir oyun izledim. Taler-i Vahdet, "birlik holü" demektir. Muhteşem bir tiyatro binası ki, öylesi bizde yok. Fırsat bulan, muhakkak gidip görsün. Ben orada Shakespeare'in *Venedik Taciri*'ni izlemiştim. Farsça çeviri nefisti; oyuncular birinci sınıftı; dekor, kostüm klasikti. Kadın kılıkları 15'inci asır Venedik'ine uygundu; yani başlarında o devrin Venedik'inde olduğu gibi bir türban veya şal vardı, göğüsler kapalıydı.

Taler-i Vahdet'in seyirci sıraları ise çarşaflı kadın seyircilerle doluydu. Devrimden önce buraya uğrayamayan Tahranlı kadınlar, sorduğumuzda, çocuklarını alarak tiyatroya geldiklerini belirttiler. Salona alınan küçükler etrafta koşturuyordu. Arada bir de sahnede duydukları isimleri haykırıyorlardı. "Antonio!" diyerek koşuşan bir veledi düşünün. İşte orada *Venedik Taciri*'ni oynuyorlar. Oyundan, oyunculuktan, dekordan, kostümden anladım ki İranlılar bu işi de biliyor. Güzel bir Farsça duyuyorsun. Dedim ya, nefis bir tercüme de var. Zaten Shakespeare iyi çevrilir. Shakespeare'in kötü çevirisi yoktur, olamaz. Söz gelimi, *Much Ado About Nothing*, bizde *Kuru Gürültü* diye çevrilmiştir; doğru bir tercihtir. Shakespeare'i iyi çevirmeyeceksen zaten hiç çevirme!

İranlılar çeviri işinde de Türkiye'den ileride sanırım, doğru mu biliyorum?

Evet, tercümeyi çok iyi beceriyorlar. Çünkü kendi dillerini iyi öğreniyorlar. İran burjuvazisi ve entelektüelleri ya bursla ya da kendi paralarıyla Avrupa'ya gider, yabancı dilleri de iyi öğrenir. Hâliyle yaptıkları çeviriler de tatmin eder. Yalnız bunun bir toplumsal sebebi daha var. İran'da ihtilalden sonra insanlar ne doğru dürüst gazete okudu ne de televizyon seyretti. Boyuna çeviri yaptılar, önlerine gelen her şeyi çevirdiler. Bu sayede ortaya müthiş güzel bir çeviri edebiyatı çıktı.

Neyse ki bizde de tercümeler iyileşmeye başladı. Kimse kusura bakmasın, Türkiye'de eskiden tercüme yoktu. Dame de Sion'u bitirmiş, Saint Benoit'yı bitirmiş, Fransızca bilen ama Türkçesi beş para etmeyen bir sürü çevirmen vardı. Bir düzine mükemmel çevirmen ve filoloğa rağmen Robert Kolejlilerden çıkan berbat tercümeler de vardı.

Hem de artık çok iddialı çeviriler var hocam. Üstelik çevirisi çok zor sayılan eserler de başarıyla dilimize kazandırıldı.

Biz kültive bir ülke değildik. Ama artık değişiyoruz. Tabii üretimimiz de artıyor. Şunu unutmamalı: Biz belli alanlarda bir mühendisler ülkesiyiz. İyi mühendis çıkartıyoruz, iyi hekimlerimiz var. Bu alanlarda başarılı olmak güzel, ne var ki kültürel üretimimizde ciddi bir artış yok. Bizim artık buna odaklanmamız lazım. İyi sinemacı, tiyatrocu, müzisyen yetiştirmeliyiz. Yeni nesillerin de bu konu üzerine düşünmesi, böyle yetişmeye talip olması gerekiyor.

Beri yandan dünyada da bu yönde bir artış yok. Orijinallik kayboluyor. Nerede mesela eski müzikaller? Farkında mısın, 20 senedir aynı müzikaller oynanıyor. Yeni şeyler yok. Tiyatrolar desen, eskisinden kötü...

> Hepimizin üzerinde düşünmesi gereken bir konu... İyi mühendis ve hekim çıkartıyoruz, ne var ki kültürel üretimimizde ciddi bir artış yok. Bizim artık buna odaklanmamız lazım. Sinemacı, tiyatrocu, müzisyen yetiştirmenin yollarını bulmalıyız.

Dışarının da mı tadı kaçtı? Yabancı şehirlerde seyrettiğiniz oyunlar da mı eskiler kadar haz vermiyor?

Ben eskiden beri dışarıda tiyatroya gitmeye gayret ediyorum ama artık gitmeyeceğim, çünkü hep aynı şeyleri görmekten usandım. Her zaman, "Göreceksek bari iyisini görelim," derim, ona göre program yapmaya çalışırım ama artık iyisini bulamıyorum. Broadway'de daha yeni *Hamilton* diye bir müzikal seyrettik, pek de beğenemedim. Ele alınan konu müzikale gelecek gibi değil çünkü; hukuk fakültesinde işlenecek konuyu sulandırıp Broadway'e getirmişler. Müziğini de sevemedim.

Mesela dönüp baktığımızda, *Damdaki Kemancı* (Anatevka) gibi eserleri ve sahnelemeleri anıyoruz. Bu eserin sahibi Sholom Aleichem'in derin yazarlığı müziğine de yansımıştır; gençler belki bilmez, muhakkak okusunlar, sahnede görme imkânı olursa da kaçırmasınlar. Viyana hâlâ müzik ve opera şehri ama tiyatro eskisi gibi değil, Almanca konuşan bölgelerde tiyatronun eski tadı yok. Buna karşılık Fransa'da tiyatro parlak bir şekilde devam ediyor, yeni ekoller var. Rusya'da ise tiyatro da, bale de, operet ve opera da zirvede. Toplumun en sıkıntılı zamanlarında bile salonlar tıklım tıklımdı. Tabii Britanya hâlen sahne sanatlarıyla haşır neşir... Tel Aviv ve Kudüs de hâlen birer tiyatro şehri; buralarda artık çok az konuşulmaya başlayan Yidiş bile önemli bir şekilde tiyatro ile temsil ediliyor.

Sinema bahsinde övdüğünüz İtalyanları da sahne sanatlarında ayırırsınız herhâlde? En azından hâlen iyi opera seyrettiriyorlar, hem de sinema yönetmenleriyle...

Evet, bu konularda İtalyanları yine kayıralım. Dönelim İtalyan rejisörlere. Çünkü söylediğin gibi, bir meziyetleri daha var ki, atlamak olmaz. İtalyan yönetmenler operada da iyidir, tarihi bu zamana çok iyi bağlamışlardır. Franco Zeffirelli'yi herkes *Jesus Of Nazareth* filmiyle tanır. Ama onun müthiş yönetici bir rejisör oluşunu opera severler bilir. *La Tosca* ve *Aida* sahnelemeleri, onun müzikte tarih ve *Gesamtkunstwerk* (total sanat eseri) uzmanı olduğunun kanıtıdır. Opera dünyası Zeffirelli'nin prodüksiyonlarını unutamaz, kendisi sahnelerde ve festivallerde insanları büyülemiştir. İtalya'nın büyük rejisörleri opera sahnelemeye de teşvik edilir. Az önce andığımız Visconti de opera için çalışmıştır, hemen tüm önemli rejisörler çalışmıştır. İtalya'da rejisörler bu işi önemserler. Adamlar film rejisörü ama işte İtalyan oldukları için müzik de bilirler. Bu güzel bir birlikteliktir, hakikaten de iyi bir rejisörü operada kullanmak gerekir.

Hatta Verdi yılında Ferzan Özpetek, Napoli San Carlo Operası'nda *La Tosca*'yı sahnelemeye davet edildi; o da davete icabet etti. Bilmiyorum, Zeffirelli'ninkiler gibi bir şey oldu mu; kritiklere bakmak lazım. Demek ki İtalya'yı ziyaret ediyorsan, bir operaya gideceksin. İtalyan kültürünü yaşamak istiyorsan, o kültürü sahnede izleyeceksin.

Opera eseri sahneye koyan yönetmenler demişken, Woody Allen da yakında La Scala'da Puccini'nin bir operasını icra edecek.

Bunu duymamıştım ama yanılmışlar besbelli! Bu iş Woody Allen'a yaptırılmaz. Bir defa Allen o tarz musikiden anlıyor mu? Benim bildiğim, caz seviyor. Reklam olsun diye yaptırıyorlardır. Bak Hollywood'dan musiki bilen adam kimdir biliyor musun? Anthony Hopkins. Gençken vals bestelemiş. İsmi de *Waltz Goes On*. Bunu kimse bilmiyordu, yakınlarda ortaya çıktı. Dahası eseri de meşhur orkestra şefi Andre Rieu, Viyana'da icra etti. Bir dinleyelim şunu yahu! (YouTube'da icrayı bulup dinliyoruz.) İşte müzikle ilgilenmek budur! Belli ki Anthony Hopkins müzik biliyor. Böyle şeyleri bilmeden gidip La Scala'da opera yönetilmez. Çünkü opera dediğimiz gibi, *gesamtkunstwerk*'tir; Dionisien ve Apollonien bütün sanatların toplandığı bir daldır ve bu şekilde muhteşem eserler ortaya çıkar.

Türkiye'ye dönersek... Bizdeki tiyatro ortamı hakkında ne düşünürsünüz?

Şunu söylemeliyim: Ben 1960'larda Türkiye'deki tiyatroyla epey içli dışlıydım; o dünyayı yakından tanıdım, eleştiri yazıları yazdım. Çok benimsememekle birlikte, öğrenciyken bir iki kere sahneye de çıktım. Ama 1971'de Viyana'ya gidip döndükten sonra, Türkiye'de tiyatroyla pek ilgilenmedim. Çünkü bir kere klasik dünyanın güzelliğini, salonlarını görmüştüm. Beni bırak; o dönemde artık ünlü olan arkadaşım Zeliha Berksoy da o yıllarda Berlin'e gittikten, Berliner Ensemble'i dolaştıktan sonra devletteki görevinden istifa etmişti. Hâlbuki Devlet Tiyatrosu'nda da istikbali vardı, gözde biriydi. Ama işte bir saatten sonra sizi bazı şeyler kesmiyor. Üstelik o dönemin ortamı bugünden iyiydi.

O dönemki imkânların daha kısıtlı olmasına rağmen mi?

Evet; 1960'lı yıllar Türkiye'de, bütün dünyada olduğu gibi pembe ufuklar asrıydı. Ama bir yandan da insanların çok ekşi oldukları bir devirdi. Çünkü şu da bir gerçek ki, Türkiye o sıralar fakir, kalkınma sancıları çeken bir ülkeydi. Yabancı Türkolog arkadaşlar, Türkiye için "korkunç fakir" diyorlardı. Sefil değil ama fakir... Şimdi artık yabancılar bizi "fakir" diye nitelemiyor, çünkü fakir değiliz. Bize artık başka şeyler diyorlar. Demokrasimizin olmadığını söylüyorlar; bilmem ne diyorlar, diyor oğlu diyorlar. Peki, sonuçta kim ne derse desin; herkesi hayran bırakan bir tiyatro salonu yaptık mı? Henüz yapamadık. O yüzden dışarıdakilere bakıp duruyoruz. İyi opera sanatçılarımız buradan çok dışarıda sanatını icra ediyor. Fazıl Say'ı dinlemek için Tel Aviv veya Berlin'e mi gideceğiz? Burada sahne yok, bina yok, iyi niyetli sergileme ve seçim imkânı yok. Kültür Bakanlığı senelerdir müze asistanlığı, koro ve orkestra üyeliği imtihanları açıp personelini arttıramıyor.

Şu an dışarıdaki temsilleri artık gidip pek seyretmiyorum ama senin nedenini sorduğun üç şehre; Londra'ya, Moskova'ya ve Tel Aviv'e ben bu gözle de bakarım. Örneğin bir gittiğinde, Londra'daki Duke of York'ta oyun izlemelisin. Tiyatro emek ister. Bu işlerle ilgilendiğini söylüyorsan zaman ayıracaksın, para ayıracaksın; bunun için bir mesai yapacaksın. Söz gelimi, Amerika'da Broadway'de temsil izleyeceksin; bütçeni ona göre ayarlayacaksın. Ama işte koştur koştur tiyatroya gitmek de olmuyor, onu özümseyeceksin. Daha doğrusu artık benim için bu pek mümkün olmuyor. Gidip dışarıda bir ay kalmam lazım. Arşivde, kütüphanede çalışıp, akşamları tiyatrodan eve dönmeliyim. Ben böylesini seviyorum.

> Tiyatro emek ister. Bu işlerle ilgilendiğinizi söylüyorsanız zaman ayıracaksınız, para ayıracaksınız, mesai yapacaksınız. Londra'ya, New York'a gidebiliyorsanız, oradaki oyunları izlemeye de çalışacaksınız.

Yurt dışındaki temsillere gidemediğim gibi artık Türkiye'de de çok fazla tiyatro seyredemiyorum ama yine de düşünüyorum; İstanbul'da bir insan kaç defa tiyatroya gidebilir, nasıl gidebilir? Artık vaziyet eskisi gibi de değil. Tiyatrocular da sıkıntıyla yaşıyor.

Biraz haksızlık ediyorsunuz. Çünkü bizde tiyatro seyircisinin sayısı epey arttı. İnsanlar tiyatroyu çok seviyor. Bilet fiyatları yüksek olsa da salonlar doluyor. Bir yandan küçük, genç tiyatrolar da seyirci çekebiliyor.

Evet, bunu da fark etmiyor değilim. Güzel şey bu. Görünüyor ki ne olursa olsun, Türkiye değişiyor. Peki bu alanı teşvik etsek ve sanatçıyı sıkıntıdan kurtarsak iyi olmaz mı?

MÜZİK ÜZERİNE

En çok klasik müzik dinlediğinizi biliyorum. Özellikle beğendiğiniz besteciler kimler?

Ben büyükleri severim. Bilhassa da Mozart ve Beethoven'ı... Buna Haydn'ı da katalım. Bunlar birbirini tanımış üç dâhi bestekârdır zaten. Haydn diğer dâhileri etkilemiştir; dâhilere en çok öğreten dâhidir. Mozart en çok eser veren dâhidir. Beethoven ise hem bir dâhidir hem de bütün zamanların en sevilen bestekârıdır. Ben de Beethoven'ı ayrı bir yere koyarım. Öyle ki 1827'de öldüğünde cenazesine 20 bin Viyanalı katılmıştır. Bu, o zaman için çok büyük bir sayıdır. Hele zavallı Mozart'ın sahip çıkılmayan cenazesi ve bir çukura atılan naaşını düşündüğünüzde bu durum daha da dramatik geliyor. Beethoven'ın hayatında da başka bir drama var. Kâbusu olan ve onu sonunda sağırlaştıran kulak arızasını, bugün en tecrübesiz bir hekim bile saptayıp tedavi edebilirdi.

Siz Beethoven'ı tarihteki yeriyle, yani döneminin iyi bir temsilcisi olarak da seviyorsunuz sanırım.

Doğru, Beethoven çağının çok iyi bir ürünüdür. Onunla ilgili anlatacak şey çok... Evvela, onu sadece Romantik dönemin önemli bir ismi, çağına damga vurmuş bir bestekâr olarak ele almamak gerekir. Beethoven çağının en önemli münevverleri arasındaydı. Napolyon'un savaşlarından, Avrupa'yı istila etmesinden etkilenmişti. Monarşinin ve kilisenin gücünün nihayete ermesi beklenen bir dönemde yaşamıştı. Doğal olarak döneminin tesiri altında kaldı. Örneğin, *Üçüncü Senfoni*'yi; yani *Eroica*'yı, Napolyon'u düşünerek bestelemiştir.

Döneminden etkilendiğini söylüyoruz ama o da bir yandan çağdaşlarını ve arkasından gelenleri etkiledi. Koruyucusu, imparatorluk ailesinden gelen Arşidük Rudolf'tu. Arkadaşlarından biri Goethe'ydi. Hatta ilginçtir; bir gün Goethe ile yürürlerken İmparator I. Franz yanlarından geçmiş ve Goethe'yi değil, Beethoven'ı selamlamıştı.

Bunları anlatıyorum; çünkü sanatçıları, devlet adamlarını, hatta herkesi yaşadıkları dönemleriyle bilmek önemlidir. Bir çağın bir insanı nasıl şekillendirdiğini görmek gerekir. Onların eserlerine bu sayede daha iyi nüfuz edersiniz.

Goethe ile arkadaş olduğunu söyledik; öyleyse Beethoven'ın yaşadığı dönemin, bir bakıma Almanca konuşan dünyanın en verimli dönemi olduğunu da saptamak lazım. Bir defa Kant felsefesi Almanları uzun zamandır etkiliyordu. Joseph von Hammer, İran edebiyatını, en başta da Hafız'ın şiirlerini çevirerek edebiyat ve felsefe çevrelerine bir rüzgâr getirmişti. Bu rüzgâr benzetmesini yapan da Hegel'dir. Malûm, Goethe de bu çeviriyi okumuş ve ondan esinle *Batı-Doğu Divanı*'nı ortaya koymuştur. Beethoven işte böyle bir dönemde yaşadı. Herkesi tek tek anlatmaya yerimiz yetmez, iyi bir örnek olarak Beethoven'dan bahsetmiş olalım.

> Herkesi dönemiyle tanımanız gerekir. Sanatçıların, devlet adamlarının yaşadıkları dönemi bilirseniz, çağının bir insanı nasıl şekillendirdiğini de görürsünüz. Bu sayede, verilen eserleri, yapılan işleri de daha iyi anlarsınız.

Bach'ın adını hiç geçirmediniz, sevmez misiniz? Ya da başka kimleri sevdiğinizi, önemsediğinizi sorayım.

Bach'ı sevenler çok sever. Onun musikisi teknik ilerleme getirmiştir. Ses düzeni onunla en üst noktaya çıkmıştır. Yine bazıları Wagner'i çok severler. Librettolarını tamamen kendisi yazmıştır. Ama ben, onu da Bach'ı da en saygı duyulacaklar arasına koymam, ama şahsen en huşuyla dinlediklerimdendir. Başka isimler soruyorsun, düşüneyim. Chopin'i severim elbette, onu ruhuma yakın hissederim.

Madem Chopin vasıtasıyla Doğu Avrupa'ya doğru gittik, Rusya tarafına da geçelim. Elbette *Rus Beşleri*'ni[38] severim. Onlara *Yumruk* ya da Kuvvetli Yumruk da derlerdi (*Mogucha-ya Kuchka*). Ama bu, hepsinin her dönemini sevdiğim anlamına gelmez. Beri yandan, onların ve Çaykovski'nin birbirlerinden hazzetmediğini de söylemek lazım. Tabii Çaykovski'nin onlara karşı bariz bir üstünlüğü vardır.

İşte şimdi önemli bir noktaya geldik. Rus müziğinin en büyüğünün kim olduğu sorusuna genelde, "Çaykovski'dir," diye yanıt verilir ama bana sorarsan Rahmaninov'dur. Sostakoviç'in de güzel parçaları vardır ama Rusya'da klasik müziği en üst noktaya çıkaran isim hiç itirazsız Rahmaninov'dur. Bu yüzden gençlerin illâ ki onu dinlemesini, öğrenmesini isterim. Dinleyince hemen benimseyeceklerdir, sabretsinler. Onun Hüseynî makamını üslub-u cedid ile kullandığını görürsünüz. Şarklıyı da Garblıyı da mest eder. Herkes Beethoven'ı, Mozart'ı, Brahms'ı ister istemez beğenir ama 20'nci yüzyılın dâhi Rus'u Rahmaninov'dur.

> Rus müziğinin en büyüğü bana kalırsa Çaykovski değildir, Rahmaninov'dur. Sostakoviç'in de güzel parçaları vardır ama Rusya'da klasik müziği en üst noktaya Rahmaninov çıkarmıştır. Gençlerin onu dinlemesini isterim.

Peki klasik müziği hangi icracılardan dinlemeyi seviyorsunuz? Hangi şeflerin önde geldiğini düşünüyorsunuz?

İcracı çok var, saymakla bitmez. Birkaçını söyleyeyim. Şüphesiz ki piyanoda Daniel Barenboim hemen akla gelir. Piyano deyince Vladimir Aşkenazi'yi de sayabiliriz. Kemanda David Oistrakh, Itzhak Perlman… Şeflerden az önce bahsettiğimiz Fürtwängler…

---

38 1860'lı yıllarda Rus müziğine damga vuran Cesar Cui, Aleksandr Borodin, Mily Balakirev, Modest Mussorgsky ve Nikolay Rimsky-Korsakov.

Türk müzisyenleri sorsam? İdil Biret, Ayla Erduran, Fazıl Say?

Çoğu dostumdur. İyi isimlerimiz var diyelim. Ama tabii bazıları daha öndedir. Saydığınız isimler çok açık ki önemli kişilerdir. Keza dışarıda da çok dinleniyorlar. Hele Fazıl'ı dışarıda bilhassa seviyorlar. Dış dünyada orkestra şefleri, virtüözleri arasında fanları var. Onunla çalmaya, çalışmaya bayılıyorlar. Türkiye'den böyle göğsümüzü kabartacak çok isim çıkabiliyor. Bu isimler Ulu Önder Atatürk'ün başlattığı hareketin neticesidir. İşte o başlangıcı iyi bilmek gerekir. Bu başlangıç sayesindedir ki, birçok isim kendiliğinden ortaya çıkmıştır. Tekrarlayalım: Bunu "Büyük Adam" başlattı. Biz de ona layık bir şekilde devam ettirmeliyiz. İdil Biret istisnai bir münevverdir. Ayla Erduran'ın da dünya bilgisi ve görgüsü öyledir. Fazıl Say bu ülkenin ürünüdür ve bir dâhidir.

Güncel olmayan sanatçılardan da birkaç örnek vereyim. Hiç şüphesiz Dede Efendi'yi bilmeniz gerekiyor; Hafız Post'u, Abdülkadir Meragi'yi tanımanız gerekiyor. Buhurizade Mustafa Itrî'den, Hacı Arif Bey'den haberdar olmanız, onların isimlerini hatrınızda tutmanız yetmez; bestelerini de bileceksiniz. Rahmi Bey'in 19'uncu asrın arabeski diye de tanınan eserlerini öğreneceksiniz.

Bugüne yaklaşalım, Mesut Cemil'i dinlemeden de olmaz. Münir Nurettin Selçuk var, Safiye Ayla var... Bir de yeni Türk müziğinden Zehra Eren'i söylemeliyim. Bakın, öylesine kulak verin demiyorum; Zehra Eren'i dinlemek zorundasınız. İnanılmaz bir sesi, müzik bilgisi vardı. İlk dinlediğinde Zarah Leander gibi dersin; tabii doğru bir benzetme olmaz, çünkü daha fazlasıdır. Verdiği emekler hep perde arkasında kalmıştır, bugünkü şarkıların birçoğunu literatürümüze kazandıran odur. Mütevazı bir insan olduğundan öne çıkmadı. Zaten gidişi de sessiz sedasız oldu. Bari yeni kuşaklar dinleyip Zehra Eren'i sahip çıksınlar.

Az önce bahsettiğiniz "başlangıcı" konuşalım mı biraz?
Cumhuriyet'in ilk yıllarında Atatürk'ün müzikle ilgili
tasarrufu neydi?

Biliyorsun; Cumhuriyet, çocuklarını yetişmeleri için dışarı yollamaya gayret ediyordu. Dahası sadece tıp ve mühendislik alanında değil; tarih, arkeoloji, filoloji için de gönderilenler oldu. Elbette güzel sanatlar ve musiki dallarında da; özellikle Batı müziğini öğrenip orkestraları, operaları tanısınlar diye dışarı yollananlar vardı. Eğitim bursları verildi. Opera kurulmaya çalışıldı. Şurası çok açık ki, opera o zamanlarda dahi bu topraklar için çok yeni bir şey değildi; çünkü Osmanlı'da dinleniyordu. Padişahlar opera ve operet truplarını izliyorlardı. Saray tiyatrosuna davet edilen gruplar da oluyordu.

> Hiç şüphesiz Dede Efendi'yi bilmeniz gerekiyor; Hafız Post'tan, Abdülkadir Meragi'den, Buhurizade Mustafa Itri'den, Hacı Arif Bey'den, Rahmi Bey'den, Mesut Cemil'den haberdar olmanız yetmez; bestelerini de bileceksiniz.

Ama en önemli safha, tabii ki genç Türkiye Cumhuriyeti'nin bir opera kurmaya kalkışmasıdır.

İşte bu hareketi Atatürk başlattı. Evvela konservatuvarlar kurdu. Bu konservatuvarlar, daha önceki *Musiki Muallim Mektebi*'nin geliştirilmiş bir safhasıydı. Devlet; sahne sanatlarını, filarmoni ve tiyatro kurumlarını desteklemeye başlamıştı. Burada önemli bir nokta var. Alanının en büyük isimlerinden Carl Ebert, Atatürk tarafından Türkiye'ye getirildiğinde; Ulu Önder onun operayı kurmak için kaç yıla ihtiyacı olduğunu öğrenmek istemişti. Hatta hevesle, "Beş yılda yapabilir misin?" diye sormuştu. Ebert, "Bu biraz zor," diye cevap verince Atatürk üzülmüştü ama kabullenip programa devam etmişti. Neticede opera, Atatürk'ün ölümünden sonra gerçekleşti.

Yine Fazıl Say gibi isimlerin çıkışı Ulu Önder Atatürk'ün başlattığı hareketin neticesidir. Tekrarlayalım: Bunu "Büyük Adam" başlattı. Biz de ona layık bir şekilde devam ettirmeliyiz.

Atatürk neden özellikle operayı önemsiyordu?

Atatürk Sofya'da ateşemiliter göreviyle bulunmuştu. Bulgaristan, genç bir subay olarak Mustafa Kemal'in modern dünya kültürünün kurumlarına intibakı ve kültürel değişimden kaynaklanan sorunları gözlediği bir yer hâline geldi. Bu arada orada operaya gitme imkânı da buldu. Çünkü Sofya'daki opera, tıpkı Bükreş'teki gibi, Balkanlar'daki önemli kurumlardandı. Öyle ki Mustafa Kemal, izlediği temsilden sonra, kendisine refakat eden Sobranye (Bulgar Millet Meclisi) üyesi Şakir Zümre Bey'e, "Adamların Balkan Savaşı'nı niye kazandıklarını şimdi anladım," diyecekti. Neden böyle demiştir? Çünkü opera bir tertip ve disiplin işidir. Kendisi de bunu idrak etmişti.

> Fazıl Say gibi isimlerin çıkışı Ulu Önder Atatürk'ün başlattığı hareketin neticesidir. Bu hareketi "Büyük Adam" başlatmıştır, biz de ona layık bir şekilde devam ettirmeliyiz.

Opera bir organizasyondur. Daha önce değinmiştik; Wagner'in tabiriyle bir *gesamtkunstwerk*, yani bütün sanatların ortaklığıdır. Bu yüzden İran Şahı Türkiye'ye geldiğinde, Atatürk'ün *Özsoy Operası*'nı temsil ettirmesinde bu Sofya tecrübesinin payı aranmalıdır.

Hatırlayalım, 1934 yılında Rıza Şah Pehlevi uzun bir Türkiye seyahatine çıkmıştı. Şah ile Atatürk, bu seyahatle birlikte, iki ülkenin yıllar süren rekabetine bir nokta koymuş; ideolojik bir birlik içine girmişlerdi. Sadabat Paktı dönemidir bu. İki liderin ortak amacı, ülkelerini Batılılaştırmaktı.

> Operada üç ismi dinlemeden olmaz: Verdi, Donizetti, Puccini. Ben bunların arasında Verdi'ciyim. Rusların da operaları iyidir ama onların esas balesini bilmek gerekir. Hiç olmazsa Çaykovski'nin *Kuğu Gölü*'nü ve *Fındıkkıran*'ını izlemek, bir yerde çaldığında tanımak gerekir.

Musiki de işin bir yönüydü. İran halihazırda bu işe başlamıştı, operalarını onlar da aynı yıllarda kurdu. İşte 19 Haziran 1934'te Atatürk; iki milletin bu yeni yolunu, opera sanatına girişini, Halkevi'nde Münir Hayri'nin (Egeli) librettosundan çıkan ve Adnan Saygun'un bestelediği tek perdelik bir temsille açtı. Bu, *Özsoy Operası*'dır. Bu olay; bozkırdaki bir tiyatro binasında, duvarlarında Timurlenk'in mezarını gösteren bir barok neo-klasik Türk mimari eserinin içinde cereyan etmiştir. Bu temsilin ayrıntısı çoktur. Örneğin, daha sonra Almanya'ya gönderilecek ve eğitimini tamamlayacak olan Semiha Berksoy da bu operada sahneye çıkmıştır. *Özsoy Operası* her anlamda bir başlangıç noktasıdır. Cumhuriyet'in operayla, Batı musikisiyle tanışmasında önemli bir safhadır.

Operayla yeni tanışacak gençlere ne önerirsiniz?

İtalyan operasını katiyen ihmal etmesinler. Verdi, Donizetti, Puccini... Söz konusu operaysa, ben hayatın tadını çıkarmak için Verdi ve Puccini'yi; İtalyanların dışında da Mozart'ı tercih edenlerdenim. Verdi ile Puccini arasındaysa Verdi'ciyim. İnsanlar "opera" deyince en çok Puccini'yi sayar ama Verdi benim için tarihteki yeriyle de önemlidir. Verdi, her şeyden önce, İtalya'dır; İtalya'nın birliğinin ikonudur. Onun ünlü eseri *Nabucco Operası*'ndaki kölelerin "hürriyet şarkısı", bir süre sonra bütün İtalyanların dilinde adeta bir millî marş hâline dönüşmüştür. Düşün ki İtalyan halkı, sokakta onun ismini, "Viva Verdi!" diye haykırdığında, aslında birleşik İtalya'nın başına geçecek kralın ismini bir slogan hâline getirmiş oluyordu.[39]

Beri yandan Rus operası elbette çok önemlidir, hele sesleri çok güzeldir. Ama operasından öte, Rus balesini hakikaten bilmek lazımdır. Hiç olmazsa Çaykovski'nin *Kuğu Gölü*'nü ve *Fındıkkıran*'ını izlemek, bir yerde çaldığında tanımak gerekir. Zaten Britanya ve Rus baleleri birer ekoldur. Bu ikisi kadar önemli başkası da yoktur, diğerleri gelip geçer. Klasikleri, esasları İngilizler ve Ruslar koymuştur; diğer herkes onlara ayak uydurmaya çalışır.

Biz de mesela bu konuda İngiltere'den yardım aldık. Balemizin kuruluşunda Dame Ninette de Valois geldi. Kendisi İngiltere'de Royal Ballet'nin[40] kurucusudur. Haşin bir kadınmış ama bizim balerinleri, baletlerimizi çok sevmişti. Onlara çok iyi davranıyormuş. Sonra gitti tabii.

Peki ne oldu? Hepsini unuttuk. Öğrendiklerimizi unuttuk. Öyle de bir unutma huyumuz vardır. Yine de bu aralar biraz umutluyum. Şimdilerde baleye çok gidiyorlar. Hiç inanmayacağın kadar, mütevazı tabakadan insanlar çocuklarını getirip bale kursuna başvuruyor. Bu pekâlâ da oluyor. Çocuklarını operaya da gönderiyorlar. Tiyatrolar zaten dolu... Görülüyor ki bu alanda bir kıpırtı var, umutluyum. Siz de umut etmeyi hiç bırakmayın. Kuşkusuz ki bu hareketin devam etmesi lazım.

Düşük gelirli ailelerin çocuklarını baleye yolladığını söylediniz. Orta sınıf aileler de çocuklarını bale kursuna göndermeyi seviyor ama sanki aynı çocukların ileride bunu bir meslek olarak benimsemesini istemiyorlar. Çocuk sadece vücudunu eğitsin diye ya da moda olduğu için kurs aldırıyor gibiler. Bu vesileyle kursları sorayım size. Ne kadar lüzum görüyor musunuz?

---

39 "Viva V.E.R.D.İ."; "Yaşa İtalya Kralı Vittorio Emanuele" (Viva Vittorio Emanuele Re D'Italia)

40 Kraliyet Balesi.

> Hiç değilse bir enstrüman çalmayı bilmek, çocukların da öğrenmesini sağlamak gerekir. Önemli olan onu çok iyi çalmak değildir. Bu süreçte müziği dinlemeyi de öğreniyorsun. Bu, hayatınız boyunca sizinle gidecek bir bilgidir.

Ne olduklarını bilmek lazım. Kursların hepsine gidilmez, lüzumlu olanlara gidilir. Çocuklar en başta müzik öğrenmelidir. Bir defa bir enstrüman çalsınlar. Keman, nefesli saz, piyano; ne olursa... Yani müzik öğrensinler. Bir çocuk illâ büyük bir müzisyen olsun diye bir şart yok ama müzik öğrenmelidir. Çünkü müzik sadece kültürün önemli bir unsuru değildir, mantığın da parçasıdır; bir düşünce yöntemidir. Müziğin düşünme ve kavrama yetisi için kazanç olduğu açıktır.

Resim de biraz olsun öğretirsin. Bu tarz eğitim mekteplerde biraz zayıf, o yüzden resim öğretilirse iyi olur. Bu konuda illâ becerikli olması gerekmez ama çocuğun resim bilgisi edinmesi iyidir. Herkes müzisyen olmayacağı gibi herkes ressam olacak da değildir. Ama herkesin resim, müzik bilmesi gerekir.

Sizin resme yeteneğiniz olduğunu biliyorum. Peki müzik? Enstrüman çalar mısınız?

Yarım düzine enstrümanı denedim, ders aldım ama hepsini bıraktım (Gülüyor). Babam bu enstrümanları bırakmama çok üzülürdü ama ne yapalım, yetenek meselesi! Kendisi bunun önemli olduğuna inanmıştı ama ben hiç yapamadım. Bizim bütün aile bu şekilde enstrüman öğrenmeye başlayıp bırakmıştır. Ama sonuçta müziği dinlemeyi öğreniyorsun.

Tekrarlayalım, mesele illâ bir enstrümanı iyi çalmak değildir. Enstrüman çalmaya çalışırken, müziği dinlemeyi de öğreniyorsun. Bu çok önemli bir bilgidir ve hayatın boyunca seninle gider. O yüzden çocuklara müzik öğretmek ciddi ve ihmal edilmemesi gereken bir iştir. Şüphesiz dinlediğin şeyi anlaman da lazım.

En keyifli anınızda ne dinlersiniz hocam?

Her şeyi dinlerim. Yani "her şeyi" diyorsam, genellikle klasikler içindeki her şeyi dinlerim. Dün mesela Chopin dinledim. Halk müziğini de severim ama çok açılmam. İtalyan folklorunun klasiklerini severim; Napoliten, Sicilyan şarkıları severim. Ruslarınkini de severim ama o kadar; oturup Alman folklorunu da dinlemem. Lüzum yok onlara. Bizimkileri de dinlemem. Pop ya da rock'n roll müziği de eskiden beri pek benimsemem. Hatta herkes çok rağbet ederken ben Beatles da dinlemezdim. "British music" sevmem. İngilizce müziğe az tahammül ederim. Almanca çok yüksek bir musiki olduğu için, o dilin bir problem olmadığı açık; yine dinlenir. Rusça ve İtalyanca sözlü şarkılar dinlemeyi severim. "Onu sevmem, bunu dinlemem," diyorum ama neticede herkes gibi, her şeye maruz kaldım.

Biliyor musun, bu Beatles'ları şimdi biraz daha dinleyebiliyorum. Sanırım modası geçtikten sonra daha güzel geliyor.

Peki ya dansla aranız nasıl?

Dans başka, dans çok önemli... Dansı bilmek zorundasın. Klasik dans da yeniler de önemli... Fakat sabahtan akşama elektronik müzikle dans etmeye hiç kafam basmaz. Vals bilirim ama zaten onu bilmek bir şey sayılmaz. Eh, bilmeyen de bir zahmet öğrensin.

Ben hercaî danslara eskiden beri gelemem. Ama iyi dans edeni seyretmek de güzeldir. Benim iki kuzenim, iki kardeş, Nair ve Naire Çorgunlu, rock'n roll dansının ustasıydılar; nefis dans ederlerdi. Nair Ağabey'i erken kaybettik. Doğrusu ikisinin dansı seyre değerdi ama sadece kendileri için dans ederlerdi.

Profesyonel değillerdi. Bak bu işi yapacaksan, onlar gibi yapacaksın.

Neticede dansı, klasik dansları severim; dans ederim. Sabah akşam değil belki ama ederim. Dans bilmemek çok ayıptır. İnsan bu alanda kendini muhakkak yetiştirmelidir. Köylünün halay çekmeyi bilmeyenini göremezsiniz. Ama şehirlinin dans bilmeyeni de çıkar ve bu hiç hoş değildir. Dans öğreneceksiniz! Böyle "enternasyonel" dansları erkenden öğreneceksiniz. "Ben bilmem, ben oynamam," olmaz. Düğününde, nikâhında dans edemeyen tipler var; olmaz! Dans öğretilmesi iyidir, Maarif'in bu konuya bakması gerekir. Halay bilmeyen köylü de dans bilmeyen şehirli de müreffeh yaşasalar bile hayatın tadını çıkaramıyor demektir. Folklor kültürü olmayan Türk münevverinin sallantıda yaşadığı ve renk veremediği örnekleriyle ortadadır.

Klasik müziğe dönelim. Peki Anadolu esintilerini sever misiniz? Türk Beşleri[41] bunu biraz denemişti.

Türk Beşleri ismi taklittir. Az önce konuştuğumuz Rus Beşleri'ni (daha doğrusu Rusların *moguchaya kuchka* dedikleri "güçlü yumruk"u) taklit edip kendilerine isim vermişler. Bunu ancak 18 yaşındakiler yapar; "Sen Bo Derek ol, ben Liz Taylor olayım," diye kendilerine isim takarlar. Gerçi bu ismi de Türk Beşleri'nin kendilerinin değil, onların etrafındaki şaşkınların koyup yaydığı açık... Şöyle söyleyeyim; bunlar, Cumhuriyet'in kendilerinden çok şey bekledikleri insanlardır. Orada Atatürk

---

41 Cumhuriyet'in ilk yıllarında eserleriyle kendilerini kabul ettirmiş, Türk Beşleri adıyla tanınan besteciler: Ahmet Adnan Saygun, Ulvi Cemal Erkin, Cemal Reşit Rey, Hasan Ferit Alnar, Necil Kazım Akses.

hayatını ortaya koymuş; "Bu memlekette musiki de olsun, arkeoloji de olsun, opera da olsun," demiş; karşılığı, yani sanat camiasının cevabı bu mu olacaktı?

Olmaz! Oturup kendini bir şeye benzetmeye çalışırsan olmaz. Ben Mozart olayım, sen Haydn, beriki Beethoven olsun; ne âlâ memleket!

Şimdi mesela Adnan Saygun ne kadar önemli? Bazılarına sorsan ondan büyüğü yok. Mesela Gülper Refiğ, "Büyüktür," der. Bir başkası, "Ansiklopedilere bak," der; "Dünya musiki tarihinde ilk 500'e giriyor mu acaba?" diye sorar. "Bunlar kurucudur," da diyorlar, bilemiyorum. Aralarında ikinci isim Ulvi Cemal var; onun hakkında da, "Bir iki güzel bestesi olan, sert bir hocaydı," derler.

Ben bu isimleri pek dinlemem ama onların ön plana çıkması beni bile etkilemiştir. Söz gelimi konsere gidiyorsun; orkestra önce Çaykovski çalıyor, sonra da bunların eserlerine geçiyor. Bir gün neden böyle yaptıklarını sordum. "Biz Türk eserlerini çalmak zorunda hissediyoruz," dediler. Madem öyle, o zaman neden acaba Halife Abdülmecid'inkini, V. Murad'ınkini, hatta Abdülaziz'inkini çalmıyorsunuz? Bunun üzerine, "Efendim onlar Donizetti'ye (Gaetano) ısmarlayıp yaptırmış o eserleri," diye cevap veriyorlar. Yahu bu isimlerin Donizetti'yi gördüğü bile yok. Zaten bize gelen de Donizetti'nin kardeşidir (Guiseppe Donizetti). Bu iddiaların sahipleri işte böyle kronoloji bilmeyen uzmanlardır. Kronoloji bilmezler ama müzik tarihiyle, müzikle uğraşırlar. Bu gibi çürük iddialara devam etmeyelim.

Cumhuriyet'in ilk yıllarında Türkiye'de çalışan yabancı sanatçılardan bahsedelim. Batılılaşma çabaları içinde onlardan destek alma fikri benimsenmişti. Çok etkili oldular mı?

O yıllarda Türkiye, Hitler'in zulmüne uğrayan insanların iltica noktasıydı. Daha da ilginci; Yahudi olmayan, ancak

Nazi tabiriyle *Judengesippt,* yani "Yahudi kabilesine yamanmış" biri bile gelmişti ülkemize. Paul Hindemith'ten bahsediyorum. Hindemith, Nazi Almanya'sında pek rahat etmez; sık sık Türkiye'ye gelip burada kalırdı. Ankara onun mali ve manevi bakımdan desteklendiği ve huzur bulduğu ortamlardan biriydi. Doğrusu Hindemith'in, yeni kompozitörlerin yetişmesinde ve kendi 12 ton müziğinin burada tanıtılmasında büyük rolü oldu.

Elbette Türkiye'ye gelen başka isimler de vardı. Mesela yine Ankara'da, etrafta pek görünmeyen bir şöhret, Eduard Zuckmayer de yaşıyordu. Çok ortalarda değildi, çünkü hem kenara itilmişti hem de kendisi zaten çok mütevazı biriydi. Yalnız tam bir müzik adamıydı. Meşhur piyanist Wilhelm Kempff'in de sınıf arkadaşıydı. Zuckmayer, Yahudiliğinden dolayı memleketini terk etmek zorunda kalmıştı. Türk vatandaşlığına kabul edilerek, Gazi Eğitim Enstitüsü'nün bir odasında yaşadı; burada da hayata veda etti. Bir ara dönmeye kalktı; gitti, orada yapamadı ve yine buraya döndü. Mezarı da buradadır. Biliyor musun, Gazi Eğitim'de bütün bir musikişinas kabilesini bu adam yetiştirmiştir. Orada yetiştirdiği öğrenciler, 10 yıllar boyu devlet operasını ve senfonileri doldurdular. Onu şükranla anarlardı.

> Gazi Eğitim'de bütün bir milleti; yeterince tanıyıp bilmediğimiz, mütevazı bir şöhret olan Eduard Zuckmayer yetiştirmiştir. Orada yetiştirdiği öğrenciler, 10 yıllar boyu devlet operasını ve senfonileri doldurdular.

Daha önce bahsetmiştik. Gazi Eğitim; iyi Fransızca, iyi İngilizce eğitim vermesinin yanında, çok iyi müzisyen de yetiştiren bir yerdi. İşte bu "Beşler" falan milletin zihnini meşgul ederken bu tür adamlar sessiz sedasız, ciddi işler yaptı. Ama şimdi maalesef ki ne Zuckmayer'i ne Gazi'yi ne de yetişen talebelerin isim ve cisimlerini tanıyan, onları anan var. O Gazi Eğitim de hayal olup gitti. Hiç değilse orijinal mimari özelliğini koruyup ötesini berisini çekiştirip berbat etmeseler.

Mimari demişken biraz da binalardan bahsedelim. Operadan konuştuk ama binasından konuşmadık. Koca İstanbul'da sahne olarak bir Süreyya Operası kaldı. Ki orası da sinema salonu olarak kullanılıyordu, yakın dönemde restore edildi. Bu meseleye ne diyorsunuz?

Evet, düşün ki İstanbul gibi bir şehirde doğru dürüst opera binası yok. Haydarpaşa'yı değerlendirmek istedik ama otelcilerden fırsat kalır mı? Bütün Karadeniz otelci olup çıktı başımıza! Yine de herkese Süreyya'nın yeni hâlini görmelerini öneririm, güzeldir. Dediğin gibi, zaten bir orası kaldı ve o bina da bir ihtiyacı görmeye çalışıyor. Yeniden düzenlenmesinde Dr. Murat Katoğlu'nun gözlem ve müdahalesinin büyük payı vardır. O sayede berbat olması önlendi.

Bizdeki müzik dinleyicisini nasıl buluyorsunuz?

İşin doğrusu İstanbul, belki iyi olana özenmek gibi takdire şayan bir eğilimi olsa da, bir şeyden yeterince anlamayan insanlarla doludur. Müzik dinleyicileri de çoğunluk onlardan oluşur. İstanbul'un enteresan bir dinleyici kitlesi vardır. Dinlediği müziği, içinde oturduğu salonu bilen pek azdır. Bu, neticede beynelmilel bir musikidir. Bizler buna intibak eden insanlar olmalıyız. Her millet etmelidir ama bizim bu alanda adeta koşmamız gerekir. İstanbul'daki musiki çevrelerinin en nitelikli olanları bu konudaki klasik anlayışa sadıktır. Ama ben İstanbul'da; Ankara'da benzerine rastlamayacağınız gayet gülünç manzaralar da gördüm. Mesela önce Beethoven'ın

İkinci Konçertosu çalınıyor, arkasından da Berlioz geliyor. Bu programa ne denir?

Nüfusumuz içinde kıymetli insanlar, müzikseverler vardır muhakkak ama bu yetmez. Büyük kitlede eğitim yok. Dolayısıyla bu cılızlığı bir şekilde tedavi etmek lazım. İstanbul gibi bir şehir böyle olamaz. Dinleyicisi de böyle olamaz, dünyası da böyle sınırlı kalamaz.

Ankara ve Ankaralılar nasıl bu konuda?

Ben Ankara'daki seyirciyi eskiden daha iyi bulurdum. Daha küçük bir şehirdir ama mesela Cumhurbaşkanlığı Senfoni Orkestrası'ndan liselere bilet verilirdi, öğrencileri Cumartesi konserine çağırırlardı. Derken öyle bir zaman geldi ki, bilet bulamaz olduk. Bu arada maalesef o konserlerin icra edildiği salon da berbattı. Olacak gibi değil. İstanbul'daki iyi miydi sanki? Orası da hazin durumdaydı. Salon berbat, orkestra berbat... Kempff gibi bir müzisyen gelip Beethoven'ın *Beşinci Piyano Konçertosu*'nu çaldı, millet adamı tenkit etti. Çünkü orkestra ümitsizce dökülüyordu. Ben o konsere gitmiştim. Hatta bir Fransız, küstahça Kempff'e fena dil uzatıyor; "Bu adam herhâlde Beethoven'ı mahvetmek için bu Şark'a gelmiş," diyor.

Ben bunları eskiden beri anlatıyorum. Orkestra kötü, sahne kötü; hep söylüyorum. Bir yandan orkestranın şefleri baltaladığını da biliyorum. Böyle de bir dert var, çalmıyorlar! Örneğin St. Petersburg'da şeflik okuyup gelen, tanıdığım bir gencin ilk konserine gittim. Delikanlı ihtilaç geçiriyor; "Çalmıyorlar!" diyor. Bunu ona yapıyorlar, haydi o tıfıl; aynısını bizim Zubin Aykal'a, yani Gürer Aykal'a da yaparlardı. Gürer de delirirdi. Adamlarda heves yok. Maalesef öteden beri de böyle gitmiş. Kendi mesleğine saygı duymayanlar, geniş halk kitlelerinin saygı duymasını ve sevmesini nasıl bekleyecek?

Yalnız Cumhurbaşkanlığı Senfoni Orkestrası'nın başındaki Lessing'e aynı tip davranışı kimse sergileyememişti. Çünkü adamın kişiliği dışında en önemli özelliği ecnebi olmasıydı. Bizim sanatçılarımız maalesef yabancı mürebbiyeye alışmış çocuklar gibidirler. Bu tavrın çok sefer gerek orkestralarda gerek bale truplarında, hele hele operada şikâyet konusu olduğunu iyi biliyorum. Bunu bir özeleştiri olarak ele almamız gerekir. Tabii Lessing bir de çok sıkıydı, dinleyiciyi de adam ediyordu. Ayrıca orkestra üyeleri de iyiydi, hepsi konservatuar mezunuydu. Zaten o orkestranın iyileri, iktisadi sıkıntı dolayısıyla, 60'lı yıllarda Alman şehirlerine gittiler. Küçük şehir, büyük şehir diye de ayırmadılar. Alman orkestralarında çaldılar.

> Türkiye'nin yeni bir kültür başkenti adayı var: Bozkırın Eskişehir'i... Konser, tiyatro, opera... Sırf bunlar için Eskişehir'e gidilebilir.

Önemli gördüğüm bir şehirden daha bahsedelim. O şehir Eskişehir'dir. Şehrin halkında eğitimli, iyi bir maya oluşmuş; öne iyi bir yönetici geçerse, mucize başlar. Şu kadar söyleyeyim bozkırın Eskişehir'i, Türkiye'nin kültür başkenti oluyor. Orkestraları, konserleri, tiyatrosu, daha doğrusu tiyatroları, hatta operalarıyla... Öyle ki Ankara ve İstanbul'dan Eskişehir'e müzik dinlemeye, operaya gidenler gittikçe artıyor. Alışkanlık özleme dönüşmüş ve bu kitle büyüyor.

İLBER HOCA'DAN
32 KLASİK MÜZİK ALBÜMÜ

1. Wagner, Der Ring Des Nibelungen - Vienna Philharmonic Orchestra, Vienna State Opera Chorus, Solti. [Wagner'i eski şeflerin hepsinden ama özellikle Fürtwangler ve Georg Solti'den dinlemeli; Fürtwangler için Bayreuth kayıtları aranmalı, çağdaşlardan da Daniel Barenboim'ı tavsiye ederim.]

2. Beethoven: Symphonies Nos 5&7 - Vienna Philharmonic, Carlos Kleiber [Bunu da büyük isimlerin hepsinden dinlemeli ama yine asıl Wilhelm Furtwängler'in icrasını değerlendirmek gerekir.]

3. Bach: Goldberg Variations - Glenn Gould

4. Schubert: The Piano Sonatas - William Kempff

5. Haydn: The 'Sturm und Drang' Symphonies - The English Concert/Trevor Pincock

6. Bach: Brandenburg Concertos (Farklı kayıtlar)

7. Puccini: Tosca (Farklı kayıtlar)

8. Beethoven: Late Spring Quartets (Farklı kayıtlar)

9. Beethoven: Complete Piano Sonatas (Farklı kayıtlar)

10. Beethoven: Symphonies 2&4 - Wilhelm Furtwängler

11. Guiseppe Verdi Collection (Farklı kayıtlar)

12. Romantic Callas - Maria Callas

13. Mozart, Beethoven, Schubert, Tchaikovsky, Wagner, Rossini, Mendelssohn, Bartholdy - Wilhelm Furtwängler

14. Violin Concertos - David Oistrakh

15. The Great Violin Concertos - Yehudi Menuhin 16. Great Pianists - Vladimir Ashkenazy

17. Mozart: Complete Piano Concertos - Daniel Barenboim

18. The Piano Masters - Arthur Rubinstein

19. Paganini - Complete Chamber Music (Farklı kayıtlar)

20. Mozart: Violin Sonatas - Itzhak Perlman, Daniel Barenboim

21. Mozart: Die Zauberflöte (Farklı kayıtlar)

22. Chopin: Piano Works - Vladimir Ashkenazy

23. Rachmaninov: Piano Concerto No: 3 - Vladimir Ashkenazy, London Symphony Orchestra

24. Tchaikovsky: The Nutcracker - Berlin Philharmonic, Simon Rattle

25. Tchaikovsky: Swan Lake - Montreal Symphony Orchestra, Charles Dutoit

26. Rimsky-Korsakov: Scheherazade - Royal Philarmonic, Sir Thomas Beecham

27. Brahms: Hungarian Dances - Vienna Philarmonic Orchestra

28. Chopin: Nocturnes - Fazıl Say

29. Say Plays Say - Fazıl Say

30. 20th Century Piano Edition - İdil Biret

31. Arşiv Serisi - Ayla Erduran

32. Ottoman Court Music (Osmanlı Saray Müziği) - Vedat Koşal, Henschel Quartet

EDEBİYAT ÜZERİNE

Hocam edebiyat bahsinde, Rus edebiyatını hep başka bir yere koyuyorsunuz. Neden?

Edebiyatta ilham bir yere kadardır, orijinalliğe az rastlanır. Birçok yazar birbirinden aşırmıştır ama Rus edebiyatını yücelten orijinalliğidir. Bir Tolstoy'un, bir Dostoyevski'nin Avrupa edebiyatından çaldığı bir şey yoktur. Onlar kendi durumlarını ve toplumlarını sergilediler, yazdılar. Hele Tolstoy'a göre imkân bakımından daha fakir olan ve dünyayı onun kadar görmeyen Dostoyevski'nin o eserleri verebilmesi...

Özgünlük böyle bir çizgidir. Ülkelerin edebiyatlarını birbirleriyle kıyaslamak pek doğru değildir ama Rus edebiyatının bir Balzac'a, Gustave Flaubert'e, Victor Hugo'ya rağmen Fransız edebiyatını geçtiğini düşünürüm.

İran edebiyatının da çok yüksekte bir yerde durduğunu da bilirim. Şiirde İran herkesin üstündedir. Avrupa şiiri onu tanıyınca şiddetli sarsıntı geçirdi. Felsefede Hegel, Engels; edebiyatta Fitzgerald bunu tecrübe etti. Hammer gibi isimlerse, o şiiri çevirmekle ve Avrupa'ya kazandırmakla herkesin saygısını kazandı.

Rus edebiyatına dönersek... Dostoyevski'yi seviyorsunuz; Çehov'u, Puşkin'i, Lermontov'u da çok övüyorsunuz ama Rus yazarların içinde sizin evvela Tolstoy'cu olduğunuzu biliyorum. Peki neden hocam? Neden Tolstoy?

Tolstoy, Rusya'nın en büyük yazarıdır. Onun tasvirleri, karmaşık durum ve ilişkileri bilgece verir; hepsi de Rusya'nın kendi ortamında verilir; yine de Tolstoy bunlara üniversal bir nitelik katmıştır. Soruna dönecek olursak; daha basitçe Tolstoy'u sevmemin esasen iki nedeni olduğunu söyleyeyim. Birincisi, doğrudan edebiyatla ilgili; Tolstoy okumadan roman okumuş olunmaz. İkinci sebepse, bir bakıma benim kendi uğraşlarımla ilgilidir. Tolstoy okumadan Rusya anlaşılmaz.

Diğer Rus yazarlar hakkında ne düşünürsünüz? Rus edebiyatı sevenler arasında, "Tolstoy mu, Dostoyevski mi daha öndedir?" büyük bir tartışma konusu; bazıları bu ikilinin arasına Çehov'u da katıyor. Sizin tercihinizi duymuş olduk ama yine de diğerleri hakkında ne düşündüğünüzü merak ediyorum.

Onları da çok severim. Bir defa Dostoyevski bir dehadır. Hatta galiba bu beşerin rengini herkesten daha iyi taşıyan bir dehadır. Müthiş bir gözlem gücü, yazma kapasitesi vardır ve ruhsal analiz abidesidir. İnsanın kaderinin tasvircisidir. Her şeyini okuyun ama *Suç ve Ceza* ile *Karamazov Kardeşler*'i okumadan roman okuduğunuzu söylemeyin. Puşkin'de ise bir başka deha, dil dehası vardır. Fransızcayı, İngilizceyi, Latinceyi o kadar iyi bildiği ortadadır; hatta eserlerini yarattığı Rusçadan bile daha evvel öğrenmiş gibidir. Turgenyev önemli bir entelektüeldir. Tabiatı onun kadar tasvir eden, insanların cemiyetle olan ilişkisini ustalıkla sorgulayan az bulunur. Gogol ve Çehov, özellikte tiyatroda, Rus edebiyatını diğer herkese üstün kılmışlardır. Çehov tiyatro edebiyatının Mozart'ıdır; kısa ömrüne sığdırdığı hikâyeleri ve tiyatro eserleriyle en az onun kadar verimli olmuş, zamana meydan okuyan karakterler çizmiştir. Çehov'un tasvir ettiği insanlar bugün bile etrafımızdadır. Rus edebiyatında sayılacak böyle daha çok isim vardır. Ama dedim ya, Tolstoy başkadır. Tolstoy, Rusya'dır. Lenin'in tarif ettiği gibi, Rus köylüsünü hiç kimse bu kont kadar anlayamamıştır.

Nasıl yapabilmiş bunu Tolstoy?

Dili çok güzel kullanmış. Bugünün insanı böyle bir dil eğitimi ve alıştırmasını artık yapmıyor. Daha da önemlisi; çağımız insanının duygu ve eylemleri arasındaki denge, galiba Tolstoy'un çağına ve kendisine kıyasla epey yüzeysel... Bunun üstüne hepimiz düşünmeliyiz. Tolstoy kendini bir davaya vakfedebilen bir adamdır. Yazdıklarının kökeninde derin bir felsefe vardır. Kalın romanda da en uzun sürecek anlatımları kısa bir diyaloğa sığdırması gibi ustalıkla gevezelikten uzak, akıllı bir dil kullanır. Her paragrafının, her diyaloğunun dikkatli okunması gerekir. Ondan sonra gelen tüm Rus yazarlar da zaten onu çok dikkatli okumuşlardır. Öyle ki tüm Rus yazarlar, içlerinde Tolstoy ile yaşarlar.

Gelelim Rusya'yı anlamak meselesine. Bu noktada Tolstoy'un hayatına vakıf olmak mühimdir. Çok uzun bir hayat yaşadı, çok gördü. Öyle ki herkesi gördü bu adam. Sarayları da gördü, halkı da... Petersburg aristokrasisini de devrimcileri de tanıdı. Üstelik askerlik de yaptı. Kafkasya'da orduda vazifeliydi. O dönemin gözlemiyle yazdığı *Hacı Murad*'ta, Rusya'nın olgun bir tenkidi vardır. Saf, nahif bir egzotizmden uzak bir romandır. Çok önemlidir bu.

> Türkçeyi sevdirmeleri açısından eskilerden üç ismi özellikle öneririm: Ahmet Rasim, Reşat Nuri Güntekin ve Hüseyin Rahmi Gürpınar. Bunlara bir de Halide Edip Adıvar'ı katalım.

Kendisi bir soyludur ama çağının en büyük iki kurumuna, devlete ve kiliseye düşmandır. Bir bakıma anarşisttir. Ancak Proudhon'la olan dostluğunu bu bağlamda ele almayalım. Tolstoy bambaşka yerde durur. Hayatının böyle birçok farklı safhası var, bu da onu eşsiz kılıyor.

Dil kullanımı açısından bizde kimleri okumak gerekir?

Yine çok güncel detaylara girmek istemiyorum ama Türkçeyi sevdirmeleri açısından eskilerden üç ismi özellikle öneririm: Ahmet Rasim, Reşat Nuri Güntekin ve Hüseyin Rahmi Gürpınar. Bunlara bir de Halide Edip Adıvar'ı katalım. Halide Hanım bu ülkeyi ve insanı sever, en azından doğru anlamaya çalışır. Öyle Yakup Kadri'nin romanındaki bakış onda yoktur.

Peki Fransız edebiyatından kimleri okumayı seversiniz?

Bir defa Fransız klasiklerinin hepsinin okunması lazım. Ama onlara gelmeden evvel, tarihî bakımdan İtalyanları konuşmak gerekir. Çünkü Fransız edebiyatı eskidir ama İtalyanlar onlardan daha eskidir. Unutma 13'üncü asırda ve 14'üncü asrın başlarında Avrupa'ya İtalyan edebiyatı hâkimdi. Bu dönemin isimlerini; yani Dante'yi, Petrarca'yı, Boccaccio'yu okumadan olmaz. Sonra edebiyat tarihi içinde ilerlenir ve tiyatroda Carlo Goldoni'nin oyunları okunur. Modern dönem için de elbette Curzio Malaparte'nin eserlerine bakmalısınız. Arada başka isimler de vardır ama öncelikle bu isimleri ihmal etmeyeceksiniz.

Şimdi Fransızlara gelebiliriz. Fransız edebiyatının dünyayı ilgilendiren eserleri 15 ve 16'ncı asırlarda başlar. Bu dönemde Pierre de Ronsard'ın, Montaigne'in, Rabelais'nin dünyasına gireriz. Nihayet 17'nci asır oldukça yüklüdür. Çünkü bu dönemde Fransa, felsefede klasik dönemin üstüne çıkmış; Descartes felsefesi zihinlere hâkim olmaya başlamıştır. Aydınlanma döneminde, filozoflar yazarları gölgede bırakmıştır ama yine de edebiyatta da çok mühim şahsiyetler görülmüştür. Örneğin bir Lesage'ı bilmek gerekir. Üç büyük tiyatro yazarını; Moliere'i, Racine'i, Corneille'i hiç şüphesiz iyice okumak gerekir.

Biliyor musun, Fransız tiyatrosu dil öğrenmek için de işlevseldir. Fransızca öğrenenler, örneğin Racine'den bazı cümleleri, diyalogları, replikleri, tiradları ezberlemeye gayret etsin; Moliere'i aslından okusun. Yine aynı amaç için La Fontaine de okunmalıdır. Bunlar dil eğitimi için önemli kaynaklardır, günlük konuşmaya yardım eder. Bizdeki çevirilerinse bazıları iyidir, bazılarından kaçmak gerekir.

Sonra da büyük romancılara geliyoruz sanırım. Onlardan kimleri okumalı?

Evet, böyle böyle büyük romancıların; Balzac'ların, Hugo'ların çağına girersiniz. Dediğim gibi, her şeyi okumalısınız. Örneğin, Balzac'tan ne okursanız kârdır. Zaten onda her şey birbirine bağlıdır. Tüm eserleri aslında *La Comédie Humaine*[42] ismini verdiği bir seridir; burada Balzac içtimai hayatı, insanı, ilişkileri mükemmelen anlatır. Bir Flaubert'i de eserlerini ayırmadan okuyabilirsiniz. *Madame Bovary, Salammbô*... Bunlar hiç tereddüt etmeden, vakit kaybetmeden okunmalıdır. Ondan sonra, natüralist akımın önemli ismi Emile Zola gelir; *Germinal*'i bilmeden geçmek olmaz.

Fransız edebiyatı böyle gider. Fransız şiirini de muhakkak bilmek gerekir, yalnız orada ince bir nokta vardır. Paul Verlaine ile Arthur Rimbaud'yu herkes aslından okuyup anlayamaz. Normal bir Fransızca konuşan, yeteri kadar Fransızca öğrenen biri; tarih, coğrafya, hatta belirli ölçüde edebiyat okuyabilir ama bu şiiri anlamak için biraz da Fransız olmak gerekir. Çünkü bu eserler Fransızcanın zirvesi olarak gösterilir. Nasıl Ahmet Haşim'in şiirlerinin tadına varmak için iyi Türkçe bilmek gerekir, bu da aynı şey...

Almanca eserleri, hatta bazı eserlerin Almanca tercümesini okumayı sevdiğinizi biliyorum. Bu dilden ne okumalıyız?

Alman edebiyatı 18'inci asra kadar Fransa'nın tesiri altındaydı. Ancak 18'inci asırdan sonra da altın devir başladı. Goethe, Schiller, felsefede Kant... Alman dili onların eserlerinde son

---

42 İnsanlık Komedyası. Honoré de Balzac, eserlerini "İnsanlık Komedyası-La Comédie Humaine" başlığıyla açıklamak istemiştir. Bu başlık, yazarın birkaç tiyatro oyunu ve nükteli hikâyelerden oluşan bir kitabı dışındaki bütün eserlerini kapsar.

derece rafinedir. Lütfen asıllarından okumaya çalışın, göreceksiniz. Her birinin üslubu fevkalade kıvraktır, ifadeleri geniştir. Biraz pasaklı bir üslubu olan Hegel'in bile zengin dili ve mantığı öne çıkar.

Yalnız birçok insana göre, ki bu görüşü ben de paylaşırım, iki harp arası dönem Alman edebiyatının en parlak olduğu yıllardır. Hele işin içine Avusturya ya da Kafka örneğindeki gibi Çekya'da yaşayan ve Almanca konuşan yazarlar da girince... Hitler gelene dek o edebiyatta bir patlama vardır.

Ben modern edebiyata dair hüküm vermek istemiyorum, isteyenler istediğini okur ama geçmiş yüzyılları iyi bileceksiniz. Türk edebiyatıyla başlayıp orada kalmayacaksınız. Böyle kalırsanız edebiyatı yanlış değerlendirirsiniz. Nasıl okuyacağınız da mühim bir konudur. Eserleri aslından okumak iyidir ama mümkün mertebe tercümelerden, hatta imkân bulursanız dünya dillerindeki tercümelerden de okuyun. Örneğin Fransız yazar Stendhal'in *Kırmızı ve Siyah*'ını Almanca okuyun, tercümesi çok iyidir.

İngiliz edebiyatından hiç bahsetmedik, konuşmalarınızda da İngiliz yazarlara genelde referans vermiyorsunuz; neden? Charles Dickens gibi isimler sizin ilginizi çekmiyor mu?

Ben İngiliz edebiyatını pek tutmam. En başta Shakespeare'i anarım, okumak gerektiğini söylerim ama her döneminin çok önemli olduğunu düşünmem. Dickens'ı, Oscar Wilde'ı herkes okur, renkli bulur; iyidirler, hoşturlar ama o kadar. Bir dönem geldi; Rus edebiyatı, İngiliz edebiyatını çok geride bıraktı. Batı'da İngiliz edebiyatı; 13 ve 14'üncü asırlarda İtalyan edebiyatının, ardından Fransızların, ardından Fransızlarla beraber Almanların, derken Rusların gölgesinde kalmıştır.

Çok sevdiğiniz İran edebiyatından da bir okuma listesi alabilir miyim?

İran edebiyatı tercümeyle nüfuz edilecek bir edebiyat değildir. Ama yine de okuyabildiğiniz kadar eseri okumanız gerekir. Şimdi bir bakalım. Evvela Firdevsi'nin *Şehname*'si var, bunu okumadan olmaz. Hâfız-ı Şirâzî'nin bizim Türk edebiyatını da çok etkileyen *Divan*'ı var. Hatırlarsan, bu eserin Batı'ya da Joseph von Hammer tarafından kazandırıldığına ve Batı edebiyatına yepyeni bir rüzgâr getirdiğine sohbetimizde değinmiştim. Sonra şiirleriyle Sadi-i Şirâzî var, evvela *Gülistan*'a ve *Bostan*'a değinmek gerekir. Bu saydığım isimlere nazaran bizde pek bilinmeyen Bahaüddin Amilî var. Bu isimlerin tüm eserleri okunmalı ama diyorum ya, esasında Farsçadan okunmalı.

Neyse ki bugünlerde Farsçaya ciddi bir merak var. İranlıların derinliği herkesi çarpmaya başladı. Ben 80'lerde İran kültürünü methettiğim zaman, "Haydi ya!" diyerek bilir bilmez konuşuyorlardı. Bu işin mahiyetini bir tek Şerif Mardin'e anlatabilmiştim. İran kültür hayatı hakkında söylediklerim bir tek onun ilgisini çekti; diğerleri için İran, sadece herhangi bir Şark ülkesinden ibaretti.

İLBER HOCA'NIN OKUMA NOTLARI

Türkiye'de bugünün yazarları arasında...

Çok fazla tuttuğum bir isim yok. Ama illâ birini söylememi istersen İhsan Oktay Anar diyebilirim. *Puslu Kıtalar Atlası*'nı severim mesela. Kendisinin hayal gücü etkileyicidir. Sonraki işleri de güzeldir ama *Puslu Kıtalar Atlası*'na yetişememiştir.

Bizim edebiyatımızda maalesef...

Çok fazla intihal oluyor. Hem de bunları bizim anlı şanlı yazarlarımız yapıyor. Yapsınlar, tamam; edebiyatta intihale bir ölçüde cevaz vardır. *Faust*'tan başlarsın saymaya yani. Ama affedersin, tamamen de intihal eser okunmaz! Biraz da kurgu istersin. İnsanlığın hikâyeleri bu kadar az, bu kadar sefil değil.

Orhan Pamuk'un romanlarında...

Doğrusu beni cezbedecek, sürükleyecek pek bir şey bulamadım. Tabii *Beyaz Kale* beni daha çok ilgilendirdi. *Cevdet Bey ve Oğulları*'nı biraz geveze buldum. Pamuk'un Türkçesini de bozuk buluyorum. Bir iki yerde de eleştirdim ve herkes de benim bu eleştirimi kullanıyor. Hâlbuki Tahsin Yücel onu o kadar sert eleştirdi ki; "Tutarım, görüşleri bana yakındır ama Türkçesi ümitsiz vaka," demeye getiriyor adeta.[43] Bana kalırsa, bu çok ağır ama kaliteli bir eleştiridir.

Kemal Tahir tarihî romanlarda başarılı bir çizgi takip etti ama...

Eserleri, tıpkı Pamuk'unkiler gibi beni hep yormuştur. Yine de hakkını vereyim, Kemal Tahir'in kafa yapısını severim. Çok

---

43 Tahsin Yücel, "Kara Kitap Üzerine", *Hürriyet Gösteri*, Kasım 1990, Sayı 120, s. 45-48.

zekidir, bazen olmayacak şeyleri bulur. Çok okur ve düşünürdü. Bilir misin, tarih okuyan yazar çok azdır. Ama bir yerde "dur" diyorsun. Bizim yazar dünyasının tarihe nasıl baktığından çok tarihin kendisini ne kadar bildiği ve kavradığı tartışılır.

Türk basın tarihinin en iyi yazarları arasında...

Falih Rıfkı Atay başta gelir. Gençlere onun eserlerini okumalarını bilhassa öneririm. Hayranı da çoktur, muarızı da. Öleli 50 yıla yaklaşmasına rağmen hâlâ çok okunur ve beğenilir. Birinci Cihan Harbi'nde, Şam'daki karargâhta Cemal Paşa'nın yanındaydı. O dönem ve coğrafyadaki gözlemlerini isabetle kullandı. İmparatorluğun yıkılışını muhteşem bir şekilde kaleme aldığı, herkesin defalarca okuduğu *Zeytindağı* işte bu gözlemlerin eseridir. Bu eser; açık konuşan, kendini dahi hafiften eleştiren bir üsluba sahipti. Daha çok bir muhasebeydi diyebiliriz.

Falih Rıfkı, Millî Mücadele yıllarında İstanbul'daydı ama Ankara'yı destekleyen az sayıdaki yazarlar arasındaydı. Bu yüzden Gazi Mustafa Kemal Paşa'nın takdirini kazanmıştır. Büyük Zafer'den sonra da Anadolu'ya geçmiş, harap hâldeki köy ve kasabaları gezerek savaş sonrası yılların tanıklığını yapmıştır. Cumhuriyet'le birlikte siyaset sahnesine çıktı ama üretmeye devam etti. Atay'ın ilginç bir yönü daha var; etkili seyahatnameler kaleme almıştır. Hem de münevverlerin dünyaya kapalı olduğu bir dönemde... *Faşist Roma Kemalist Tiran*, *Kaybolmuş Makedonya*, *Moskova-Roma*, *Taymis Kıyıları*, *Tuna Kıyıları*, *Gezerek Gördüklerim* gibi eserler döneminin fikir atmosferini çok etkilemiştir; bugün de zevkle okunurlar. Ama çok açık ki onun esas post-mortem[44] yayımlanan eserlerini okumak gerekir. *Çankaya* ve *Atatürk'ün Bana Anlattıkları* her türlü görüş sahibine ilginç gelecektir. Falih Rıfkı, kuşkusuz

---

44 Ölümünden sonra.

bugünün gençlerinin ihmal et-
memesi gereken bir yazardır.

Burada Türk okuyucunun
ihmal ettiği büyük bir yazarı,
Şevket Süreyya Aydemir'i ele
alalım. Şevket Süreyya; *Atatürk,
İnönü* ve *Enver Paşa* üzerine yaz-
dığı trilojilerle, Türkiye'nin ya-
kın tarihini en ciddi ve en edebî
usûlde ele alan isim oldu. *Suyu*

> Sizlere, genç Türk
> yazarlar arasında,
> musiki ve felsefede de
> tecrübesi olan birinin,
> Şule Gürbüz'ün kitaplarını
> öneririm. Onu okumaya
> *Kambur, Coşkuyla Ölmek*
> ve *Zamanın Farkında*'dan
> başlayabilirsiniz.

Arayan Adam'ı muhakkak okumalısınız; Birinci Cihan Harbi
tarihini Erich Maria Remarque'ın *Garp Cephesinde Yeni Bir
Şey Yok* isimli romanından çok, bu hatıratı, bu edebî şahe-
seri okuyarak anlarsınız. Gerek Atay gerek Aydemir, Türkiye
Cumhuriyeti tarihinin ilginç simalarıdır.

Cumhuriyet'in ilk yıllarından gelen eserlerin dili ağır değildir ama...

Bugün ortada bu yazarların dilini anlamayacak bir nesil var.
Hiç de zor ve ağdalı bir üslup olmamasına rağmen anlamıyor-
lar. Belki bir Mehmet Akif için biraz lügate başvurmak gerek,
başka da kimse yok. Bu bir problem gibi görünüyor ama aslında
problemin platformu değişik... Mazide de, ister eski Osmanlı-
cacılar arasında olsunlar, ister Fecr-i Ati geleneğinden gelsinler
ya da millî edebiyat döneminin daha sade dil kullananları ara-
sında bulunsunlar; yazarlar arasında bir dil ve üslup çatışması
yaşanıyordu. 1940'ların modernleri, 1960'ların yazar ve şairle-
ri kuşkusuz ki ayrı bir dünyaya mensuptur. Ama hepsinin bir
müşterek tarafı vardı: Bu arkadaşlar Türkçe biliyorlardı.

Bugünün Türk yazarlarının en büyük sorunu, kendi lisa-
nını bilmemektir. Bu, sadece eski ve yeni lügatleri kapsayan
bir sorun değil; lügatle çözülemeyecek bir sorundur. Bunlar

cümle kurmayı bilmiyorlar, gramerleri yok. Başka dil bilip ona hâkim olsalar anlarım. Ne var ki Türkiye'nin aydınları; yabancı okula da gitseler, hatta yurt dışında da okusalar, çok uzun zamandan beri gramer denen dalla ve zenginlikle ilgi kuramamıştır. Dil bilmeyen insanların, kuralları tanımayanların, şüphesiz iyi yazmaları mümkün değildir. Bugün dil bilmeyen yazarlarımız bazen ön planda da duruyor. Bazılarının yazdıklarını, İngilizce tamir edilmiş tercümelerden okuyabilirsiniz. Ama herhâlde Türkçenin lezzetini ortaya koyan, geliştiren yazarları mumla arayacaksınız.

İnsan bu kalabalığın içinde İhsan Oktay Anar'ı kenara ayırabiliyor ama özellikle musiki ve felsefede tecrübesi olan birini, Şule Gürbüz'ü anmadan geçemeyeceğim. Gürbüz, bizim muhitimizin sessiz ama çok aranan bir aydınıdır; medyayı da kullanmaz. Kullansa belki çok çekici konuşmalar da yapacaktır. Yazdıkları arasında *Zamanın Farkında, Öyle miymiş?, Akıl Yoktur: Ne Yaştadır Ne Başta, Coşkuyla Ölmek, Kambur'*u sayabiliriz. Dikkat ettiğiniz zaman renkli ve etkili bir Türkçedir; üslubuyla Hüseyin Rahmi'yi, Ercüment Ekrem'i, Ahmet Rasim'i andırır ama bunun çok ötesine geçmiştir. Adeta o ekolün yazarlarından biridir. Şüphesiz ki dünya görüşü itibariyle de kendi asrını temsil eder. Gözlemleri zengindir; Avrupa'yı içinden, diliyle yaşayarak tanımış; diplomasını almıştır. Şarkın musikisini ve sanatlarını da bilir. Bir yandan da bir çello üstadıdır. Şule Gürbüz; genç nesilde umut veren, yeniliği arayıp ona yaklaşanlardandır. Bu yazarları okumanızı tavsiye ediyorum.

Az yazdığına en çok üzüldüğüm kişi...

Nusret Hızır'dır. Nusret Bey gerçek anlamda bir filozoftu, onu çok daha fazla insanın tanımasını isterdim. Az yazması tembelliğinden değildi; bilakis konu üzerinde çok dosya hazırlardı; bir bilgi isterseniz çuvalla not verirdi. Ama o, vaktini yazmaktan çok dersleriyle geçiriyordu. Mantık konularında çok üstündü. Birinci sınıf bir münevverdi. Osmanlı'nın bütün genç entelektüelleri gibi, Fransızcayı erkenden öğrenmişti; Almancayı da Berlin'de okuduğu için iyi biliyordu. Elbette Yunancası ve Latincesi, ayrıca kullanmadığı bir Osmanlıcası da vardı. Almanya'dan döndükten sonra Nazilerin Almanya'sını bırakıp Türkiye'ye gelen akademisyenlerden, meşhur Hans Reichenbach'ın asistanlığını ve tercümanlığını yapmıştı. Muhteşem bir mütercimdi. Dil Tarih'te çalıştı; sonra kısa bir dönem ODTÜ'de de davetle görev yaptı ama 12 Mart'ta saçma sapan bir şekilde kontratını feshettiler. Biz de onun evine gitmeye başladık. Batı kültürünü hakikaten dört köşesiyle bilen çok iyi bir kafaydı. Keşke daha fazla eserini okuyabilseydik...

Nusret Bey'den söz edince anlatmadan geçmek olmaz. Türkiye'de bilinmesi gereken, Ankara'dan çıkma ciddi bir felsefeci ekolü vardır. İstanbul'a nazaran *Wiener Kreis*'a[45] yakın, epistomologya üzerinde daha söz sahibi olmaya yatkın, problemleri ele alan bir ekoldür bu. Bu kişilerin arasında, mesela Teo Grünberg vardı; Harun Tepe vardır. Ankara'da çok daha verimli olan rahmetli Füsun Akatlı vardı. ODTÜ'den Boğaziçi'ne geçen ama sonra genç yaşta akademik hayattan çıkıp inzivaya çekilen ancak hâlâ yazmaya devam eden Yalçın Koç… Felsefeyle, mantıkla ilgilenenler bu ekole dahil isimlerin yazdıklarını bulup okumalıdır.

---

45 Viyana Çevresi… 1924-1936 arasında filozoflar, matematikçiler, sosyal ve fen bilimlerinden akademisyenlerin Viyana Üniversitesi'nde düzenli şekilde bir araya gelerek oluşturduğu grup. Mantıkçı pozitivizmin babası sayılan Alman filozof Moritz Schlick'in önderlik ettiği gruba; Rudolf Carnap, Otto Neurath, Hans Hahn, Herbert Feigl, Kurt Gödel gibi isimler dahil olmuştur. Hans Reichenbach, Ludwig Wittgenstein ve Karl Popper gibi isimler de bu gruba yakınlık duymuştur.

Avrupa'nın seçkin entelektüellerinden biri...

Umberto Eco'ydu elbette. Burada onun da adını zikretmek lazım. Son ansiklopedik hocalardandır. Bologna Ünivesitesi'ndeydi. Konferanslarına girmek için millet saatlerce kuyrukta bekliyordu. İtalya'nın hem seçkin hem de en çok okunan aydınlarındandı. Belki birincisiydi. Ama kaderin garip tecellisidir; Eco, onu kitlelere tanıtan kitabı *Gülün Adı*'nı neredeyse zorla yazmıştı. Daha doğrusu, yayınevi kitabı ona zorla, sipariş üstüne yazdırmıştı. İsabetli bir tercihmiş ki sonunda hem Eco hem de yayınevi zengin oldu. Ama esasen İtalyan okurlar, sonra da bizler kazançlı çıktık.

Bu; anlatmaya değer, ilginç bir hikâyedir. Bütün Avrupa'da olduğu gibi İtalya'da da yayınevleri bir şeyler icat etmek, geliştirmek zorundadırlar. Eco'nun örneğinde yayıncı, bütün yazarlarına, "Bana bir roman yazıp getirin, basmasam da parasını vereceğim," demişti. Bu yazarların içinde hukukçusu vardı, tarihçisi vardı; hatta kimyacısı, hekimi de vardı. Eco da onlardan biriydi. Yazdıkları halihazırda çok okunuyordu ama yayınevi ona yanaştığı sırada roman yazmıyordu, kültür tarihi yapıyordu. Yayınevinin teklifinden sonra, bir manastırdaki araştırması sırasında rastladığı olay aklına takıldı ve onu derinleştirerek bir roman yazdı. Şimdi herkesin bildiği *Gülün Adı* işte böyle ortaya çıktı.

Eco'nun ilginç bir tekniği vardı. Manastırda olayların geçtiği koridorları, ortadaki avlunun enini boyunu dahi neredeyse milimetrik olarak ölçmüş, adımlamış; diyalogları bu mesafelere uydurmuştur. Romanda bunlara titizlikle uyulmuştur.

Nitekim *Gülün Adı*'nın (*Il nome della rosa*) ünü kısa zamanda İtalya'nın sınırlarını aştı; sadece yayıncısını ve yazarını zengin etmedi, anekdotlar kitabın kazancının o sırada neredeyse İtalyan bütçesine bile tesir ettiğini söylüyor. Avrupa'yı trenle gezerken fark etmiştim, herkesin elinde bu romanın tercümesi vardı.

İsabetli bir tercihmiş. Bunun ardından Eco'nun Türkçe tercümeleri de çıktı. Bu sayede okuduğunuzda hakikaten çok şey öğreneceğiniz bir Eco kitaplığımız var. Sanırım *Gülün Adı*'nı ilk çeviren kişi aziz dostum Şadan Karadeniz'dir, onu da burada anmalıyız.

Günümüz yabancı yazarları arasında en sevdiklerimden biri...

Amin Maalouf'tur. Onun eserlerini çok beğeniyorum. Biraz arkadaşlık da ettik, o zaman kendisini daha çok sevdim ve daha çok saygı duydum. Ona ilk defa Paris'te, tanıdık bir çevrede rastlamıştım. Herkes çeşitli iddialar ve tasvirlerle, biteviye konuşurken, o daha çok dinlemeyi tercih ediyordu. Henüz şöhret değildi ama şöhret olduktan sonra da öyle devam etti. Bende terbiyeli, efendi, bilgili bir adam izlenimi uyandırdı. Sonra bu düşünür adam birden meşhur oldu, hakkıydı da. Derken çevirileri dolayısıyla Türkiye'ye de geldi. Ankara ve İstanbul'da görüştük, konuştuk; hatta bir açık oturumunu yönettim.

> Amin Maalouf bir dönem bizde çok okunuyordu, şimdi okunma hızı nedir bilemiyorum. Yeni okurlar aman ihmal etmesinler, vitrinde görmeseler de Maalouf'un romanlarını her yerde sormayı unutmasınlar.

Maalouf az konuşur, konuştuğunda da çok güzel şeyler söyler. Çok çalışır, çeşitli konulara kafa yorar. Bunlar iyi özelliklerdir. Bir gün Maalouf ile karşılaşırsan, ona rahatlıkla, "İlber Ortaylı her zaman hayranınızdır. Tarihçi olduğu için romanlarınıza müthiş ilgi duyuyor, beğeniyor," diyebilirsin. O da zaten esprili biridir. Romanları da hakikaten çok iyidir. Mesela *Tanios Kayası* nefistir. Ortadoğu'nun tam ortasında iki çocuk... Fransız okuluna mı girsinler, İngiliz okuluna mı? Batılılar işte bu kadar gülünç konseptler ve demir atmalar etrafında Ortadoğu'ya sızmıştır. Acaba bunlar Ortadoğu'nun hayatını ne kadar etkiledi? Acaba bu etki izam ettiğimiz, yani abarttığımız kadar fazla mı? Belki bunların yarattığı ters tepkiler, sonuçlar daha büyüktür.

Semerkant ve *Doğu'nun Limanları* da çok sağlam edebî ürünlerdir. Maalouf bir dönem bizde çok okunuyordu, şimdi okunma hızı nedir bilemiyorum. Ben vitrinde olan her kitabın, diğerlerinden iyi olduğunu düşünenlerden değilim. Yeni okurlar aman ihmal etmesinler, vitrinde görmeseler de Maalouf'un romanlarını her yerde sormayı unutmasınlar.

Latin Amerikan edebiyatında...

Herkes Gabriel Garcia Marquez'in önde geldiğini söyler ama ben onu pek sevmem. Ben Miguel Ángel Asturias'ı severim. Çok kişi Asturias'ı tanımaz bile. Bu Guatemalalı şair, romancı, oyun yazarı, gazeteci, diplomat her şeyi yapmış ama en önemlisi kendi toprağının efsanelerini yazmış bir adamdır. Üstelik çok da iyi yazmıştır. Adı üstünde, *Guatemala Efsaneleri* en bilinen kitabıdır. *Yeşil Papa*'sı da var. Gençlerin onu keşfetmesini isterim.

Çok eskilere gitmek isteyenler...

Plutarkhus ve Cicero okusun. Sezar'ın *Galya Savaşları* isimli eseri biyografiktir ama klasik tarih yazınının çok parlak bir örneğidir, o da okunmalı. Romalı tarihçi Tacitus'un *Germanya*'sı da çok önemlidir. Avrupa'yı dünyaya tanıtanlar Romalılardı. O zamanlar Germenlerin kendi dillerinde bir yazılı edebiyatları yoktu. Kendi dilleriyle Romalı-Yunanlar gibi bir edebiyat yaratacak durumda değillerdi ama tarihin de içindelerdi. Romalılar, milattan önce birinci asırdan itibaren onları dünyaya sundu.

Biz Türkleri ilk ele alanlar da Çinlilerdir. Ama maalesef bu kaynakları değerlendirmek zordur. Eski İran kaynaklarını, Pehlevice metinleri; Hindu, Sanskrit kaynaklarını değerlendirmek de güç... Biz Bizans kaynaklarını kullanabiliyoruz. Türklerden onlar bahsetmiştir. Okulda sözünü ettiğimiz Bilge Kağan ve Tonyukuk gibi Göktürk Anıtları 700'lerden geliyor. Bu yazıtların tarihi bir iki asır daha geri gidiyor. Yine de biz kendi kendimizi tanıma ve ifade etme konusunda birçok Avrupa milletine göre daha öndeyiz. Ruslar bu hususta daha geç kaldı. Kendilerini tanıtabilen klasik Avrupalılar tabii ki Galyalılar ve Franklardır. Eh, İtalyanlar bu konuda tabii ki başta gelir; sonra geç kalmakla beraber Germenler vardır. Böyle böyle Ortaçağ'a gelinmiştir. Bu arada; Ortaçağ'a dair esaslı bir şeyler okumak isteyen, Belçikalı tarihçi Henri Pirenne'e başvurabilir ve oradan hareketle Avrupa Ortaçağı'na ve tarihine girer. Eric Hobsbawm serileri kadar, Fernand Braudel külliyatını da okumak gerekir. Avrupa sanat tarihi için en önemli yazar Ernst Gombrich'dir (*Sanatın Öyküsü* başlığıyla yayımlanan kitabın Günsel Renda ve Bedrettin Cömert, yahut Erol ve Ömer Erduran çevirisini okuyabilirsiniz).

İLBER HOCA'NIN TAVSİYE ETTİĞİ
25 KİTAP

1. *Osmanlı İmparatorluğu* - Halil İnalcık (Kronik Kitap)

2. *Batı-Doğu Divanı* - Johann Wolfgang von Goethe (Hece Yayınları)

3. *Hafız Divanı* (İş Bankası Kültür Yayınları)

4. *İnce Memed I-IV* - Yaşar Kemal (YKY)

5. *Fuzuli Divanı* (Ayrıntı Yayınları)

6. *Timurlenk* - Beatrice Forbes Manz (Kronik Kitap)

7. *İslam Uygarlıkları Tarihi* - Corci Zeydan (İletişim Yayınları)

8. *Bir Ortadoğu Tarihçisinin Notları* - Bernard Lewis (Arkadaş Yayınları)

9. *Savaş ve Barış* - Lev Nikolayeviç Tolstoy (İletişim Yayınları)

10. *Kral Lear* - William Shakespeare (Remzi Kitap)

11. *Yüzbaşının Kızı* - Aleksandr Sergeyeviç Puşkin (YKY)

12. *Savaş Günlükleri 1939-1943* - Kont Galeazzo Ciano (Kronik Kitap)

13. *Vanya Dayı* - Anton Pavloviç Çehov (İmge Kitabevi)

14. *Madame Bovary* - Gustave Flaubert (Can Yayınları)

15. *Semerkant* - Amin Maalouf (YKY)

16. *Puslu Kıtalar Atlası* - İhsan Oktay Anar (İletişim Yayınları)

17. *Milli Mücadele Başlarken* – Tayyib Gökbilgin (Kronik Kitap)

18. *Suyu Arayan Adam* - Şevket Süreyya Aydemir (Remzi Kitap)

19. *Yeniçeriler* - Reşad Ekrem Koçu (Doğan Kitap)

20. *Yavuz Sultan Selim* - Feridun Emecen (Kapı Yayınları)

21. *Devlet-i Aliyye I-IV* - Halil İnalcık (İş Bankası Kültür Yayınları)

22. *Sultan Alp Arslan* - Cihan Piyadeoğlu (Kronik Kitap)

23. *Bûstan* - Sâdî-i Şirâzî (Ayrıntı Yayınları)

24. *Karamazov Kardeşler* - Fyodor Dostoyevski (İletişim Yayınları)

25. *Kambur* – Şule Gürbüz (İletişim Yayınları)

SEKİZİNCİ BÖLÜM

İNSAN YAŞADIĞI ŞEHİRDEN NASIL YARARLANIR?

İyi şehir; iyi bir kütüphanede çalıştıktan sonra, iyi bir salonda, iyi bir tiyatro oyunu seyredebildiğin ve temsilin ardından güzel bir kafeye gidip sohbet edebildiğin şehirdir.

Bu bölümde şehircilik üzerine konuşacağız. İyi bir şehrin olmazsa olmazlarından, bir şehirden nasıl istifade edilebileceğinden ve şehri nasıl gezmek gerektiğinden bahsedelim istiyorum. Elbette sizin kendi tecrübeniz üzerinden hareket edeceğiz; bu yüzden de daha çok İstanbul ve Ankara'yı anlatmanızı rica edeceğim. İstanbul'dan başlayalım. Sizin İstanbul'da en sevdiğiniz, okurlara da muhakkak gezip dolaşmalarınızı öğütlediğiniz eserler hangileridir?

En başta Ayasofya ve Sinan'ın Süleymaniye'si var. Topkapı ve Dolmabahçe'yi de muhakkak saymalıyız. Onlardan da önce Askerî Müze, Kariye Camii, Fenârî İsa Camii, bütün Mimar Sinan camileri, Arkeoloji Müzesi, İslam Eserleri Müzesi önde gelir. Doğrusu Sabancı Müzesi'ni, Pera (Kıraç) Müzesi'ni ve kurulmakta olan Koç Modern Sanat Müzesi'ni de belirtmek lazım. Bu kuruluşların gelişmesi ve oturması zaman alır.

Ve üzülerek ekliyorum ki hâlen bir şehir tarihi müzemiz yok. Bu konuda hiçbir ciddi girişim de olmadı. Bunu her fırsatta söylemek lazım, artık bize yakışan yapılmalıdır.

Mimar Sinan eserleri diyerek eserlere devam edelim. Yine Sinan'ın Büyükçekmece'deki köprüsü var; Tahtakale'deki Rüstem Paşa Camii, Küçük Ayasofya'daki Sokollu Mehmet Paşa (Şehit Mehmet Paşa diye de bilinir) Camii var. Saysan, 50-60 tane böyle eser çıkar. Eyüp'teki türbeden başlarız; birtakım konaklara, köşklere kadar geliriz. Yani böyle bir listeyi illâ büyük camilerden yapmak şart değildir.

> İstanbul'da gezilmesi gereken yerlerin başında Ayasofya ve Sinan'ın Süleymaniye'si gelir. Topkapı ve Dolmabahçe'yi de muhakkak saymalıyız. Onlardan da önce Askerî Müze, Kariye Camii, Fenârî İsa Camii, bütün Mimar Sinan camileri, Arkeoloji Müzesi, İslam Eserleri Müzesi vardır.

İstanbul'da sevdiğim yapıları dolaşacak olsam, klasik Osmanlı devrinden başlarım; Fatih, Çarşamba gibi ulema semtlerini, Süleymaniye'nin daracık sokaklarını, Zeyrek'i, Vefa'yı geze geze 19'uncu asra ulaşırım. Oradan çıkarım; Beyoğlu'ndaki, Sirkeci'deki bazı binalara; örneğin Mimar Vedat Bey'in eseri Büyük Postane'ye gelirim. İstanbul'da böyle çok eser sayarsın. Tek tek saymak bu bölümün boyutlarını aşar ama İstanbul'u hakkıyla dolaşmak isteyenlere bir tavsiye vereyim: Bu şehrin saklı incileri vardır; oralara da bakman, emek sarf etmen, mesai ayırman gerekir.

Mesela?

Örneğin Zeyrek'ten Vefa'ya geçilirken Valens su kemerinin dibinde; 17'nci yüzyıl taş işçiliğinin harikası, sevimli bir medrese vardır. Mimar Davut Ağa'nın eseridir, Gazanfer Ağa tarafından yaptırılmıştır.

Bir de buralar bugünlerde tabii daha çok gezilen, bilinen semtler ama Fener, Balat, Ayvansaray civarlarını üşenmeden, sokak sokak gezmenizi öneririm. Gezinizin her dakikasında sizde İstanbul tutkusu yaratacak bir güzellikle karşılaşacaksınız. Tabii sizi çok üzecek tahribatla karşılaşmanız daha da mümkün... Ama işte ancak bu tür bir tecrübeyle İstanbul'u sahiplenirsiniz. Her nerede yaşıyorsanız, o şehre, sokaklarını dolaşarak; tarihini, yapılarını bilerek, öğrenerek sahip çıkarsınız.

İstanbul'u adım adım, sokak sokak dolaştığınızı; gördüğünüz evlerden, konaklardan, anıtlardan, insanlardan, hatta ufacık detaylardan bir envanter çıkardığınızı biliyorum. Ne zaman böyle gezmeye başladınız?

İstanbul'u ben çocukluktan beri dolaşırım. Daha o zamanlar Karaköy'den çıkar; bir başıma eski İstanbul'a, Suriçi'ne yürürdüm. Tehlikeli bulunan bazı yerlere girip çıkmışlığım da vardır. Ama tabii esas gezilerim 1960'larda başladı. Âşık olduğum İstanbul'u adım adım, sokak sokak gezdim; bu gezilerimden de çok faydalandım. Bir şehrin ancak böyle gezileceğini, ruhuna ancak böyle nüfuz edileceğini düşünürüm. Bu şekilde gezmeyi de ayrıca öneririm. Elinizde iyi bir rehber olması daha da fayda sağlayacaktır. Ben bu bahsettiğimiz İstanbul gezilerim sayesinde hem bugün yitip gitmiş bir şehri öğrenmiş oldum hem de o şehri yazılarımda, kitaplarımda anlattım. Bunu yaptığım için de mutluyum.

Bu İstanbul gezilerimin bir faydası daha oldu. Bir şehir ve mimari görgüsü kazandım. İstanbul bilgisi sayesinde, seyahatlerden de istifade ederek, başta Ankara olmak üzere, Anadolu ve Trakya'da gördüğüm eserleri daha bilinçli değerlendirdim. Derken 1960'larda gördüğüm Suriye'deki muhteşem Osmanlı mirası ve mimarisine, Ege'deki, Anadolu'daki yine muhteşem Roma mimarisine, bütün Akdeniz'e, Lübnan'a, Filistin'e bu yapıyı da kavrayarak doğrusu daha iyi bir gözle baktım; daha iyi bir değerlendirme yapabildim.

İstanbul'da en çok nereyi seversiniz hocam?

Ben İstanbul'da en çok Üsküdar'ı severim. Ama mimarisi eskisine göre çok değişti, artık berbat durumda. Boğaz'da Emirgan'a biraz tahammül edebiliyorum. İstanbul'un semtlerini dolaşıyorsun, birini beğenecek gibi oluyorsun, bu defa tahripkâr ve hodgâm ahaliye tahammül edemiyorsun; böyle mahalle halkı olmayacağı açıktır. Ahali iyiyse, yeri geliyor mimariye tahammül edemiyorsun. Zor işler... Açıkçası çocukluğumdan beri bildiğim İstanbul'un böylesine değişmesi keyfimi kaçırıyor. Düşün, ben İstanbul'a ilk defa 1948'in sonlarında geldim. Elbette o günleri hatırlamam mümkün değil. Ankara'ya geçtik, derken 1953-54'te İstanbul'a geri döndük. İşte ben o İstanbul'u hatırlıyorum. Doğrusu nefis bir İstanbul'du.

O İstanbul ile bugünkü İstanbul arasında uçurum mu var?

Evet, ikisi artık neredeyse tamamen farklı şehirler... Biliyor musun, ben bu şehrin aslında ne olduğunu Suriçi İstanbul'a gidip geldikten, orada bir süre yaşadıktan sonra anladım. Ama artık o İstanbul'dan sadece esintiler var. Şimdiki İstanbul oldukça farklı... 1960'tan evvelki Suriçi İstanbul, sadece mimari dokusu itibariyle değil; ahalisi ve insan unsuru itibariyle de esas İstanbul'du. Sakinlerinin kendine has bir dili, nezaketi ve zarafeti vardı.

İstanbul'un yüzyıllarca başkentlik etmesine bakma; bu şehirde yaşayanlar, çok zor koşullara katlanmışlardır. Çünkü şehrin iaşesi her zaman zahmetli yollardan elde edilmiştir, nüfusu beslemek kolay olmamıştır. İstanbul bir yandan gözetilmiştir ama bir yandan da bu sıkıntıları çekmiştir. Ahali bu sıkıntılara katlanırdı; yine de naziklerdi, güngörmüşlerdi. Bugüne göre onlar da farklıydı, şehrin kendisi de. Söz gelimi Üsküdar;

camileriyle, tramvaylarıyla bambaşkaydı. Sirkeci'nin o canlılığı, hareketliliği... Ahşap evlerin, ağaçlı bahçelerin huzuru...

Paşa konakları henüz yıkılmamıştı, hepsi yerli yerinde duruyordu. Gerçi eskinin ihtişamı kalmamıştı ama yine de ayaktaydılar. Biliyorsun, bizde aristokrasi yoktur. O konaklarda oturanlar artık birer paşa ve efendi değildir yani. Eh, varisler de fakirleşmişti; konakların odalarını kiraya veriyorlardı. Öyle ki bir konakta beş altı aile kalıyordu. Yalnız, yine de temiz konaklardı; iyi bakılırlardı. Sonra bu varisler birer birer şehirden ayrıldı, konakları satıp gittiler. Konaklar da iyiliklerine, güzelliklerine bakılmadan yıkıldılar. Çoğu bu furyada gitti. Örneğin, tramvaylar cumbalara sürtünerek geçiyormuş diye palavralar uydurdular. Yahu, Lizbon'da da geçiyor! Böyle mazeret olur mu!

İşte o İstanbul artık yok. Geriye sadece camiler kaldı. Mahalleler, sokaklar, doku, hiçbir şey yerinde durmuyor. Az önce bahsi geçti; Fatih ve Çarşamba'da eskiden zengin ulema otururdu ve bu semtler ahşap mimarinin en güzel örnekleriyle doluydu. Buralar ahşaptan betona geçerken bitti, bunaltıcı semtler hâline geldiler. Camilerin kaldığını söyledim ama onların arasında da gidenler oldu. Menderes'in imarı sırasında, hem de tam beş adet Sinan camisi gitti. 17'nci asrın güzel eserlerinden Kemankeş Kara Mustafa Paşa Külliyesi de aynı şekilde yıkıldı.

Gelgelelim bu yıkımlar birer sonuçtur. İstanbul'u esasında göç bitirdi. Göçle birlikte Suriçi İstanbul'u tamamen süpürdüler. Orada yaşayanlar da bir yerlere kaçtı. İzmir'e, Bursa'ya, başka yerlere... Yeni gelenler de maalesef her yeri bitirdi.

Şimdi o yeni gelenler dediklerinizin de bir kısmı kaçıyor. Mesela İzmir'e "kaçış" süreci var.

Kaçan kaçana... Mesela senin dediğin gibi, İstanbul'dan İzmir'e kaçıyorlar. Eskiden Bodrum'a kaçıyorlardı, şimdi Datça'yı tercih ediyorlar. Kaçanlar İzmir'i de kendilerine göre

değiştiriyor. Taşradan gelen adam İstanbul'u kendine benzeti-
yor da, İstanbullu mu İzmir'i kendine benzetemeyecek? Böyle
böyle her şehir birbirine benziyor. Her yapı, her berbat resto-
rasyon birbirine benziyor.

*Restorasyon demişken, bir yandan bu alanda epey faa-
liyet de yürütülüyor. Bunların çoğunu eleştirdiniz, ça-
lışmaların yanlış yürütüldüğünü söylediniz. İçlerinde
beğendikleriniz var mı peki?*

Ben senelerden beri ilk terbiyeli restorasyonu Datça'da gör-
düm; Mehmet Ağa Konağı. Doğrusu çok titiz, bilgiyle yapılan
bir restorasyon çalışması olmuş. Aynı kişiler, yine Datça'da 10
kadar konak yavrusunu da restore etmiş; başarılı da olmuşlar.
İşte böylesini beğeniyorum, doğrusu herkes de beğenir. Kime
sorsan Safranbolu'yu söylüyor; orada da çok iyisi var, olmaya-
nı var. Bazı restorasyonlar hakikaten korkunç... Beyoğlu'nda
görüyorsun, taş yapıları bile berbat ediyorlar. Zaten etrafı da
dikkate almıyorlar. Başka bir çevrenin ortasına, kendilerince
bir şey yapıyorlar; o da olmuyor. Büyük restoratörler çıkaran
bir ülke değiliz maalesef. Sadece Beyoğlu'nda, Suriçi'nde de-
ğil; karşı tarafta, Anadolu yakasında da bu açıdan büyük sı-
kıntılar var.

*Gelmişken bir süre Anadolu yakasında kalalım. Bu
aralar Kadıköy yükseliyor. Bazı eski sakinlerinin iti-
razlarına rağmen de olsa; her tarafta yeni kafeler, resto-
ranlar, iddialı dükkânlar açılıyor. New York Times bile
birkaç sene önce Kadıköy'ü merkeze alan bir "36 Saatte
İstanbul Anadolu Yakası" yazısı yayımladı.*

Kadıköy, her zaman Kadıköy'dür. Orada eskiden de İstan-
bul'da olmayan bir yaşam tarzı, medeniyet vardı. Dedim ya,
ben 50'leri de bilirim. O zamanlar çok hoş bir Kadıköy vardı.

Oralar, İstanbulluların hem çok sevdikleri hem kendilerini medeni hissettikleri hem de medeni davrandıkları bir yerdi. Kafeler, kafeşantanlarla örülü bir sosyal hayat vardı; havalı bir yerdi. Şimdi de öyle ama bu havanın esası eski İstanbul'dadır. Sadece Kadıköy değil, tüm İstanbul bir başkaydı. Ben işte o İstanbul'u çok ararım. Bu, günümüzün Kadıköy'ünde bulunacak bir İstanbul değildir; 50'lerin, 60'ların İstanbul'undan bahsediyorum.

İstanbul'daki olumsuz değişimi çok sıklıkla vurguluyorsunuz ama bana yine de onu kayırıyorsunuz gibi geliyor. Örneğin, önceki bölümlerde kısmen konuşmuştuk; "Bir insanın derinliğe kavuşmak için İstanbul'u, Venedik'i, Napoli'yi, Kahire'yi yaşaması gerekir," diyorsunuz. Buradan devam edelim mi? Bu sözü biraz açar mısınız?

Bu saydığın şehirler bambaşkadır. Goethe, "Napoli'yi görmeden ölmemelidir," diye boşuna dememiş. Bunu sadece bir güzellik hissinden dolayı söylemiyor, güzelliğin ona hissettirebileceğinden daha fazlasını hissetmiş. Napoli'yi görünce anlarsın; orada hem görkemli saraylar hem de o sarayların yanı başında fakirlik, sefalet içinde mahalleler var. Oralar bugün de öyledir. Sarayları göreyim diye gezersin, başına gelmeyen kalmayabilir. Bir yanda temizlik, güzel bahçeler; bir yanda çöplük, fakirlik... Bir tarafta müthiş bir güzellik, bir tarafta ölümü hatırlatacak bir mistisizm... Onun yanı başında edepsizlik ve hayat bağlantısı... Uçsuz bucaksız, derin bir Akdeniz... Bunlar insanı düşündürecek şeyler... Mesela okyanus, o hissi, o renkliliği vermiyor.

Ben Goethe'nin hissettiklerinin benzerini Mısır'da da hissettim, kısmen Hindistan'da da benzer duygular yaşadım. Hindistan'da fakirlik, sefalet bir yana; kültür, birikim, derinlik bir yana... Goethe, Mısır'ı ve Hindistan'ı bilemez; nereden bilecek? Ama Napoli'de o kontrastı yakalamış, onun için böyle söylüyor.

Bence İstanbul da insanda benzer bir his uyandırıyor ama onun bir farkı var. İstanbul hiçbir zaman Napoli gibi, Kahire gibi olmamıştır. İstanbul'da görkemli saraylar ve müthiş bir fakirlik yan yana durmamıştır. Büyük abidelere sahip olmakla birlikte İstanbul, tarih içinde mütevazı bir şehirdi. Yani burada Napoli'deki sefalet yoktur ama oradaki hayatla benzer biçimde dopdolu olma hâli mevcuttur. Napoli Roma-Yunan çağından beri hep değişir. İstanbul da öyledir. Ama 17'nci asrın başından itibaren değişimin yönü ters... Bunun hem olumsuz hem de olumlu etkileri oldu. İstanbul'da doğaya uyum vardır; şehirde bir kır havası vardır, hissedersin. Kendine özgü bir derinliği vardır, hissedersin. Aslında düşününce bizim kaç tane Napoli'miz var ama hakkını vermek için, gören göz ve usta sanatçı-mimar lazım.

> Napoli... Bir tarafta müthiş bir güzellik, bir tarafta ölümü hatırlatacak bir mistisizm... Yanı başında edepsizlik ve hayat... Uçsuz bucaksız Akdeniz... Aslında düşününce kaç tane Napoli'miz var ama gören göz ve usta sanatçı-mimar lazım.

Bak benzer hissi bir de İsfahan'da yaşıyorsun. Ama orayı da başka türlü görüyorsun. Çünkü İsfahan çok başka... Çölün ortasında insanlar neler yapabiliyorlar! O akan sular... Ah kıtlığı hissedilecek o sular!

Şimdi bunları düşününce, şehre bu perspektiften bakınca; "Şurayı görelim, burayı görelim," demenin, liste yapmanın da pek bir anlamı kalmıyor. İstanbul boğulmuş vaziyette. Öyle boğulmuş ki; güzel yapıları, sevdiğimiz binaları saymanın bir anlamı kalmıyor. Böyle listeler, İstanbul'u gelecekte bütün saçma yapılardan temizleyebilirsen bir işe yarar. Çünkü şehir, artık havası ve suyu itibariyle yaşanmaz hâle geldi. Mimarinin ve ters yerleşimin iklimi, çevreyi de tahrip ettiği açık... Bu yüzden, vurguladığım gibi, artık İstanbul'da tek başına binalardan söz etmemizin de bir anlamı yok.

Ters yerleşim ne demek?

Her yere binalar yapılıyor demek. Bir de her şey İstanbul'a yapılıyor demek. Düşün Konrad Adenauer kalktı; Köln gibi sıradan bir yerden, müthiş yeşil bir kent yarattı. Adam bunu belediye reisi olarak yaptı. Harpten evvel, Hitler başa gelmeden de önce yaptı. Orası hâlen yeşil bir şehir olarak duruyor. Tüm dünyada böyledir; şehrin nefes almasına, yeşili korumaya özen gösterirler. Söz gelimi Londra da böyledir, yeşile dikkat ederler. O kadar dikkat ederler ki, her taraf park-bahçedir. Öyle ki o koca başkent, Avrupa'nın en yeşil şehirlerinden biridir. Paris'i de tenkit ederler ama Paris bile, bir Londra kadar olmasa da, kendine çekidüzen vermeye çalışmıştır.

Peki şehre nasıl çekidüzen verebiliriz?

Yapıların etrafından başlamak lazım. Her yere garip garip gökdelenler diktiler. Bunlar ortadan kalkmadıkça hiçbir şey düzelmez. Öyle ki eski yapılar bu kalabalığın içinde kayboldu. Kendisi ne kadar güzel olursa olsun, kalabalığın içinde kaybolunca bir anlamı kalmıyor. Çünkü yapı, çevresiyle güzeldir.

Mimar Sinan'dan bahsedip duruyoruz ya, burada bir çerçeve çizelim. Mimar Sinan tipi şehircilikte çevre önemlidir. Tamam, elimizde fotoğraflar yok ama onun zamanındaki İstanbul'un neye benzediğini üç aşağı beş yukarı kestirebiliyoruz. Çünkü Mimar Sinan'ın eserlerinin yapıldığı çağı bazı seyyahlar çok açık tasvir ediyor. O tasvirlerden anlıyoruz ki; İstanbul'da çok zengin, çok güzel bir konut mimarisi yok ama o konutlar önemli yapıları rahatsız etmiyor; hadlerini biliyorlar. Yapıların çevresinde birtakım ahşap kulübeler ve konaklar mevcut... Elbette bunların arasında yeşillik de var. Çok yaygın bir yerleşim olmadığı için, yeşili epey bol bir İstanbul'dan bahsediyorum. Bahçelerle süslü bir İstanbul... Sokaklar taş döşeli değil, çamur içinde ama felaket de görünmüyor. Yüksek katlı evler (eski deyimle "âlâ") çok değil. Bitişik nizamda fukara evleri de var ama yangın riskinden dolayı pek tercih edilmezmiş. Seyyahlar böyle anlatıyor. Ama şimdi durum farklı... Neredeyse tüm bu saydığım unsurlar berbat edilmiş, İstanbul giderek farklı bir şehre dönüşmüş.

"Mimar Sinan tipi şehircilikte çevre önemlidir," dediniz. Mimar Sinan bu meselelere nasıl bakmış?

İşte burası çok önemli... Bir defa bizim o çok övündüğümüz Mimar Sinan'ı iyi anlamamız lazım. Özellikle de şehirciliğini kavramalıyız. Çünkü Sinan sadece bir mimar değil, şehircidir de. Çevreyle bağını kuran nadir mimarlardandır, çevreye saygılıdır.

Çok büyük bir deha olmakla beraber, dahası İstanbul'un silüetine imza atmakla beraber; eserlerini, doğayı tahrif ederek ortaya çıkarmaz. Evet, İstanbul'un tepeleri ve silüeti onun eseridir diyoruz ama kendisi bu silüeti oluştururken kendinden evvelki büyük eserlere hürmet etmiştir.

Az evvel, Sinan'ın dönemindeki İstanbul'u tarif etmiştik. O şehir yüzyıllar içinde çok değişmiş sayılmaz. 19'uncu asırdaki, 20'nci asrın ilk yarısındaki İstanbul; daha fakir görünen, düzensiz, hatta pis diyebileceğiniz bir şehir... Fakat yine aynı ifadeyi kullanalım, haddini bilen bir sistemi var. Çevre ona göre düzenlenmiş. Bu; büyük yapıların güzelliklerini, tabiatın eşsizliğini, mimari zarafeti rahatsız eden bir çevre değil. Demek ki Sinan'ın çerçevesi o sıralarda korunmuş.

Maalesef Mimar Sinan'ın eskilere gösterdiği hürmeti biz ona göstermedik. Yaptığı camilerin çoğu günümüzde çevrelerindeki yapılarla boğuluyor ya da özensizliğe maruz kalıyor. Esasen vahim örnek Piyale Paşa Camii'nin etrafı ve Fındıklı'daki Molla Çelebi Camii'dir. Beşiktaş'ta Sinan Paşa Camii'ni kenara ittik, hamam ve medreseyi yok ettik. Şehre Mimar Sinan gibi bakıyor olsaydık, bunları yapmazdık. Şu camilerin etrafını boş tutardık mesela, civardaki ahşap yapıları muhafaza ederdik. Velhasıl sadece Sinan'ın eserleriyle bile göz zevkimizi koruyabilir, ruhumuzu dinlendirebilirdik. Ama yapamıyoruz.

İstanbul'un özellikle müze konusunda ciddi eksikleri olduğunu sıklıkla söylersiniz. Bu meseleyi konuşurken de hep "Şehir Müzesi" örneğini veriyorsunuz. Hem bir türlü kuramadığımız Şehir Müzesi'ni hem de İstanbul'un diğer eksiklerini konuşalım. Size göre bu şehrin belli başlı noksanları nedir?

İstanbul'un son derece büyük noksanları var. Düşün ki tiyatroları için doğru düzgün bir bina yok. 250 tiyatro varmış, çoğu olur olmaz yerlerde. Bu ölçekte bir şehirde, en az 20-25 adet, boy boy gösteri salonun olur. Bir büyük opera binan olur, operet salonu-konser evi olur. Bizde yok! Hâlbuki kullanabilecek bir sahamız var. Önemle vurguladığım gibi işte Haydarpaşa bir imkândır. Bugün değerlendirmezsen, yarın orası da apartmanlarla dolar; onu da bulamazsın. Bunlar bir şehrin yaşayışı için çok önemli meselelerdir. Sonra, Verona'daki gibi festivaller yapabileceğimiz bir büyük arenamız da yok. Artık böyle büyük bir mekâna sahip olmamız gerekiyor.

Bunlar elimizde olmayanlar. Peki mevcut binaları koruyabilecek miyiz?

Evet, bir de böyle bir derdimiz var. Mesela İKSV gelip Aya İrini'yi kullanıyor. Kaç defa tembih ettim ve müzemizce de edildi. Binanın artık döküldüğünü söyledik. Her gün bir yerinden taş düşüyor. Allah korusun, adeta çökmesini bekleyeceğiz. Ama yine de her yıl festival için orayı kullanıyorlar.

Az önce bahsettiğim gibi, bir Şehir Müzesi de yok. Nüfusu 20 milyona yaklaşan İstanbul'un zenginlikleri nasıl ve ne zaman teşhir edilecek? Bu konuda önerilerimiz de oldu. Mesela Yedikule gaz fabrikasının alanı neden bir "Şehir Müzesi" için düşünülmez? Hâlbuki gayet müsait bir yerdir. Şimdi boşaltılan askerî sahalar gibi yerler ne olacak? Ya öyle korunmalılar ya da okul ve sanat merkezleri için öl-

> İstanbul'a ne lazım? En az 15-20 adet, boy boy gösteri salonu; bir büyük opera binası, bir de büyük kültürel faaliyetler için bir arena... Bu ölçekteki bir şehir için, bunlar hem de acilen lazım.

çülü olarak kullanılmalılar. Bunlar pekâlâ devlet müzeleri için, yeşil alanlar ya da kültürel faaliyet alanı olarak da kullanılabilir ama maalesef inşaat şirketlerinin oralara da göz diktiğini duyuyoruz. Heybeliada Bahriye Mektebi ve Kuleli'nin hem kurum hem de bina olarak işlevinin ciddi şekilde tartışılması gerekir. Kuleli'nin yeniden kullanılması atıl biçimde olursa bu çirkin bir göstergedir, mesela bir silah müzesi olarak değerlendirilebilir.

Bir sohbetimizde, bir türlü sergileyemediğimiz porselen koleksiyonu için de bir yer düşünülmesi gerektiğini söylemiştiniz.

Evet, porselen için de bir mekân gerekiyor. Buna çok ihtiyacımız var. Çok zengin Çin, Saksonya, Sevr, Japon ve Rus porseleni koleksiyonlarımız var. Söylediğim yerler bunları sergileme amacıyla da kullanılabilir ama ne olursa olsun oralar devletin mülkiyetinde kalmalı.

Gelelim Millî Müze'ye. Bu da bizde olmayan bir kurumdur. Hâlbuki sergilenmesi gereken çok parçamız var. Ayvazovski'lerimiz, Zonaro'larımız var mesela. Hatta bu Kuveyt krizi sırasında birtakım içeri giren kaçak avangart eserler Türkiye'de kaldı. Arayan yok, sahibi çıkmadı. Bunları bir araya toplamak lazım. Bölüm bölüm toplanabilir; Asur-Mezopotamya ve klasik arkeologya, Yunan, Roma bölümü olur. Öyle ki Louvre'a ve benzerlerine tekabül eden bir müze kurulabilir. Bunlar tabii öyle maceraperest şekilde değil; üniversite üyeleri ve müze kurulları aracılığıyla gerçekleştirilir. Derhal el atılması gereken bir konudur. Ayrıca ihtisas müzelerinin de artması lazım. Biliniz ki güzel ihtisas müzeleri özel tasarımlarla kurulur. Halı Müzesi, Eski Şark Müzesi, İslam Sanatı ve Anadolu Arkeoloji Müzesi halihazırdaki gibi düzenlenebilir. Beri yandan, imparatorluktan kalma tarihî Arkeoloji Müzesi de bu şehre yetmiyor.

Dahası bu müze sıkıntısı sadece İstanbul'la ilgili bir mesele değil, örneğin İzmir'e de bir şeyler açmak lazım. Koca İzmir'de hiçbir yer yok. Ama İstanbul meselesi çok tuhaf... Bu yokluk İstanbul'a hiç yakışmıyor, bir

> Millî Müze kurmamız lazım, çünkü sergilenmesi gereken çok parçamız var. Ayvazovski'lerimiz, Zonaro'larımız var mesela. Bunları bir araya toplamak lazım. Öyle ki elimizdeki parçalardan, Louvre'a ve benzerlerine tekabül eden bir müze kurulabilir.

kere adına ve cismine yakışmıyor. Bu konuda çok sorunlu bir durumdayız ve maalesef bu çoğu insanın umurunda değil.

Şehir hayatının olmazsa olmaz bir unsuruna, yeme içme kültürüne gelelim. Güzel bir kafede oturmak, iyi bir restorana gitmek, yiyeceklerin içeceklerin iyisinden anlamak, orta sınıfın hayatına giderek yerleşiyor; bu işlerin standartları oturuyor. Yurt dışına gidip gelmenin artmasıyla kıyas yapma imkânı da çoğaldı. Sizin de yeme içme mekânlarını iyi seçmeye özen gösterdiğinizi biliyorum. Önce şunu sorayım: Kafe mi, restoran mı? Ardından da birkaç mekân önerisi duymak isterim.

Ben daha çok kafeleri severim. Şimdi Türkiye'dekilerden bahsetmeyeyim; giden gider, kendisi notunu verir. Dışarıda sevdiğim yerleri anlatayım. Tabii ki bu işin iyi örnekleri benim de epey zaman geçirdiğim Viyana'dadır. Örneğin Üniversite'nin karşısında, Burgtheater'ın yanında Cafe Landtmann bulunur. Meşhur bir kafedir ve anormal pahalı bir yer de değildir. Düz talebe oraya giremez tabii ama ben bu kafeye gidip gelmeye başladığımda doktora bursuyla Viyana'daydım, gücüm yetiyordu. Hocalığım sırasında da zaten parasal konularda daha

> Ben Roma'daki kafeleri severim. İçlerinde de meşhur El Greco'yu ayırırım. Roma'nın her köşesinde bir şeyler yiyip içebilirsiniz; şehirdeki her küçük kafe bir güzelliktir, zevklidir, bir estetik duygusuna sahiptir.

rahattım. Landtmann'da hem yemek yenir hem de iyi kahve içilir. Gazeteni okursun, atmosferi iyidir. Pastalarıysa harikadır. O zamanlar çok yerdim ama şimdi maalesef geçti artık!

Tabii pasta yemek için esasen Cafe Demel'e gitmelisin. Viyana'ya gideceklere önermiş olayım. Bir de yine Viyana

Üniversitesi'nin civarındaki Cafe Votiv'e çok giderdim, orası da vakit geçirmek için hoş bir yerdir.

Restoran da sormuştun; Viyana'da çok restoran bilmem, bildiklerime de pek gitmem. Dedim ya ben bir şehrin kafelerinde oturmayı severim, oralarda sosyal hayat da daha rahat gözlenir. Restorana gideceksen, bunu Fransa'da yapacaksın. Yalnız üzülerek söyleyeyim; Fransa'da bu işin çöktüğünü, haydi çökme demeyelim de gerilediğini görüyorum. Fransızlar yeme içme konusundaki üstünlükleriyle övünür ama görülüyor ki bu özellikleri hizmet kurumları bakımından ortadan kalkıyor.

Her taraf zincir restorana döndü, mekânlar turistikleşti, otantiklik kayboluyor. O güzelim restoranlar ve kafeler; artık işten anlamayan, belki gönlü bunda olmayan, muhtemelen üçüncü nesil kişiler tarafından işletilmeye başlamış. Kiralar da çok yüksek... Normal bir kafe işleterek, o kirayı ödeyemezsin. Bu yüzden turistik, kazık fiyatlarla, anlamsız ürünler satan dükkânlar ayakta kalabiliyor.

Rusya'da, İran'da, İtalya'da da çok vakit geçirdiniz. Oralardan tavsiyeleriniz var mı?

Moskova'da Kafe Puşkin var elbette. Gidince orada oturacaksın. Rusya'da Batı tipi kafelerin pek örneği yoktu ama şimdi bu sektör giderek gelişiyor. Şehirde zaten büyük para var ve tabii zevk de yerleşmeye başlıyor.

Ben Roma'daki kafeleri severim. Onların içinde de meşhur El Greco'yu ayırırım. Roma'nın her köşesinde bir şeyler yiyip içebilirsin; şehirdeki her küçük kafe bir güzelliktir, zevklidir, bir estetik duygusuna sahiptir. Üstelik kahveleri de güzeldir. Aslında Viyana kahvesinin adı çıkmış ama Roma, Viyana'yı bu bakımdan geçer.

İran'ı da sormuştun. İran'da yiyip içmek güzeldir ama İran mutfağının bizimkinden iyi olduğu kanısında değilim. Orada iki çeşit mutfak var; biri Farsi, biri de bize daha yakın olan Azerbaycan mutfağı. İkincisi çok güzel; etiyle, sebzesiyle, pişirme tekniğiyle hakikaten çok üstün bir mutfaktır. Bunun örneklerini yiyebildiğiniz yerde kaçırmayın derim.

Yine İran'da birkaç zamandır *kahvehane-i sünneti* ismi verilen mekânlar türedi. Türedi diyorum ama bunlar bir yandan da geleneksel özellikler taşıyor. Buralarda bir ihtiyar falcı duruyor, yenip içiliyor, müzik yapılıyor. Bu müzik, İran'ın her etnik grubuna ait olabiliyor. Türkçe de, Kürtçe de, Arapça da şarkılar dinleyebilirsin. Bu bir yenilik değil, hep böyleydi; İran'da Humeyni'den sonra, kadın-erkek beraber hayata açılmanın ilk devrimci örneğidir. Bu kafelerin ilki tren garının civarında açıldı, şimdi şehirde daha yaygınlar. Tabii henüz sadece Tahran'da yayılıyorlar. İsfahan'da böyle yerler yok, normal kafeler görürsün ama oralarda da yine kadın-erkek beraber otururlar. İranlılar flört hayatına döndü diyebilirim.

> İran'da iki çeşit mutfak var; biri Farsi, biri de bize daha yakın olan Azerbaycan mutfağı. İkincisi çok güzel; etiyle, sebzesiyle, pişirme tekniğiyle hakikaten çok üstün bir mutfaktır. Bunları yiyebildiğiniz yerde kaçırmayın derim.

Tekrar bize gelirsek; yeme içme kültürü konusunda, evet, orta sınıf bir atılım yaptı ama hâlen çok zayıf olduğu ortada. Çünkü bir altyapı yok. Birkaç iyi yazar var, onlar okunuyor; bu sayı oldukça az... İnsanlar dışarıda yemeye, güzel restoranlara gitmeye, beğenilerini yükseltmeye gayret ediyorlar ama olur olmaz şeyleri alkışladıklarını da görüyorum. Üstelik buna bazı yazarlarımız da dahil! Sonuç olarak, belli bir zümre yeme içme konusunda zaten hep iddialıydı; şimdi bu işlerin tabana yayıldığını söyleyebiliriz. Ama bu da zaman alacak.

Dışarıda yemek demişken, şehir kültürünün bir parçası da iyi giyinmektir; giyinip dışarı çıkmaktır. Bu konuda bizi nasıl buluyorsunuz?

İyi giyinmek, iyi yeme içmeye göre daha standartlaştı diyebilirim. Henüz istenen seviyede değildir, onu da söyleyeyim. Bizde boy bos iyidir, kılık kıyafet de güzelleşiyor ama gençler ağzını açmayagörsün! Konuşmaya başlayınca bitti iş! Zengin semtine git, iyi giyimli birini çevir, bir şey sor; cevabını aldığında ne demek istediğimi de anlarsın.

Çok açık ki bizde kadınlar erkeklerden iyi giyinir, daha doğrusu kadınlar bu konuda daha gayretlidir. Erkeğimiz maalesef pasaklıdır; saçı sakalı karmaşıktır, dağınıktır. Alt tabakada bile kadınlar kendine dikkat eder; kocasına bakarsın berbattır, kendini salmıştır. Ancak çok açık ki erkekler de artık kadınlar kadar kendilerine özen göstermeye çalışıyor. Çünkü sadece kadınlar değil; artık bütün toplum, kendine özen göstermeyenleri dışlıyor.

Şimdi böyle dışlamalar yaşanınca, "Ahlak çöktü; bizi televizyon, internet bozdu," diye istediğin kadar yayın yaparsın ama erkekler de biraz kendilerine dikkat etsin, çekidüzen versin. Evvela bir temizliğine özen göstersin! Kişi her şeyden evvel temiz olmak zorundadır. İllâ marka giysin, pahalı kıyafetler giysin demek değil; ama en azından temiz giysin. Her evde bir çamaşır makinesi illâ ki vardır, kılığını kıyafetini temiz tutsun. Ütülemeye bile ihtiyaç duyulmayan gömlekler satılıyor artık; ütüye üşeniyorsa, onlardan satın alsın. Ütüsüz pantolon da var ama yine de bir ütü yapsın lütfen. Yüzüne de dikkat etsin, saç baş dağınık gezmesin. Temiz olsun, yıkansın, yıkatsın, temiz giysin. Ayakkabısını temizlesin.

Bakınız, ayakkabı çok önemlidir. Babamın tavsiyesiydi; "Kıyafetten de mühimi ayakkabıdır," der ve iyisini almaya gayret ederdi. Hakikaten de çocukların çarpık ayaklı olmaması için bu konu mühimdir. Bu yüzden en azından kısmen ortopedik olan ayakkabılar almaya gayret edin. Ama daha önemlisi, bunu gençlere söylüyorum elbette, tertipli düzenli olmaya gayret edin. Gençlerin spor yaptıklarını, temiz ve düzenli olduklarını görünce memnun oluyorum. Son zamanlarda bu memnuniyetimin arttığını da söylemeliyim. Çünkü şehir hayatında iyi giyinmek önemlidir.

> Özellikle gençlere tavsiyemdir: Lütfen tertipli, düzenli olmaya gayret edin ve temiz giyinin. Anne-babalara da tavsiyemdir: Lütfen çocuklarınıza en azından kısmen ortopedik ayakkabılar giydirin.

Hocam sohbetimiz boyunca İran'daki kültür-sanat hayatının birçok bakımdan Türkiye'dekine üstün olduğunu söylediniz. Peki kılık kıyafet konusunda nasıllar?

İran'da da aynı, erkekler bakımsızdır. Ama onlar ağzını açınca çok iyidir. Şiir bilirler, edebiyat bilirler. Her sınıf kendini ayrıca belli eder. Üst sınıf, orta sınıf; konuşunca, "Ben buyum," der. Sen Hafız'dan herhangi bir beyit oku, onlar arkasını getirir ama baksan bu insanlar da pasaklıdır. Şiraz'da mesela sıcakta oturmuş şiir okuyorlar ama görsen nasıl fakirler... İran'ın da en fakir mıntıkasından gelmişler; buna rağmen kültür hayatları çok iyidir, üst düzeydir. Şehri kullanmayı, şehirde yaşamayı bilirler.

Yeri gelmişken, şehir yaşantısıyla da bağı olan başka bir konudan bahsedeyim. İran'da son zamanlarda toplumun bir kısmının; geçmişle, uzak geçmişle yeniden bağ kurmaya çalıştığını gözlüyorum. Mesela Zerdüştlükle hiç alakası olmayan tipler bile Zerdüşt tapınaklarında geziniyor. Oraya gözleri yaşlı gelenler bile var. Eski kültüre bir bağlılık göstermeye çalışıyorlar. Bu yeni bir hâl...

Bu geçmişle bağ kurma konusunda diğer komşumuz Yunanistan nasıldır?

Yunanistan'ın eskiyle bağlantısı tamamen fiktifdir. Ondan geçiniyorlar ama ekseri aydından kimse eski Yunanca bilmez. Hatta, "Eski Yunanca öğreneyim," deyip bir kitap önermelerini istesen, önüne Yunan bir profesörün kitabı da gelmez; İngiliz'inki gelir, Alman'ınki gelir. Bu da bana hazin gelir. Ancak Yunan toplumunda bir dekadans olduğunu da söyleyemem. Onlar başka türlü bir cemiyettir. Köylülükten çıkıyorlar (hem de bizden çok önce), biraz bu yüzden böyle bir hava var. Ama terakki ediyorlar mı, ne kadar ediyorlar, AB'ye girmekle iktisadi bir başarı kazandılar mı bilemiyorum ancak yine de kültürel bakımdan atılım yaptıklarına inanıyorum. Eh, iktisadi bakımdan da aslında facia içinde değiller; ben 70 yaşını aşmış adamım, eski Yunanistan'ı da gördük; fakir değildi ama boştu. Şimdi güya krizdelermiş, ama ne hikmetse yaşıyor Yunanlar... Yalnız ilginçtir, oralarda da eskiye dönüş başladı. Merak ediyorlar, ciddi ve sorgulayıcı bir şekilde tarih araştırıyorlar.

Her sene "dünyanın en yaşanılır şehirleri" başlıklı araştırmalar yayımlanır. Genelde İsviçre, Kanada, Avustralya şehirleri ya da İskandinavya'dan şehirler bu sıralamada başı çeker. Geçen sene bir ankette Viyana herkesi geçti ama "ilk on"u hemen her defasında Melbourne, Montreal, Zürih gibi şehirlerin doldurduğu listelerden bahsediyorum. Tahmin edersiniz; kriterlerin çoğu temizlik, hava, ulaşım gibi başlıklar üstüne. Peki sizce yaşanılacak şehrin kriterleri nelerdir? Sizin bu konuda olmazsa olmazlarınız nelerdir?

Neye yaşamak diyorlar, işte ben orasını tartışırım. Bu dediğin şehirlerde bakalım bir Congress Library var mı, bir British Library var mı? Ben buralarda hiç büyük müze de duymadım.

Montreal'de, Melbourne'da dünya çapında ciddi müzecilik var mı? Park duydum, bahçe duydum; o kadar. Ama işte şehir yaşantısından bahsediyorsak, sadece park kurtarmaz; o şehrin kültürel birikimi de olması gerekir. Kanada'nın batısındaki Victoria şehrinde orkestra yokmuş mesela, bale temsillerinde müziği banttan çalıyorlar. Yaşanılır mı şimdi burada? Kahire'de o kadar sefalet var ama hiç değilse opera var. Giyiniyorlar, gidip opera seyrediyorlar; daha doğrusu seyrediyorlardı. Şimdi geçici bir süre için opera galaları maalesef naklen yayınla bir başka binada veriliyor.

Çok açık ki yaşanılırlık kriterlerini ben evvela kültür üzerinden tanımlarım. Çok basit bir tarif vereyim: İyi şehir; bir kütüphanede iyi bir kütüphanecilik hizmetiyle çalışıldıktan sonra iyi bir salonda, iyi tiyatro oyunları seyredebildiğin ve temsilin ardından güzel bir kafeye gidip sohbet edebileceğin şehirdir. Bu özellik gelişmişse, diğerleri de ona göre gelişmiştir.

Elbette başka kriterler de sayılır. Müzik, kütüphane, üniversite, restoranlar, kitabevleri, parklar, sanat galerileri... Bunlardan o şehirde ne kadar var? Eski eserler ne kadar muhafaza ediliyor, ne ölçüde ve nasıl takdim ediliyor? Bunlara bakarım. Bunlar tamamsa zaten yaşam vardır. Bir de tabii ki kriminalite düşük olacak. Söylemeye gerek var mı bilmiyorum, yaşamın da aşırı pahalı olmaması lazım. Saydığın şehirlerde doğrusu yaşam biraz pahalıdır.

Sizin kriterlerinize göre sorayım o hâlde. İstanbul aşağı doğru mu gidiyor, yukarı doğru mu?

Aşağı gidiyor, hem de hızla! Alt-orta sınıf yukarı çıkıyor gibi ama şehir düşüyor. Böyle olunca, insanların yaşantısının aldığı hâli anlamak için ne yapmak, nereye bakmak lazım? Çıkan kesim için de düşen kesim için de ev kiralarına, okullaşmaya, suçluluk oranlarına, spor yapma imkânına göz atmalı.

Bisiklete binebiliyor musun örneğin? Yürüyebiliyor musun? Bunlara bakmak lazım. Olumsuzsa, az gelişmiş bir metropolde yaşıyorsun demektir. Spor yapılamayan, yürünemeyen; parkların, yeşilin kıt olduğu bir yerde yaşıyorsan hoş bir şehirde değilsin demektir.

"Benim ilk sorduğum kriterler zaten bunlardı," diyeceksin, doğru; İskandinavya'da, Kanada'da bu fonksiyonlar yerli yerindedir ama yetmez. Bunlar seni sadece az gelişmişlikten kurtarır. Ama sadece bu varsa içi boştur.

Kyoto çok övülüyor, orası haydi tarihî bir şehirdir diyelim. Eh, ama Montreal ne? Zürih'te koca koca parklar var da şehir olarak nedir? Bunları İstanbul'la kıyaslamak bile sıkıcı ama işte İstanbul da bizi maalesef mahcup ediyor. Örneğin İstiklal Caddesi'nde neredeyse sinema kalmadı, film seyretmek için alışveriş merkezlerine gidiyoruz. Gençlerin böyle bir şehirde entelektüel olarak gelişmesi doğrusu çok zor...

O hâlde iyi bir şehrin fonksiyonları arasına, sakinlerine entelektüel gelişim imkânı vermeyi de ekleyebiliriz. Örneğin sizin ilk gençliğinizi, üniversite yıllarınızı yaşadığınız Ankara sizin için bu anlama mı geliyordu? Siz kendinizi şanslı gördünüz mü?

Evet, bu altyapıyı insana ancak şehir hayatı verir. Doğrusu Ankara'nın bana çok yardımı olmuştur. Lise ve üniversite yıllarımda kültürel gelişimime ciddi katkı sunmuştur. Bir defa, başkent o zamanlar dopdolu bir şehirdi; konferansa, konsere ve tiyatroya faaliyetten faaliyete koşardık. Trafik problemi olmadığı için gece gelip ders de çalışırdık. Rahat bir başkentti, bu da bizim eğitimimiz için önemliydi. Bugünün çocuklarının böyle bir ortam bulması maalesef mümkün değil. Bulabilseler çok hızlı gelişirler. Onlara bu ortamı sağlamak lazım.

> Bir şehir, insana ilgi sahaları sunabiliyorsa ya da belli bir sahanın içinde kişinin kendini geliştirmesini sağlayabiliyorsa özel bir şehirdir.

Bir şehir, insana ilgi sahaları sunabiliyorsa ya da belli bir sahanın içinde kişinin kendini geliştirmesini sağlayabiliyorsa özel bir şehirdir. Burada bir parantez açıp tiyatroyla çok ilgilendiğim dönemden örnek vereyim. Bazıları bilir; gençliğimde tiyatro eleştirileri kaleme aldım, çok oyun seyrettim. O günlerde tiyatro dünyasıyla epey içli dışlıydım.

Sahneye çıktığınızı, tiyatro oynadığınızı da biliyorum.

Evet ama doğrusu tiyatro oynamayı sevmedim. Tiyatroyu tetkik ettim, oyunlar hakkında eleştiri yazdım ama sahnede olmak, oynamak çok hoşuma gitmedi. Bu parantezi açma sebebine geliyorum, bu dünyayı tanımamın başlıca sebebinin Ankara olduğunu söylemeliyim. Ankara'da arkadaşlarım hep tiyatrocuyla. Ankara Halk Evi onları yetiştiren bir merkezdi, depoydu. Meraklı çocuklar kendilerini orada yetiştirir, tiyatro muhitine yakın dururlardı. Devlet Tiyatrosu da himaye gören, eğitim veren bir tiyatroydu. Zaten bu işlerin ideali budur, ayrıca Avrupa'da da böyledir. Yani her zaman devletin, sarayın tiyatrosu önde gelir.

Tabii o emniyetli hava içerisinde, İstanbul'da zor yaşayan avangartlar da Ankara'da tutunmuştu. Ankara Sanat Tiyatrosu (AST) bunun iyi bir örneğidir. İstanbul'da yerleşemeyen bir grup sanatçı, Ankara'ya gelip AST'yi kurdu. Burada izlediğimiz Asaf Çiyiltepe, birden Türkiye çapında parladı. Bu grubun içinde çok kıymetli sanatçılar vardı. Bazıları sonradan Devlet Tiyatrosu'na da dönmüştür. Mesela Elif Türkân, dönmüştür; Ayberk Çölok da döndü. Tiyatromuzun büyük isimlerinden Ergin Orbey de bir ara Ankara'daki gruptaydı. Orbey hakikaten büyük bir rejisördü, büyük de bir senaristti; çok mühim adamdı. Öğretmenlerimizin davetiyle okulumuza gelmesi sayesinde onu henüz lisedeyken tanımıştım. Lisedeki edebiyat hocamız rahmetli Bahri Miyak, tiyatro koluna da bakıyordu. Miyak konservatuvarda müdür muavinliği yapmıştı, bu yüzden çevresi genişti. Tabii bu tür vesilelerle lisede sahneye de heveslendik ama doğru dürüst bir oyun koyamadık.

Kimler vardı?

Kenan Işık vardı, ben vardım. Birkaç kişi daha... Kız lisesinden öğrenciler de geliyordu, onlar da gruba girdiler. Ama alaturka bir derbederlik yaşandı, yapamadık. Yine de o ara çok insan tanımış olduk. Çünkü bir baktık ki, okula Bahri Bey'in tiyatrodan dostları geliyor. Ziya Demirel geliyor, Mahir Canova geliyor; bir gün o zaman yeni yeni şöhretle tanışan Ülkü Ülkümen geldi. Bunlar gencecik dimağlara tiyatro anlatıyordu. Tiyatro kültürü çok ilgimi çekmişti. Epik tiyatro ne, Brecht kim; duyuyorsun, bakıyorsun, okuyorsun. Elbette sadece okulda bitmiyor bu iş. O sıra Alman Kültür'de meşhur Alman rejisör Max Meinecke vardı, sahneye avangart eserleri koyuyordu. Daha doğrusu okuma tiyatrosu tarzında işliyordu. Orada Yılmaz Onay'ı görüyorduk, okuma aktörü gibi çalışıyordu. Brecht akşamları da yapılıyordu. 1960'larda Federal Almanya'nın Ankara'daki kültür ofisi (Goethe Enstitüsü), doğuda Demokratik Almanya'da yaşamakta olan ve o günün propagandisti bilinen bir yazarı anıyor. Bunu Almanya açısından demokratik anlayış diye değerlendiremem. Bertolt Brecth Alman'dı ama önemli bir yazar ve dünya tiyatrosunun adamıydı. Hiç değilse bu tip bir anlayış dahi o tarihte Türkiye'de yoktu. Hatırlıyorum, biz aslında şiddetli faşist diye yaftalanacak bir yerde yaşamıyorduk ama oldukça çarpık ve gülünç kafalı bir bürokrasi vardı. Biz bazı değerlerimizi o zaman rahatça karalıyorduk. Bu oldukça acı ve zahmetli bir kültürel hayat demektir.

Bu şekilde şehrin her yerinde bir faaliyet vardı. Sadece tiyatro üzerine de değil; sinema, edebiyat, müzik, aklına ne gelirse... Fransız Kültür film getiriyordu, konferanslar düzenliyordu. İtalyan Kültür'de İtalyan sineması seyrediliyordu. Yoksa sinema bahsinde adlarını geçirdiğim Fellini'leri, Pasolini'leri nasıl bileceğiz? British Council ise bildiğin British Council'di. Alman Kültür'de (Goethe Enstitüsü) çok konser verildiğini de söylemeliyim.

İşin bir de devlet kısmı var. Örneğin Cumhurbaşkanlığı Senfoni Orkestrası'nda Lessing gibi bir filarmoni orkestra şefi bulunuyordu. Başkente dünyanın meşhurları geliyordu. Düşün ki döneminin en büyük piyanistlerinden Arthur Rubinstein'ı dinledik. Doğrusu o salona bir şekilde herkes girebiliyordu.

Anlayacağın, dokunulmazlığı olan bir şehirdi Ankara. Bereketli bir kültür-sanat ortamı sunuyordu, hareketliydi. Şimdiki gibi kurak değildi. Bizi tatlı bir mikroklimada yaşatıyordu.

Şimdi nasıl buluyorsunuz Ankara'yı?

Anlattığım üzere, Ankara'da yaşarken oradan çok istifade ettim ama şunu da söylemeliyim; kimse kusura bakmasın ama Ankara hiçbir zaman beğenilecek bir şehir değildir. Çok tatsız bir tabiat, çok soysuz bir görünüm ama dedim ya; yaşarken çok istifade ettim, çünkü kültür kurumları iyiydi. Eğer tarihi seversen, şehrin tarihî dokusu, bütün canlılığı ve gelenekselliğiyle vardı. Ankara Kalesi, Samanpazarı, Atpazarı; bu sahalarda keyifle gezerdin. Ankara rehberleri yeterince iyi değildi. Mesela Şengül Hamamı'nın civarında bir Leblebici Camii vardı, o mahallede şehrin orijinal bir sinagogu dahi bulunuyordu. Kalenin karşısında Fransa Sefareti'ne ait bir Katolik kilise vardı. Civardaki Yenikent denen köy aslında Zir köyüdür ve orada Ermeni mezarlığı vardı. Türkiye'de olmayan standartları orada görebiliyordun. Şimdi o da düştü. Özellikle üniversiteler çok geriledi.

Ankara'da Yıldırım Bayezid dedikleri semte, yani Dışkapı'ya gidip bak etrafına; her yer aynıdır. Bu, Murat Katoğlu'nun benzetmesidir. Göreceklerin şunlardır: Zevksiz yeni binalar, harap olmuş eski yapılar, gecekondudan gettolar, tümüyle bir keşmekeş... Bu görünüm Ankara'ya özgü değildir, Anadolu'nun her yerinde bunu görürsün. Bütün şehirler eskiden beri birbirinin aynıdır, hâlen de öyledir. Söz gelimi Sivas'a bir bak. Oradaki o eski doku örtülmüştür artık. Müteahhitler aynı binaları her yere kondurmuştur. Çarşı-pazar kalabalıktır, bir şeyler oluyor sanırsın, bir zenginlik yaşanıyor sanırsın ama gördüklerin manasız bir reklam tabelası kalabalığıdır. Üzülerek söylüyorum; çok çapaçul, tatsız bir yaşam geliyor.

Benim de gördüğüm, şehirlerin özgünlüğünün gitgide azaldığı... Her yer birbirine benziyor. Trabzon'la Bursa arasında bir fark kalmamış. Aynı dükkânlar, aynı insanlar, aynı yaşamlar... Üstelik bu Anadolu şehirleriyle İstanbul arasındaki fark da azalmış. Fark sadece coğrafyada.

En kötüsü ne biliyor musun? Yenileri yapılacak diye iyi, eski yapıların yıkılması. Bunun sonucu da niteliksizlikte aynılaşmadır. İstanbul'da çok örneği var, az önce üzerine konuştuk da ama bu sadece İstanbul'un meselesi değil. Her şehir aynı trajediyi yaşıyor. Şehirler yenilenirken eski olan ne varsa gidiyor. Eski yapılar; iyi midir kötü müdür, kullanılır mı kullanılmaz mı diye bakılmadan, sırf eski oldukları için yıkılıyor. Sonra tabii ki her şehir niteliksizlikte aynılaşır. Aynı tarz hayat, aynı tip fakirlik taşan ruhsuz varoşlar, aynı tip orta sınıf, aynı tip yüksek burjuvazi...

İtalya'da, Floransa'nın eliti ile Milano'nun, her halükârda Roma'nın ve dahi Napoli'nin elitleri birbirinden farklıdır; hepsi ayrı renktedir. Alt sınıfları, orta sınıfları da öyledir. Onun için de İtalya'da, hem rengârenk hem de ölçülü bir yapıya rastlanır. Bizde ise her şehrin eliti gittikçe benzeşiyor. Çünkü kendilerini ayıracakları ve birbirlerine karşı temayüz edecekleri karakter ve birikimleri yok.

Mesela bizde şimdi zengini-fakiri herkes nargile içiyor. Biliyorsun Avrupa'da böyle meyhaneler vardır; müdavimleri birayı çeker çeker, bağıra bağıra konuşurlar. Bu nargilecilik de aynısı işte. Nargile kafeciliği Boğaziçi'ni, hatta sadece Boğaziçi'ni değil, bütün İstanbul'u sarmış vaziyette! Ne olduğu belli değil, bir zevki de yok; hiçbir şey anlamıyorum.

> İtalya'da her şehrin eliti birbirinden farklıdır. Alt sınıfları, orta sınıfları da öyledir. Onun için de İtalya'da, hem rengârenk hem de ölçülü bir yapıya rastlanır.

Sonra, az önce konuştuk; erkekler de kadınlar da aynı ucuz, zevksiz şeyleri giyiyor. Yüksek burjuvazi de o zevksiz şeylerin markasını giyiyor. Tamam, belki yamaları yok, yırtıkları yok ama mahalli renk de yok. Bu hâli çok tatsız buluyorum. Dahası sadece Türkiye'de değil, dünyada da böyle. Müthiş bir Amerikanizasyon var. Herkesin üzerinde aynı tişörtler, aynı yazılar… Operaya da onunla gidiyor bir insan, tiyatroya da. Hatta biliyor musun, okula da aynı kılıkla geliyorlar. Çin, Avrupa, Afrika… Her yerde aynı. Çok çok az yeri ayırabiliriz.

Daha önce bahsetmiştiniz. Mesela Rusya'nın taşrası hâlen eskisi gibi sanki…

Evet, onlar çok fakirdi; hâlen de fakirler. Koca Rusya'da bir Moskova ve St. Petersburg (Leningrad) canlı, taşra canlılığa ulaşamadı. Taşradaki şehirlerde yemek yersin, belki lezzetli de bulursun; hatta bazen Moskova'dakinden de iyi bulursun ama fakirlerdir. Binaları dökülür.

Söz gelimi Yaroslav gibi bir şehir, ki Rusya'nın incisidir, nasıl berbat bir hâlde… Düşün ki 18'inci yüzyılda ilk Rus tiyatrosu orada faaliyete geçmiştir, basını eskidir, eski Rusya'nın da kalbidir ama şimdi bakımsız… Geceleri karanlık, sarhoş bir şehirdir. Birkaç sene önce gittiğimde ürkmüştüm. Eski sanayi tesisleri çökmüş. Hâlbuki burası Moskova'ya çok yakın bir yerdir. Ankara-Konya gibi düşün ama işte bir Konya olamamış. Her yerde bir atılım mevcut; bu Yaroslav'da o yok, ama başka bir şey var. Volga boyundaki Yaroslav, Ugliç gibi yerlerin sırrı da işte o başka şey…

Nedir o sır?

Ne olursa olsun okuyan bir zümre, ona göre bir kütüphane, çevre… Bahsetmiştik ya, şehrin bir köşesinde bir kütüphane var; içeri giriyorsun, işte orada bulunmaz bir kütüphaneci duruyor. Öylesine hiçbir yerde rastlanmıyor. Oturuyorsun kütüphaneye, bir dünya şey konuşuyorsun. Müzesi, müzecisi de öyledir. Oralarda gönüllü çalışmak, ziyaretçilere etrafı gezdirmek, onları bilgilendirmek için en güzel kıyafetlerini giyip gelen gönüllüler de öyledir. Moskova'da Bahçorinski Tiyatro Müzesi de 1990'larda, en sıkıntılı zamanlarda ışıldayan yaşlı münevver hanımlar ve beylerle bir tür entelektüel köşeydi. Bunların vazifesi gözcülük yapmaktı ama aynı zamanda gelenlerle güzel güzel çene de yarıştırıyorlardı. Onlarla konuşmak bir kazançtı.

Biz de böyle insanları üretmeliyiz. Türkiye çalışan ve kalkınan bir ülkedir. Ama aynı zamanda çok da yolsuzluk yaşanan bir yer… Demek ki ancak bazı şeyler düzelirse o zaman çok büyük atılım yapabiliriz. Ama asıl üzerinde durmamız gereken kültürdür. Okuyanların ve öğrenenlerin bir araya gelmesi lazım. Bu da kütüphane, tiyatro, galeri gibi kültür kurumlarıyla olur. Kültür meselesinde her şey birbirine bağlıdır. Hepsini ölçerek biçerek, geliştirerek yürümeliyiz.

Çok umutluyum. Çünkü genel eğilimin tersine, Farsça, Rusça gibi dillere merak salan, bu yönde eğitim alan gençler görüyorum. Bu tür gençler öne çıkınca, her yer ve herkes birbirine benzemekten çıkacak. Daha dolu dolu bir ülke olacağız.

Yine de beni umutsuz sanma, çok umutluyum. Çok şikâyet ediyoruz ama benim zamanımda gençliğin bu kadar potansiyeli yoktu. İşte kolejli bir sürü çocuk vardı; İngilizce öğrenmiş, okulu bitirir bitirmez Amerika'ya kaçmış. Şimdi mesela Rusça ve Farsça öğrenenler bile var. Renk renk gençler yetişiyor. Bunlardan yararlanacağız. Bu gençler öne çıkınca, her yer de birbirine benzemekten çıkacak. Daha dolu dolu bir ülke olacağız. Umudum budur.

İLBER ORTAYLI ÖNERİYOR:
GÖRÜLMESİ GEREKEN 20 ESER

Ortaylı, Türkiye'de evvela bu 20 eserin görülmesini öneriyor. Bunlar onun gözünde uğruna seyahat edilecek eserler.

1. Ayasofya (İstanbul; Bizans İmparatorluğu, 6'ncı yüzyıl, Miletoslu [Milet] İsidoros ile Trallesli [Aydın] Anthemios)

2. Süleymaniye Camii (İstanbul; Osmanlı İmparatorluğu, 16'ncı yüzyıl, Mimar Sinan)

3. Selimiye Camii (Edirne; Osmanlı İmparatorluğu, 16'ncı yüzyıl, Mimar Sinan)

4. Sultan Han (Aksaray; Anadolu Selçuklu Devleti, 13'üncü yüzyıl, Şamlı Muhammed bin Havlan)

5. Divriği Ulu Camii ve Darüşşifası (Sivas; 13'üncü yüzyıl, Anadolu Selçuklu Devleti, Hürrem Şah)

6. Mahmutbey Camii (Kastamonu; 14'üncü yüzyıl, Candaroğulları Beyliği, Nakkaş Mahmud oğlu Abdullah)

7. Bergama Zeus Altar (Bergama, Pergamon Krallığı, MÖ 2'nci yüzyıl, Phyromachos) [19'uncu yüzyıl sonunda Almanya'ya kaçırıldı, bugün Berlin'de Pergamonmuseum'da sergileniyor].

8. Surp Haç Kilisesi (Ahdamar Adası-Van; Ermeni Vaspurakan Krallığı, 10'uncu yüzyıl, Mimar Manuel)

9. İshak Paşa Sarayı (Doğubeyazıt-Ağrı; Osmanlı İmparatorluğu, 18'inci yüzyıl, mimarı bilinmiyor)

10. Rüstem Paşa Camii (İstanbul; Osmanlı İmparatorluğu, 16'ncı yüzyıl, Mimar Sinan)

11. Kanuni Sultan Süleyman (devrinde Büyükçekmece) Köprüsü (İstanbul; Osmanlı İmparatorluğu, 16'ncı yüzyıl, Mimar Sinan)

12. Sokullu (Şehid) Mehmed Paşa Camii (İstanbul; Osmanlı İmparatorluğu, 16'ncı yüzyıl, Mimar Sinan)

13. Selimiye Kışlası (İstanbul; Osmanlı İmparatorluğu, 19'uncu yüzyıl, Krikor Balyan)

14. Birgi Çakırağa Konağı (Birgi-İzmir; Osmanlı İmparatorluğu, 18'inci yüzyıl, mimarı bilinmiyor)

15. İbrahim Paşa Sarayı (İstanbul; Osmanlı İmparatorluğu, 15'inci yüzyılda inşa edildiği tahmin ediliyor, mimarı bilinmiyor.) [Bugün "Türk İslam Eserleri Müzesi" olarak hizmet veren saray, Kanuni Sultan Süleyman döneminde restorasyon gördükten sonra Pargalı İbrahim Paşa tarafından kullanıldı; ismini de bu dönemden almaktadır.]

16. Alanya Kalesi (Alanya; Anadolu Selçuklu Devleti, 13'üncü yüzyıl) [Kale, I. Alaeddin Keykubad'ın fethinden sonra yeniden ve bugünkü hâliyle inşa edildi; orijinal hâli Helenistik Dönem'e tarihlenmektedir.]

17. Dil ve Tarih-Coğrafya Fakültesi (Ankara; Türkiye Cumhuriyeti, 20'nci yüzyıl, Bruno Taut)

18. İtalyan Sefarethanesi (İstanbul; Osmanlı İmparatorluğu, 20'nci yüzyıl, Giulio Mongeri) [Bugün Maçka Mesleki ve Teknik Anadolu Lisesi olarak hizmet vermektedir.]

19. Mihrimah Camii (İstanbul; Osmanlı İmparatorluğu, 16'ncı yüzyıl, Mimar Sinan)

20. Gazanfer Ağa Medresesi (İstanbul; Osmanlı İmparatorluğu, 17'nci yüzyıl, Mimar Davut Ağa)

SÖYLEŞİDE GEÇEN BAZI İSİMLER

Abadan-Unat, Nermin (d.1921)
Sosyolog, siyasetbilimci ve iletişimbilimci. Göç ve kadın çalışmaları alanındaki literatüre önemli katkılar sunmuştur.

Adenauer, Konrad (1876-1967)
Alman siyasetçi, devlet adamı. Federal Almanya Cumhuriyeti'nin ilk şansölyesidir (1949-1963). Önceki yıllarda Köln şehrinin belediye başkanlığını da yapmıştır.

Ahmed Cevdet Paşa (1822-1895)
Osmanlı devlet adamı, tarihçi, eğitimci, hukukçu, yazar ve şair. Modern eğitim üzerine çalışmalarıyla da bilinir. Osmanlı Devleti'nin öğretmen yetiştiren kurumu Darü'l-Muallimin'in müdürlüğüne getirilmesinin (1850) ardından, öğretmenlik mesleğini bu topraklarda ilk defa yasal ve pedagojik sisteme kavuşturan kişi olmuştur.

Akatlı, Füsun (1944-2010)
Eleştirmen, yazar, akademisyen, dramaturg. Felsefeden tiyatroya çeşitli alanlarda ürün veren, çok yönlü bir aydındı; eleştiri yazıları Türkçede türünün en iyi örnekleri arasındadır.

Akdağ, Mustafa (1913-1973)
Tarihçi, iktisatçı, öğretmen. Osmanlı İmparatorluğu'nda toplumsal ve iktisadi yapı üzerine araştırmalarıyla tanınır.

Akok, Mahmut (1901-1993)
Müzeci, arkeolog, desinatör. Özellikle Anadolu Selçukluları üzerine çalışmıştır.

Akurgal, Ekrem (1911-2002)
Arkeolog. Türkiye'de arkeolojinin önde gelen isimlerindendir. Anadolu'nun çeşitli yerlerinde yürüttüğü kazılar sonucunda Hitit, Urartu, Frig, Lidya, Likya, Yunan, Roma ve Bizans dönemlerine ilişkin bulguları gün yüzüne çıkarmış; dünya tarihyazımına katkı sunmuştur.

Alp, Sedat (1913-2006)
Arkeolog, Hititolog, tarihçi. Türkiye'nin ilk Hititoloğudur. Konya Karahöyük kazılarına başkanlık etti. Bir dönem Türk Tarih Kurumu başkanlığı da yapmıştır.

Arzık, Nimet (1923-1989)
Yazar, çevirmen, yayıncı ve gazeteci. Gazete ve dergilerdeki çalışmalarının yanı sıra, araştırma, röportaj, biyografi, otobiyografi türünde onlarca eser vermiştir. Fransızcadan Türkçeye, Türkçeden Fransızcaya önemli çeviriler yapmıştır.

Atsız, Hüseyin Nihal (1905-1975)
Düşünür, yazar ve şair. Türklerin tarihi ve edebiyatı üzerine çalışmaları vardır; Türkçülüğün ideologlarındandır.

Avlonyalı Mehmed Ferid Paşa (1851-1914)
Osmanlı devlet adamı. 1903-1908 arasında sadrazamlık yaptı; II. Meşrutiyet'in ilanıyla görevinden azledildi.

Barkan, Ömer Lütfi (1902-1979)
İktisat ve hukuk tarihçisi. Özellikle 15 ve 16'ncı asırlardaki toprak, mülkiyet ve hukuk ilişkileri üzerine yaptığı çalışmalarla tanınır.

Barthold, Vasiliy Vladimiroviç (1869-1930)
Rus Türkolog ve şarkiyatçı.

Beken, Mübin (1921-2009)
Arkeolog, yüksek mimar ve ressam. Ömrünün önemli bir bölümünü, Side antik kentindeki arkeolojk çalışmalarla geçirmiştir. İnsanlığın kültür mirası üzerine dünyanın önemli kentlerinde sergiler açmıştır.

Beken, Süheyl (1909-1985)
Şair, yazar, öğretmen ve kütüphaneci. Millî Kütüphane'de başuzman olarak çalışmıştır. Eserleri arasındaki iki citlik *Osmanlı Paleografyası*, Osmanlıca öğrenenler için bugün hâlâ bir başucu kaynağıdır.

Berksoy, Semiha (1910-2004)
Opera sanatçısı ve ressam. İlk Türk kadın opera sanatçısıdır. Sadece Türkiye'de değil, Avrupa ve ABD'de de sahneye çıkmıştır.

Berksoy, Zeliha (d.1946)
Tiyatro-sinema oyuncusu ve yönetmeni, akademisyen. Türk tiyatrosuna önemli eserler kazandırmış, çok sayıda öğrenci yetiştirmiştir.

Birgi, Muharrem Nuri (1907-1986)
Diplomat ve devlet adamı. Türkiye'nin en donanımlı, önde gelen diplomatları arasındaydı.

Boran, Behice (1910-1987)
Sosyolog ve siyasetçi. Boran, Türkiye İşçi Partisi'nin de son genel başkanıydı.

Boratav, Pertev Naili (1907-1998)
Halkbilimci, halk edebiyatı ve folklor araştırmacısı. Türkiye'de halk edebiyatı araştırmalarının öncüsüdür; sözel formdaki binlerce deyişi, masalı, hikâyeyi kayda geçirmeyi başarmıştır.

Buhurizade Mustafa Itrî, (1640-1712)
Bestekâr. Klasik Türk musikisinin *Neva Kâr, Segâh Yürük Semâisi* gibi büyük eserlerine imzasını atmıştır. Hem dinî hem din dışı musiki alanında eser vermiştir.

Cahen, Claude (1909-1991)
Fransız tarihçi ve Oryantalist.

Champollion, Jean-François (1790-1832)
Fransız filolog, doğubilimci, Mısırbilimci. Hiyeroglifleri çözen kişi olarak da bilinir. Daha 16 yaşında Grenoble Akademisi'nde, Antik Mısırlıların konuştuğu ve hiyeroglif olarak yazdıkları dilin, Koptçaya yakın olduğunu savunan bir konuşma yapmıştır.

Coşar, Fatma Mansur (1922-2018)
Siyasetbilimci, yazar. Çok yönlü ve çok dilli bir aydındı. Din, devlet, laiklik gibi majör konular üzerine eserler verdiği gibi, çok sevdiği Bodrum üzerine de bir yapıt bırakmıştır.

Çağatay, Tahir (1902-1984)
Sosyolog. Taşkent doğumludur; 1939'da Rusya'dan Türkiye'ye göç etmiş, İkinci Dünya Savaşı sonrasında Türkiye'de sosyal bilimlerin en önemli isimleri arasında yer almıştır.

Çinici, Behruz (1932-2011)
Mimar. Yapı alanı 500 bin metrekareyi bulan ODTÜ Kampüsü onun eseridir.

Cinisli, Rasim (d.1939)
Hukukçu, siyasetçi, yazar. İki dönem milletvekillik de yapmıştır.

Donizetti, Gaetano (1797-1848)
İtalyan opera bestecisi. Gioachino Rossini ve Vincenzo Bellini ile birlikte, 19'uncu asrın ikinci yarısının *bel canto* adı verilen opera tarzının öncülerindendi.

Donizetti, Guiseppe (1788-1856)
İtalyan müzisyen. *Donizetti Paşa* olarak da bilinir. Opera bestecisi Gaetano Donizetti'nin kardeşidir. Osmanlı İmparatorluğu'nun Batı müziği ile tanışmasında, ilk bandomuz olan Mûsikâ-ı Hümâyûn'un kurulmasında katkıları olmuştur. İstanbul'da ölmüştür.

Ebert, Carl Anton Charles (1887-1980)
Alman aktör, tiyatro ve opera yönetmeni, sanat kurumları yöneticisi. Nazi rejimi karşıtı bir sanatçı olduğundan ülkesini terk etmek zorunda kalmış ve dünyanın çeşitli yerlerinde çalışmıştır. Atatürk'ün daveti üzerine, Türkiye'de opera çalışmalarını başlatan ve kurumsallaştıran kişi odur. Türkiye'de görev yaptığı dokuz yıllık zaman zarfında (1936-1945) Ankara Devlet Tiyatrosu'nun tiyatro ve opera bölümlerini de o kurmuştur.

Eberhard, Wolfram (1909-1989)
Alman sinolog ve etnolog. Türk kavimleri üzerine de etkili araştırmaları vardır; 1937-1948'de DTCF'de görev yaptığı dönemde, derslerini bir süre sonra Türkçe vermeye başlamıştır.

Eren, Zehra (1923-2016)
Tango müzisyeni ve ses sanatçısı. Türkiye'nin Marlene Dietrich'i olarak da anılıyordu.

Davut Ağa (ö.1599)
Mimar. 16'ncı yüzyılın Osmanlı Devleti bünyesindeki önemli isimlerindendir. Mimar Sinan'ın kalfasıydı; onun ölümünden sonra başmimarlığa getirilmiştir.

Dede Efendi (1778-1846)
Bestekâr, neyzen, hânende. Tam ismi Hammamîzade İsmail Dede Efendi'dir. Günümüze 300'e yakın bestesi ulaşmıştır; en çok "Yine Bir Gülnihal" diye de bilinen *Rast Semaî*'siyle tanınır.

Divitçioğlu, Sencer (1927-2014)
İktisatçı ve tarihçi. Özellikle "Asya tipi üretim tarzı" üzerine yaptığı çalışmalarla tanınmıştır.

Fraşeri, Şemseddin Sami (1850-1904)
Yazar, ansiklopedist ve sözlükçü. İlk Türkçe roman *Taaşşuk-ı Talat ve Fitnat* ile ilk Türkçe ansiklopedi *Kamusü'l-Alam* onun eseridir. Modern anlamdaki ilk Türkçe sözlük olan *Kamus-ı Türkî*'yi de kaleme almıştır.

Güvenç, Bozkurt (1926-2018)
Türk sosyal bilimci, mimar. 1960'larda antropoloji çalışmalarının Türkiye'de kurumsallaşmasını sağlamış, özellikle kültür ve eğitim üzerine verdiği eserlerle Türk düşün dünyasında ön plana çıkmıştır.

Furtwangler, Wilhelm (1886-1954)
Alman orkestra şefi ve besteci. Berlin Filarmoni Orkestrası başta olmak üzere Avrupa'nın önemli orkestralarını yöneten müzisyenin kariyeri ve tercihleri, bir Nazi sempatizanı olmasa bile, İkinci Dünya Savaşı yılları dahil Hitler iktidarında Berlin Filarmoni Orkestrası'nda görev yaptığı için büyük bir tartışmaya konu olmuştur. Oscarlı Macar yönetmen Istvan Szabo, *Taraf Tutmak*'ta bu konuyu işler.

Gaspıralı İsmail (1851-1914)
Kırımlı düşünür, yazar ve eğitimci. Özellikle eğitim, kültür ve modernleşme üzerine görüşleriyle bilinir.

Gökyay, Orhan Şaik (1902-1994)
Edebiyat tarihçisi, araştırmacı, öğretmen, şair. *Bu Vatan Kimin* isimli şiiriyle kitlelerce tanınan Gökyay, dilde sadelik çalışmalarının öncülerindendir.

Gölpınarlı, Abdülbaki (1900-1982),
Edebiyat tarihçisi. Divan edebiyatı ve İran edebiyatı uzmanlığının yanı sıra, tasavvuf ve tarikatlar üzerine çalışmaları da vardır.

Hacı Arif Bey (1831-1885)
Bestekâr. 19'uncu asırdaki klasik Türk musikisinin önde gelen isimlerindendir.

Hafız Post (1630-1694)
Klasik Türk musikisi bestekârı, hânende, şair, hattat.

Hızır, Abdülbaki Nusret (1899-1980)
Felsefeci, eğitimci, akademisyen. Yetiştirdiği önemli isimler arasında bulunan Füsun Akatlı'nın deyişiyle "çağdaş ve çağcıl bir Rönesans adamı" idi.

Hindemith, Paul (1895-1963)
Alman besteci, müzisyen, müzik teorisyeni ve orkestra şefi. Atatürk'ün davetiyle geldiği Türkiye'de, Carl Ebert ile birlikte çoksesli müziğin kurumsallaşması adına önemli çalışmalar yürüttü.

İnalcık, Halil (1916-2016)
Türk tarihçi. Osmanlı-Türk tarihinde çığır açan çalışmalarıyla ve yetiştirdiği öğrencilerle, Cumhuriyet tarihinin düşünce ve sosyal bilimler dünyasına damga vurmuştur.

Katoğlu, Murat, (d.1939)
Sanat tarihçisi, devlet adamı, yazar. Türkiye'nin kültür sanat meseleleri üzerine çalışmıştır.

Kıray, Mübeccel Belik (1923-2007)
Sosyolog. Türkiye'de ilk saha araştırmalarını yapan isimlerdendir. Verdiği eserler ve yetiştirdiği öğrenciler itibariyle, memleket toplumbiliminin en önemli isimlerinden biridir. Özellikle toplumsal değişim ve göç çalışmalarıyla tanınır.

Kempff, Wilhelm (1895-1991)
Alman piyanist ve besteci. 1927'de Ankara'da verdiği konserin ardından, Atatürk'le Çankaya'da bir görüşme yapmıştır. Bu görüşmede, Kempff, Türkiye'de klasik müziğin temellerinin nasıl atılabileceği üzerine tavsiyelerde bulunmuştur.

Kırca, Coşkun (1927-2005)
Diplomat, hukukçu, eğitimci, siyasetçi, devlet adamı, yazar. Türkiye'nin üst düzey diplomat ve hukukçuları arasındaydı. Galatasaray Üniversitesi'nin kurucularındandır.

Koçu, Reşat Ekrem (1905-1975)
Tarihçi ve yazar. Tarih anlatıcılığına getirdiği canlı soluk ve dev projesi *İstanbul Ansiklopedisi* ile tanınır.

Kuneralp, Zeki (1914-1998)
Diplomat ve devlet adamı. Türkiye'nin öncü diplomatları arasındaydı. İki dönem Dışişleri Bakanlığı müsteşarlığı da yapmıştır.

Kürkçüoğlu, Nusret (1910-1989)
Fizikçi. Fransa'da Sorbonne Üniversitesi'nde fizik, kimya ve matematik eğitimi aldıktan sonra Türkiye'ye dönüp Balıkesir Lisesi'nde öğretmenlik yapmıştır. Sonraki yıllarda İTÜ'de Temel Bilimler Fakültesi ile Maden Fakültesi'nin kuruluş çalışmalarında yer alan Kürkçüoğlu; Süleyman Demirel, Turgut Özal, Necmettin Erbakan gibi isimlerin de öğretmeni olmuştur.

Leibniz, Gottfried Wilhelm (1646-1716)
Alman filozof ve matematikçi. Bizde daha çok "hezarfen" diye bilinen, "polymath-polimat", yani "farklı alanlarda engin bilgiye sahip olan kişi" tarifine giren iyi bir örnektir.

Lessing, Gotthold Ephraim (1903-1975)
Alman müzisyen, orkestra şefi. 1963-1971 arasında Cumhurbaşkanlığı Senfoni Orkestrası'nı yönetti.

Lewis, Bernard (1916-2018)
İngiliz asıllı Amerikalı tarihçi. İslam tarihi ve Ortadoğu uzmanıydı.

Mardin, Şerif (1927-2017).
Sosyolog ve siyasetbilimci. Özellikle Türkiye'de modernleşme süreci üzerine çalışmalarıyla, sosyal bilimler alanında öncü oldu.

Mehmed Tahir Münif Paşa (1830-1910)
Osmanlı devlet adamı. Üç ayrı dönem Millî Eğitim Bakanlığı yapmış, modern eğitim üzerine çalışmalarıyla tanınmıştı.

Meinecke, Max (1912-1972)
Alman tiyatro yönetmeni ve sahne tasarımcısı. 1952'de Türkiye'ye gelmiş; 1970'e dek İstanbul Şehir Tiyatrosu, Ankara Konservatuvarı, DTCF gibi kurumlarda çalışmıştır.

Meray, Seha L. (1924-1977)
Hukukçu, yazar. Özellikle Lozan Antlaşması üzerine Osman Olcay ile beraber yaptığı çalışmayla bilinir. Bir dönem Türk Dil Kurumu'nun başkanlığını üstlenmiş, kısa bir dönem de ODTÜ'nün rektörlüğünü yapmıştır.

Mérimée, Prosper (1803-1870)
Fransız yazar, çevirmen, arkeolog, tarihçi ve hukukçu. Edebiyata "novella" da denilen kısa roman türünü getiren öncü yazarlardandır; Georges Bizet tarafından operaya uyarlanıp ses getiren eser *Carmen* onun kaleminden çıkmıştır.

Mesut Cemil (1902-1963)
Müzisyen, bestekâr, tambur ustası, radyocu yazar. Tanburi Cemil Bey'in oğludur. Başta tambur olmak üzere birçok enstrümanı virtüözlük derecesinde çalan Mesut Cemil, Türkiye'de radyoculuğun ilk ve en önemli isimlerinden biri olmuştur.

Mustafa Necati (1894-1929)
Devlet adamı, hukukçu, eğitimci. Mustafa Kemal Atatürk'ün yakın çalışma arkadaşlarındandı. Türkiye Cumhuriyeti'nin kurulmasıyla beraber başlayan reform sürecinin de en etkili isimlerinden biridir. En önemli eserlerini, Millî Eğitim Bakanı olarak görev yaparken verdi. Yeni harflere geçişin mimarlarındandı. Adalet Bakanı ve Bayındırlık Bakanı olarak da görev yapmıştır.

Olcay, Osman Esim (1924-2010)
Diplomat ve devlet adamı. Dışişleri bürokrasisinin en tepesine çıkmış; 1971'de Nihat Erim kabinesinde Dışişleri Bakanı olarak da görev yapmıştır.

Öztuna, Yılmaz (1930-2012)
Türk tarihçi, siyaset adamı, müzikolog ve yazar. Üretken bir araştırmacıdır; tarihi anlaşılabilir, edebî bir üslupla kaleme almıştır.

Papas, Irini (d.1926)
Yunan sinema ve tiyatro oyuncusu.

Pritsak, Omeljan (1919-2006)
Ukraynalı dilbilimci ve Türkolog.

Rahmi Bey (1864-1924)
Bestekâr, hukukçu, öğretmen. Hacı Arif Bey sonrasının klasik Türk musikisinin önemli isimlerindendi.

Ranke, Leopold von (1795-1886)
Alman tarihçi. Birincil kaynaklardan yararlanmanın önemine dikkat çekerek, tarihyazımını şekillendiren isimlerden olmuştur.

Rodinson, Maxime (1915-2004)
Fransız tarihçi, sosyolog ve Oryantalist.

Ruben, Walter (1899-1982)
Alman Hindolog. Almanya'daki Nazi baskısından kaçarak Türkiye'ye gelmiş, öğretim üyeliği yapmıştır.

Sancar, Aziz (d. 1946)
Moleküler biyolog, biyokimyacı. Hasarlı hücreler ve DNA üzerine çalışmalarıyla 2015 Nobel Kimya Ödülü'nü aldı.

Sezgin, Mukadder (d.1933)
Devlet adamı, turizmci, çevirmen. Türkiye turizminin atılım yapmasında, Türkiye'nin dünyaca tanınmasında pay sahibidir.

Söylemezoğlu, Belkıs Rufa Kemali (1917-1972)
Oyuncu, manken. "Benli Belkıs" diye de tanınan Söylemezoğlu; cemiyet hayatının, ışıltılı yaşamı ve ilişkileriyle öne çıkan simalarındandı.

Tek, Mehmet Vedat (1873-1942)
Mimar. Birinci Ulusal Mimarlık akımının Mimar Kemalettin Bey ile birlikte en önemli iki isminden biridir.

Tekeli, İlhan (d. 1937)
Şehir ve bölge plancısı, sosyolog. Türkiye'de kentleşme ve kentsel politika alanlarının önde gelen isimlerindendir.

Tietze, Andreas (1914-2003)
Avusturyalı Türkolog. *Tarihî ve Etimolojik Türkiye Türkçesi Lügati* (On yıllarca süren bu çalışmada kendisi 'S' harfine kadar gelebilmiş, yapıtı öğrencileri tamamlamıştır) başta olmak üzere Türkçe üzerindeki çığır açan araştırmalarıyla bilinir. Çeşitli dönemlerde Türkiye üniversitelerinde de görev yapmış, akademisyenler yetiştirmiştir.

Turan, Şerafettin (1925-2015)
Tarihçi, yazar, dil araştırmacısı. Osmanlı tarihi ve Türk devrim tarihi üzerine yaptığı çalışmalarla tanınır. Türk Dil Kurumu'nun ve Dil Derneği'nin başkanlığını da yapmıştır.

Uçuk, Cahit (1909-2004)
Hikâye ve roman yazarı, şair. Gerçek adı Cahide Üçok'tur. Cumhuriyet döneminin öne çıkan ilk kadın yazarlarındandır. Romandan anıya, masaldan şiire, onlarca eser vermiştir.

De Valois, Ninette (Dame) (1898-2001)
İrlanda kökenli Britanyalı dansçı ve koreograf. Bale tarihinin en önemli figürlerindendir; İngiltere'de ve Türkiye'de baleyi kurumsallaştıran isimdir.

Yalçın, Nilüfer (1923-2011)
Gazeteci, yazar. Türk basın hayatında diplomasi ve parlamento muhabirliğinin ilk temsilcilerindendir.

Yaşargil, Gazi (d. 1925)
Beyin ve sinir cerrahı, bilim insanı. Türkiye, İsviçre ve ABD'deki çalışmalarıyla, beyin ve sinir cerrahisi alanında çığır açmıştır.

Zuckmayer, Eduard (1890-1972)
Alman besteci ve eğitimci. Gazi Eğitim Enstitüsü Müzik Bölümü'nü kurmuştur; Türkiye'yi "ikinci vatanı" olarak nitelemiştir.

İNDEKS

Gazi Mustafa Kemal Atatürk

—

İLBER ORTAYLI

**YAŞAMININ TÜM YÖNLERİYLE
BÜYÜK LİDER ATATÜRK...**

*"Tarihin akışını değiştiren, ona mührünü vuran veya büyük tehlikelere mâni olan
liderlere her memlekette rastlamak mümkün değildir. Atatürk dünya tarihinin nadiren
gördüğü bir dehadır. Birinci Dünya Savaşı'ndan sonra, hiçbir mağlup milletin direniş
göstermediği zamanda siviller ve askerlerle dünyaya meydan okumuştur."*
İLBER ORTAYLI

Türklerin Altın Çağı

—

İLBER ORTAYLI

ASYA'DAN AVRUPA'YA
ORTADOĞU'DAN KAFKASLARA
TÜRKLERIN ALTIN ÇAĞI...

"Koca bir kavmin binlerce kilometreyi üç asır içinde geçtiğini düşünün… Bu, dünyayı değiştirmez de ne yapar? İşte Türkler dünyayı böyle değiştirdi."

İlber Ortaylı

İlber Ortaylı Seyahatnamesi

—

İLBER ORTAYLI

İLBER ORTAYLI'NIN REHBERLİĞİNDE MUHTEŞEM BİR YOLCULUK

"Türkiye gibi önemli bir coğrafyayı ve tarih alanını öğrenmek için onun kuzeyindeki Güney Rusya ve Kafkasya, doğusundaki İran ve Hindistan, güneyindeki Suriye, Filistin ve Mezopotamya'nın yanı sıra Balkanları ve Akdeniz ülkelerini anlamak da kaçınılmazdır"

İlber Ortaylı

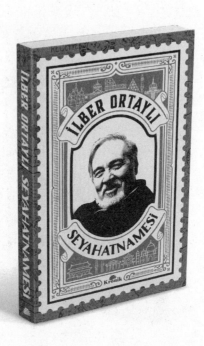